La maison de Nora Silk

Alice Hoffman

La maison de Nora Silk

Traduit de l'américain
par Madeleine Thuot

FRANCE LOISIRS
123, boulevard de Grenelle, Paris

Titre original : Seventh heaven

Une édition du Club France Loisirs, Paris,
réalisée avec l'autorisation
des éditions Flammarion Ltée

ISBN 2-7242-7263-3

À Jake et Zachary,
à Ross et Jo Ann,
à Carol DeKnight,
à Sherry Hoffman,
à mon grand-père, Michael Hoffman,

avec amour

et à la mémoire de Houdini

1959

1

Au pays d'Elvis Presley

À la fin du mois d'août, trois corneilles firent leur nid dans la cheminée de la maison à l'angle de la rue Hemlock. Tôt le matin, leurs croassements faisaient un tel vacarme qu'ils auraient réveillé un mort. Elles prenaient des cailloux dans leur bec et, du haut de la cheminée, les lançaient contre les fenêtres panoramiques ; leurs plumes, qu'elles arrachaient, se retrouvaient dans les endroits les plus inattendus : les bols de Cheerios, les poches des chemises suspendues aux cordes à linge et les bouteilles de lait livrées dès l'aube par le laitier.

Cette maison, qui faisait le coin de la rue, était la première à être inoccupée depuis la construction de cette nouvelle ville de banlieue six ans plus tôt, dans un champ de pommes de terre. À cette époque, la ville se résumait à un bureau de poste sur Harvey's Turnpike. À leur arrivée, quand les hommes de la rue Hemlock voulurent gazonner leur terrain et planter des mimosas et des peupliers, ils trouvèrent encore des pommes de terre dans le sol et, le jour du ramassage des ordures, on pouvait voir des tas de ces tubercules côtoyer les poubelles d'aluminium. L'école primaire, l'école secondaire, le supermarché A&P, le poste de police sur la route, tout dans le quartier était flambant neuf. L'air même semblait comme neuf ; il provoquait des étourdissements lorsqu'on n'y était pas habitué et on avait vu des parents venus de Brooklyn et de Queens obligés de s'étendre sur un canapé avec une serviette humide sur le front. Les branches des jeunes arbres étaient minces et frêles et, lorsqu'on s'aventurait à y grimper, l'écorce laissait des empreintes vertes sur les mains. Toutes les maisons étaient du même modèle et, pendant longtemps, les maris, de retour du travail, garèrent leur voiture dans la mauvaise allée et les enfants, en quête de biscuits et d'un verre de lait, entrèrent dans la mauvaise cuisine. Les jeunes mamans promenaient leur bébé dans leur poussette neuve le long de rues identiques où s'alignaient des rangées de bungalows tous semblables. Elles finissaient par tourner en rond et ce n'est qu'à la tombée de la nuit, guidées par la clochette annonçant l'arrivée du marchand de glace dans leur quartier, qu'elles retrouvaient leur chemin.

Six ans plus tard, les maisons paraissaient encore toutes pareilles aux yeux d'un étranger mais les résidants pouvaient les différencier facilement grâce à la couleur des moulures sur les façades de brique, aux boîtes à fleurs, aux statues sur les pelouses ou à la forme des haies le long des allées. Les chaudes soirées d'été, après une partie de ballon, les enfants savaient très bien quelle porte-moustiquaire ouvrir à toute volée et dans quelle chambre se débarrasser de leurs vêtements trempés de sueur. Les mères n'avaient plus à attacher un carton d'identité avec leur adresse au poignet de leurs jeunes enfants lorsque ceux-ci allaient jouer dans le jardin. Même les chiens, qui étaient tellement désorientés la première année qu'à midi ils se mettaient à hurler en chœur au coin des rues, savaient maintenant où était enterré leur os et à quel endroit trouver refuge pour la nuit.

Se mêler de ses affaires et bien entretenir sa pelouse, voilà la convention tacite qui assurait la paix entre voisins. Parce que les nouveaux résidants venaient du même milieu et que c'était leur premier achat de maison — ils étaient probablement les premiers de leur famille à devenir propriétaires — tout alla bien jusqu'à ce que la mort de M. Olivera mette fin à cette belle entente. Un jour de novembre, lorsqu'il fait déjà noir en fin d'après-midi et qu'au premier signe de neige les enfants sortent leur traîneau pour aller glisser sur Dead Man's Hill de l'autre côté de l'autoroute, M. Olivera se mit au lit sous deux couvertures de laine. Il se coucha sur le côté, prit trois grandes respirations, pensa à mettre de l'antigel dans le radiateur de sa Chrysler et s'endormit pour ne jamais se réveiller.

Mme Olivera, une femme de la vieille école qui faisait des confitures avec les raisins des vignes cultivées par son mari sur le côté de leur maison, partit immédiatement en Virginie, auprès de sa fille mariée. Pendant qu'elle hésitait — devait-elle revenir dans un quartier où elle serait la seule femme âgée de plus de soixante ans, ou bien demeurer chez sa fille ? — la maison, pour des raisons mystérieuses, se mit à tomber en ruines. À Noël, les volets de bois étaient fendus et pendaient de leurs gonds. En février, le ciment devant la véranda avait commencé à s'effriter. À la fin du printemps, l'herbe devant la maison était si haute que les moustiques y proliféraient et que les passants traversaient de l'autre côté de la rue. Joe Hennessy, un policier du comté de Nassau depuis cinq ans dont le dossier était à l'étude pour une promotion, se décida finalement à pousser sa nouvelle tondeuse électrique jusqu'à la maison des Olivera, en face de chez lui. C'était un homme d'un mètre quatre-vingt-dix, aux bras et au dos musclés, mais après qu'il eut coupé le gazon de la moitié de la pelouse, il était tellement épuisé qu'il dut s'asseoir sur la véranda pour reprendre son souffle. En juillet, lorsque Mme Olivera se décida enfin à vendre, il était déjà trop tard. Malgré les fenêtres verrouillées et fermées hermétiquement, une étrange odeur, comme si on avait oublié une casserole de confiture sur l'élément arrière de la cuisinière, émanait de la maison et éloignait les acheteurs éventuels.

Ce relent sucré et douceâtre de fruits en décomposition persista tout l'été et devint de plus en plus tenace. Les ménagères de la rue Hemlock eurent beau vaporiser du Airwick et désinfecter leurs planchers avec du Lysol, on aurait dit que l'odeur s'infiltrait à travers les fenêtres munies de moustiquaires, comme pour les narguer. Ace McCarthy, un jeune garçon de dix-sept ans à qui rien ne faisait peur, habitait le bungalow voisin et, même s'il ne l'eût avoué à personne, il aurait juré entendre des gémissements venant de chez les Olivera tard certains soirs après qu'il eut éteint sa radio portative. De jeunes farceurs de la rue Poplar et de la rue Pine lancèrent la rumeur que la maison était hantée et, le samedi soir, des voitures bondées d'adolescents venaient se garer en face du bungalow. Les garçons klaxonnaient et se mettaient au défi d'y passer la nuit ; ils se traitaient de froussards, embrassaient les petites amies de leurs copains et continuaient à faire du vacarme jusqu'à ce que Joe Hennessy sorte de chez lui, ouvre la porte de son autopatrouille et actionne la sirène.

Pourquoi le malheur frappait-il rue Hemlock et pas ailleurs ? Personne n'en avait la moindre idée. En octobre, n'avait-on pas ramassé et brûlé les feuilles mortes le long des trottoirs ? Les jeunes mères n'avaient-elles pas confectionné des gâteaux quatre-quarts au citron et des brownies au chocolat et aux noix pour la fête organisée au profit de l'école élémentaire ? Les enfants étaient peut-être un peu turbulents, soit, mais ils étaient sans malice. Quant aux adolescentes, glisser un tube de rouge à lèvres dans leur sac sans payer ou manger un plein sac de croustilles lorsqu'elles gardaient des enfants étaient bien les pires choses dont elles pouvaient se rendre coupables.

Perplexes, les gens s'interrogeaient sur leurs voisins. Une malédiction semblait peser sur eux mais qui visait-elle au juste ? Certainement pas John McCarthy, le propriétaire de la station-service Texaco sur Harvey's Turnpike, le voisin immédiat des Olivera, donc le candidat le plus plausible. Mais peut-être visait-elle plutôt Ace et Jackie McCarthy, des garnements qui appelaient leur père « Le Saint » lorsque celui-ci avait le dos tourné. Quant aux Shapiro, les voisins des McCarthy, ils auraient bien mérité qu'un malheur les fasse descendre de leur piédestal. Leurs enfants étaient un peu trop parfaits ; Danny était trop intelligent pour son bien et Rickie aimait coiffer ses cheveux roux en public pour attirer l'attention. Elle ne visait pas non plus les Durgin — Donna Durgin entretenait si bien sa maison qu'elle faisait honte à tout le voisinage — ni les Wineman dont les pommiers sauvages formaient une tonnelle de fleurs roses chaque printemps, et encore moins Joe Hennessy. On voyait bien que Joe était un bon mari et un bon père ; on pouvait d'ailleurs se compter chanceux de l'avoir comme voisin.

Cette malédiction était pourtant bien réelle et personne ne fut surpris lorsque, venant du sud, les corneilles firent leur apparition. Après avoir fermé leur téléviseur et éteint leur radio, les résidants de la rue Hemlock sortirent sur leur pelouse pour les observer. C'étaient de gros oiseaux aux yeux couleur de rubis, capables de braver les épagneuls et les setters irlandais qui s'aventuraient dans le jardin des Olivera. Quand le jeune Stevie Hennessy tira sur l'une des corneilles avec sa carabine à air comprimé, la plus grosse attrapa un plomb avec son bec et pourchassa Stevie jusque de l'autre côté de la rue ; elle réussit même à arracher un morceau de son jean avant que l'enfant ne se réfugie chez lui en appelant sa mère. Ellen Hennessy prit son fils dans ses bras, et après s'être assurée qu'il n'était pas blessé, sortit en courant dans la rue. Elle menaça la corneille de son tablier mais l'oiseau ne lui prêta aucune attention et retourna se percher sur la cheminée.

Il fallait faire quelque chose. Phil Shapiro et John McCarthy se retrouvèrent donc dans la salle de jeux des Hennessy un vendredi soir, après le dîner. Ellen Hennessy avait préparé un bol de Fritos et une trempette à la crème sure et aux oignons qu'elle avait placés sur le comptoir laminé du bar. Phil Shapiro et John McCarthy s'installèrent tant bien que mal sur le canapé de vinyle noir tandis que Joe Hennessy enlevait le jeu de hockey de la table basse et prenait place en face d'eux. Bien qu'étant voisins depuis six ans, les trois hommes n'avaient pas souvent eu l'occasion de se rendre visite sauf pour emprunter un tournevis ou un siphon, ou à l'occasion d'une soirée pendant les fêtes. Et ce n'était certainement pas le fait d'être assis face à face et d'accepter une bière de Joe Hennessy qui allait les mettre à l'aise. La salle de jeux des Hennessy était aménagée dans une partie du sous-sol et on entendait le bruit de la machine à laver derrière la cloison de faux pin noueux. C'était Phil Shapiro qui avait organisé cette rencontre après avoir découvert que l'agent immobilier ne se donnait même plus la peine de faire visiter la maison des Olivera. Il était directeur du service de la comptabilité chez A&S et il s'était rendu directement chez les Hennessy sans prendre la peine de dîner. Voyant que John McCarthy était encore vêtu de son uniforme de travail Texaco et que Hennessy portait un vieux pantalon de velours et une chemise sport à manches courtes, il regretta de n'avoir pas pris la peine de se changer.

— Mon Dieu qu'il fait chaud, dit Phil en enlevant sa cravate et en la mettant dans sa poche.

Il prit une gorgée de Budweiser par pure politesse.

— Ça c'est vrai, renchérit John McCarthy.

Les trois hommes burent leur bière en silence tout en

réfléchissant à cette dure réalité. Ils sentaient l'odeur de pourriture qui émanait de la maison des Olivera, pourtant située de l'autre côté de la rue.

— Si ça continue comme ça, dit Phil Shapiro, si nous ne faisons rien, nos maisons vont sûrement perdre beaucoup de valeur.

— Je suis d'accord, affirma Joe Hennessy.

— Chaque fois que je regarde de ce côté-là, j'ai peur qu'un enfant tombe dans le puits ou se retrouve enfermé dans le garage, s'inquiéta John McCarthy.

Hennessy et Phil Shapiro se turent quelques secondes, honteux de leurs préoccupations bassement matérialistes. Hennessy se rappela que les fils de McCarthy le surnommaient « Le Saint » pour se moquer de lui. Ils n'avaient probablement pas tort. Un regard de John et on se sentait coupable même si on ne faisait jamais rien de mal.

Phil Shapiro rompit le silence.

— Oui, c'est vrai que quelqu'un peut facilement se blesser. Il suffirait que les corneilles frottent des allumettes dans le mauvais sens et « pouf », plus de maison.

— Je n'avais jamais pensé à ça, dit John McCarthy d'une voix inquiète. Et puis, n'oubliez pas que quelqu'un pourrait très bien s'empêtrer dans les hautes herbes du jardin, tomber et se casser une jambe.

— Il est grand temps que nous fassions quelque chose, affirma Phil Shapiro.

Ellen Hennessy ouvrit la porte du sous-sol.

— Avez-vous tout ce qu'il vous faut ?

— Ça va, répondit Hennessy. À moins que vous ne vouliez autre chose, du fromage avec des craquelins, du gâteau..., ajouta-t-il à l'adresse de ses invités.

Les deux hommes refusèrent d'un signe de tête ; ils préféraient manger chez eux.

— Ça va Ellen, on n'a besoin de rien.

— On pourrait faire paraître une annonce dans le journal, suggéra Phil Shapiro, et demander à l'acheteur éventuel de prendre contact avec Mme Olivera en Virginie.

— Mais qui pourrait bien être intéressé par une maison dans cet état ? demanda Hennessy. Connaissez-vous quelqu'un qui ferait un bon voisin ?

— Il faudrait que ce soit un bricoleur, dit John McCarthy.

Hennessy se leva pour prendre le bol de Fritos et s'en servit une poignée. Se mêler des affaires des autres les mettait tous les trois mal à l'aise mais, au bout d'une heure, tout était réglé : Phil Shapiro communiquerait avec Madame Olivera pour obtenir son accord, Hennessy placerait une annonce dans la section « Immobilier » de trois journaux différents et John McCarthy ferait visiter la maison le soir.

De l'autre côté de la rue, Danny Shapiro et Ace McCarthy, assis sur le capot de la Chevy bleue de Jackie McCarthy, observaient la lumière jaune qui éclairait la salle de jeux des Hennessy. Les deux garçons n'en revenaient pas. Qu'est-ce que leur père et Joe Hennessy avaient tant à se dire depuis plus d'une heure ? À la maison, ni le père d'Ace ni celui de Danny ne parlait beaucoup à leurs enfants, à moins d'une urgence, mais voilà qu'ils s'éternisaient chez les Hennessy et, lorsque la lumière s'éteignit, il était presque vingt heures trente.

Les trois hommes montèrent l'escalier et entrèrent dans la cuisine. Elle était aussi petite que la leur et ils durent se glisser entre la table et Ellen Hennessy.

— J'espère que vous avez trouvé une solution, dit Ellen à son mari après qu'il eut raccompagné ses voisins jusqu'à la porte d'entrée, comme si ceux-ci n'empruntaient pas chaque jour ce même chemin dans leur propre maison.

Hennessy regarda sa femme nettoyer les comptoirs de

linoléum avec une éponge rose. Elle portait un bermuda à carreaux, une blouse blanche ornée d'un col Peter Pan, et ses cheveux, coupés court, dégageaient sa nuque.

— Je crois qu'on a trouvé une solution, répondit Hennessy en prenant une poignée des Fritos dans le bol qu'il avait rapporté du sous-sol.

Ils écoutèrent un instant les corneilles s'installer pour la nuit. Un peu plus tôt, John McCarthy avait avoué qu'il devait porter des cache-oreilles la nuit pour ne pas être dérangé par leurs croassements.

— On pourrait faire sauter la maison.

— Très drôle, répondit Ellen.

Les corneilles n'embêtaient pas Ellen autant qu'elles dérangeaient son mari. Le soir, avant de se coucher, elle se faisait une mise en plis avec des rouleaux métalliques, posait des tampons de coton sur ses oreilles et se couvrait la tête d'un filet.

— Tu sais, j'aime beaucoup mieux quand tu ne boucles pas tes cheveux.

— Tu plaisantes, j'espère !

Hennessy s'approcha de sa femme et lui passa un bras autour de la taille. La maison n'était pas très grande et par moments Hennessy oubliait presque que les enfants, déjà au lit, pouvaient très bien les entendre de leur chambre.

— Si nous allions nous coucher de bonne heure ?

— D'accord, répondit Ellen mais elle continua tranquillement à nettoyer les éléments de la cuisinière.

Hennessy s'écarta d'elle. Il attendit pour voir si elle se tournerait vers lui mais comme elle continuait à frotter, il gagna le couloir qui menait de la cuisine au garage. Il entra dans le garage, alluma la lumière de faible intensité et fit coulisser la porte extérieure. Il faisait plus frais ainsi ; une nuée de moustiques s'agitèrent autour de l'ampoule qui pendait du plafond. Hennessy ne se fâchait même plus lorsque Ellen l'ignorait ainsi. Il s'accroupit à côté de son établi pour prendre un bidon d'essence.

— Joe ? appela Ellen depuis l'embrasure de la porte.

Hennessy se redressa et tira vers lui sa nouvelle tondeuse qui était rangée dans un coin du garage.

— Je vais finir de tondre le gazon chez les Olivera.

Il contourna sa voiture garée dans l'allée et traversa la rue. Ace McCarthy et Danny Shapiro le regardèrent s'approcher. Ils savaient, par Stevie Hennessy, que Joe portait souvent son arme même lorsqu'il n'était pas en service.

— Alors les garçons, on ne sait pas quoi faire ? leur demanda Hennessy lorsqu'il passa devant eux.

— On s'en allait justement, s'empressa de répondre Danny Shapiro.

— Parce que si vous n'avez rien de mieux à faire, vous pourriez tondre le gazon chez les Olivera.

— C'est pas possible maintenant, répondit Ace, et il ajouta « monsieur », d'une voix si naturelle qu'il eût été impossible de deviner combien cela lui en coûtait de s'adresser ainsi à Joe Hennessy. « C'est vendredi soir, vous savez, et on a des tas de choses intéressantes à faire. »

— Ouais, je vois...

Hennessy n'insista pas. Il soupçonnait Ace McCarthy de suivre les traces de son frère Jackie, un voyou, celui-là, avec ses bottes de cow-boy à bouts pointus et ses poches bourrées de fausses pièces d'identité.

L'herbe qu'il avait coupée au printemps avait repoussé. Hennessy s'arrêta dans l'allée et leva les yeux vers la cheminée. Les corneilles continuèrent de croasser quelques instants entre elles et sortirent ensuite de leur nid pour observer Hennessy. Il dut s'y prendre à trois reprises pour faire démarrer la tondeuse et, lorsque le moteur s'emballa enfin dans un vacarme d'enfer, les corneilles se mirent à tournoyer dans le ciel en poussant des cris affolés. Il mit plus d'une heure à tondre la pelouse du parterre. Au début les corneilles lui lancèrent des cailloux mais elles se lassèrent vite de ce petit jeu. Elles regagnèrent la cheminée et continuèrent à le surveiller pendant qu'il finissait son travail.

Il restait des parcelles de terrain où le gazon n'était pas coupé mais Hennessy se dit que, de toute façon, John McCarthy ferait visiter la maison le soir et, l'obscurité aidant, personne ne remarquerait le mauvais état de la pelouse. Il faisait chaud et il enleva sa chemise avec laquelle il s'essuya le visage. Il ouvrit la clôture grillagée et poussa sa tondeuse dans le jardin après s'être arrêté quelques instants à côté des vignes. Les raisins trop mûrs, que personne n'avait cueillis, formaient des petits tas violets sur le sol. Il faisait presque noir maintenant et déjà on ne distinguait plus grand-chose. Hennessy décida de se dépêcher pour finir avant la nuit mais les enfants de la rue Hemlock s'endormirent quand même au son de sa tondeuse et les voisins purent enfin ouvrir leurs fenêtres toutes grandes, heureux que l'odeur de pourriture soit remplacée, même pour quelques heures seulement, par la fraîche odeur de l'herbe coupée, une odeur qui ne manquait jamais de les émouvoir et de leur faire apprécier la vie de banlieue.

Pendant ces belles soirées d'été, calmes et sereines, les enfants bien en sécurité dans leur lit, on aurait dit qu'un voile protecteur invisible enveloppait la rue Hemlock. Personne ne pensait à verrouiller les fenêtres ou à fermer les portes à clé. Les réfrigérateurs General Electric ronronnaient doucement et les étoiles brillaient dans le ciel. Si, le matin, la circulation sur Harvey's Turnpike était assez bruyante pour réveiller ceux qui dormaient encore, ce grondement se transformait, le soir venu, en un murmure apaisant et les enfants, bien au chaud sous leur couverture blanche et leur édredon décoré de chevaux à bascule, s'endormaient paisiblement. Plus la nuit avançait, plus les heures s'écoulaient lentement. Ici, les nuits d'été étaient plus longues qu'ailleurs, les grillons stridulaient plus doucement et lorsque les enfants tombaient de leur lit, ils continuaient de dormir en serrant leur ourson préféré sur leur cœur.

Éclairé par la lune, tout semblait encore flambant neuf six ans plus tard : les boîtes à lunch, les bicyclettes, les canapés, les mobiliers de chambre à coucher, les voitures dans les allées, les balançoires dans les jardins, et devant les maisons, le ciment n'était pas encore lézardé. Lorsqu'on avait rasé les fermes de pommes de terre et terrassé le sol sablonneux, les lucioles, désorientées, s'étaient rassemblées en un nuage lumineux et avaient quitté la région. Mais, cette année, elles étaient revenues et s'étaient longtemps attardées dans les massifs de roses et dans les pommiers sauvages.

Aucun des enfants nés dans cette banlieue, et encore moins ceux qui étaient originaires de Brooklyn et de Queens, n'avaient vu de luciole auparavant mais ils surent d'instinct ce qu'il fallait faire, comme si leur cerveau avait été programmé. Ils coururent chercher des pots de cornichons vides, les remplirent de lucioles qu'ils avaient attrapées avec leurs mains et, pendant la nuit, des globes lumineux éclairèrent le dessous de leur lit jusqu'au matin. Bonne nuit, beaux rêves, disait-on à ces enfants et ils passaient de bonnes nuits et ils faisaient de beaux rêves. Si des monstres apparaissaient dans les placards ou derrière les arbres, ils n'en disaient rien à leurs parents et ne s'en parlaient pas entre eux. Ces monstres réapparaissaient parfois à l'école, sous la forme de dessins coloriés au pastel et au crayon de couleur, et on voyait bien à leurs cheveux mauves et à leurs grands yeux jaunes qu'ils ne croyaient pas du tout aux bonnes nuits et aux beaux rêves.

Dans certaines maisons de la rue Hemlock, des filles bien élevées dormaient, les mains sagement croisées sur leur poitrine. Elles croyaient qu'il ne fallait surtout pas laisser les garçons toucher leurs seins et, heureusement pour elles, elles ne rêvaient jamais. Elles ne s'interrogeaient pas sur la façon dont on faisait les bébés et, si elles l'avaient su, elles n'en auraient parlé à personne, même pas à leur meilleure amie. Et pourtant... durant ces chaudes nuits d'été, elles éprouvaient souvent une faiblesse dans les jambes. Assises dans les gradins du stade de l'école secondaire, elles regardaient les garçons jouer au base-ball. Elles mâchaient de la gomme Juicy Fruit en se recoiffant toutes les cinq minutes, et elles étaient soudain envahies par un vague malaise, par la sensation d'un danger imminent.

Le ciel se teintait peu à peu de cette lueur bleutée si particulière aux soirs d'été. Des adolescents couraient maladroitement d'un but à l'autre dans la quasi-obscurité. Ces garçons, qui avaient toujours mené une vie parfaitement insouciante, étaient maintenant assaillis par un sentiment de défaite. Ils pensaient à leur père quand celui-ci sortait les poubelles, quand il s'installait, comme tous les samedis soirs, à la table de la cuisine, le chéquier à portée de main, pour faire les comptes : l'hypothèque, la taxe d'eau, l'électricité. Et ils se demandaient pourquoi cela les faisait trébucher, pourquoi ils se mettaient tout à coup à rêver à la bouche d'une fille, à imaginer ses doigts sur leur peau et la transparence de ses paupières lorsqu'elle fermerait les yeux.

Les pères de ces garçons avaient déjà connu, eux aussi, ce redoutable sentiment de liberté que procure une nuit d'été mais, depuis quelque temps, des choses plus terre à terre les faisaient rêver. Ils souriaient lorsqu'ils réglaient les comptes ; « Tout ceci m'appartient », se disaient-ils, et passer la soirée à la maison un samedi soir ne les dérangeait même plus. Ils avaient autre chose en tête, la prochaine partie de poker, une promotion en vue au bureau. Ils possédaient de belles voitures aux couleurs acidulées et aux ailes allongées. Alors, pourquoi avaient-ils la gorge serrée à la vue de leur fils aîné en train de boutonner sa chemise blanche et de lisser ses cheveux en arrière avec beaucoup d'eau ? Pourquoi cette nostalgie à la vue de leur benjamin qui faisait le singe au terrain de jeux et qui refusait d'aller se coucher lorsque c'était l'heure ?

Les femmes de ces hommes ne se regardaient plus dans le miroir lorsqu'elles se démaquillaient à la fin d'une de ces chaudes journées du mois d'août. Elles avaient peine à accepter qu'elles étaient maintenant mères de famille ; encore hébétées par le faux sommeil de l'anesthésie, elles s'étaient retrouvées avec un bébé dans les bras et l'impression que leur jeunesse venait de s'envoler. Chaque année, un peu avant l'arrivée de l'hiver, elles sortaient du placard les petites bottes rouges rangées soigneusement sur la tablette supérieure. Chaque année, un peu avant l'arrivée du printemps, elles allaient au sous-sol chercher les manteaux et les coupe-vent légers qu'elles débarrassaient de leur antimite et qu'elles aéraient sur la corde à linge dans le jardin. Elles savaient faire un gâteau à la noix de coco, elles préparaient de la soupe au poulet et au riz pour leurs jeunes enfants alités à cause d'un vilain mal de gorge et elles passaient une commande pour une de ces nouvelles tables de cuisine au plateau laminé, imitation bois, si faciles à nettoyer.

Mais, cette année, ces jeunes femmes avaient vu que les lucioles étaient revenues dans le quartier. Elles avaient aperçu un éclair de lumière à la fenêtre de leur chambre comme elles allaient se mettre au lit et la lueur verte avait formé une nuée d'étoiles à travers le grillage métallique de la clôture autour du jardin. Dans la salle de bains, assises sur le bord de la baignoire qu'elles avaient récurée avec du Bon Ami un peu plus tôt dans la journée, elles écoutaient le souffle profond et régulier de leurs enfants endormis de l'autre côté des minces cloisons de placoplâtre tout en fumant une dernière cigarette. Elles enlevaient ensuite leurs épingles à cheveux, se recoiffaient rapidement mais, quand elles entraient dans la chambre, leur mari dormait déjà et les lucioles s'étaient réfugiées sous l'herbe du jardin.

La chaleur était insupportable. L'asphalte du Southern State s'était gonflé et il valait mieux ne pas quitter la route des yeux à cause des crevasses. La chaleur, alimentée depuis quelque temps par un vent d'ouest, était venue à bout du gazon déjà brun de chaque côté de l'autoroute. Nora Silk essayait de maintenir la même vitesse que le camion-remorque mais chaque fois qu'elle tentait de passer à cent dix kilomètres à l'heure, la Volkswagen se mettait à vibrer et elle devait tenir le volant à deux mains. Elle regarda au-delà de la brume de chaleur qui planait au-dessus de l'autoroute et réussit à se concentrer sur la route jusqu'à ce qu'elle entende le bruit d'un briquet qu'on allume.

— Lâche ce briquet, ordonna-t-elle à son fils Billy.

Il avait beau avoir huit ans, cet enfant ne pouvait s'empêcher de jouer avec le briquet. Nora savait qu'il finirait par le laisser tomber sur la carpette et que celle-ci prendrait feu. Elle se voyait déjà arrêter l'auto pour secourir le bébé, qui serait probablement tombé de la banquette arrière où il dormait paisiblement, son ourson préféré serré contre lui, et essayer de le consoler tout en cherchant le sac de couches propres.

— J'ai dit tout de suite, Billy. Et puis, donne-moi une Salem.

Billy prit un nouveau paquet de cigarettes dans la boîte à gants et enleva le papier cellophane.

— Est-ce que je peux l'allumer ?

— Jamais de la vie.

— Juste cette fois...

Billy pouvait être têtu comme une mule et, dans ces moments-là, Nora devait faire preuve d'énormément de fermeté ; mais quand elle manquait d'énergie, quand la chaleur était intenable, quand son mascara coulait, que l'asphalte se fissurait, elle finissait par lui céder.

— Seulement cette fois, tu entends.

Billy se dépêcha d'allumer le briquet et mit la cigarette entre ses lèvres. Nora regarda dans le rétroviseur pour s'assurer que James n'était pas tombé du siège arrière. Le bébé dormait sous une couverture de coton et paraissait très à l'aise, comme s'il avait été dans son berceau. Nora fit gonfler sa frange et vit que Billy aspirait la fumée de la cigarette.

— Billy, donne-moi ça.

Billy leva le bras pour mettre la cigarette hors de portée. C'était un enfant d'aspect fragile, aux cheveux blonds et au teint clair mais lorsqu'il arborait cet horrible air de défi, même un pur étranger aurait eu envie de lui envoyer une gifle.

— Tout de suite, j'ai dit.

Nora prit la cigarette des mains de son fils et respira profondément. Ses mains tremblaient, comme chaque fois qu'elle s'emportait contre lui, et les breloques de son bracelet cliquetaient doucement.

— Et puis, remonte la vitre. Veux-tu que M. Popper saute par la fenêtre et se fasse écraser par une voiture ?

M. Popper, un chat noir, paresseux au point de répugner à cligner des yeux, dormait sur le plancher, enroulé aux pieds de Billy, sa tête appuyée sur les souliers de course de l'enfant. Il n'avait pas du tout l'air d'un chat sur le point de sauter par une fenêtre mais Billy, pris de nausées, s'empressa pour une fois de faire ce qu'on lui demandait. Nora lui jeta un coup d'œil intrigué lorsqu'elle se rendit compte qu'il lui avait effectivement obéi, puis elle reporta son regard sur la route, aspira une bouffée de sa cigarette et rejeta une volute de fumée. Elle voyait bien que Billy avait le cœur gros mais, à vrai dire, elle aussi. Elle se retrouvait seule avec un gamin qui aimait jouer avec le feu, un bébé qui n'avait pas la moindre idée de ce qu'était un père et un chat qui prenait un malin plaisir à s'agripper à ses jambes, toutes griffes dehors, au moment même où elle venait d'enfiler une nouvelle paire de bas nylon.

— Et puis, arrête de jouer avec tes cheveux.

Depuis le départ de Roger, Billy avait pris l'habitude de tournicoter des mèches de cheveux autour de ses doigts et on pouvait voir des parties de son cuir chevelu sur le côté droit de sa tête, là ou il avait arraché ses cheveux par touffes.

— Je suis certaine que tu aimeras la maison, et puis tu auras une chambre pour toi tout seul.

— Je suis sûr que je vais la détester cette maison, dit Billy d'une voix geignarde qui donna à sa mère l'envie de l'étrangler.

Nora appuya plus fort sur l'accélérateur, ce qui fit vibrer la Volkswagen, et le moteur protesta avec une plainte aiguë. Le jour où elle avait vu James en train de se régaler de fragments de peinture écaillée sur le rebord de la fenêtre, elle s'était dit qu'il était grand temps de déménager. Elle avait commencé ses recherches aussitôt après le départ de Roger, quand le chauffage avait commencé à faire défaut et qu'elle avait dû prendre Billy et le bébé avec elle dans son lit pour les garder au chaud. Ils avaient réchauffé leurs petits pieds glacés contre son dos et lorsqu'elle s'était endormie, elle avait rêvé de maisons.

Les dimanches furent consacrés aux visites de nouveaux bungalows dans Long Island pendant lesquelles Billy s'amusait à coller des boules de gomme sous les armoires de cuisine, urinait dans les baignoires de salles de bains où l'on venait tout juste de poser la céramique, conscient que Nora n'oserait pas l'agripper par le bras ou le gifler devant l'agent immobilier. Elle ne pourrait que serrer les dents et appuyer le bébé contre son épaule pendant qu'on leur vantait les beautés de salles de jeux aux murs de pin noueux et de salons aux planchers de chêne vernis. À la fin des visites, Nora ne se décidait pas à partir.

Elle restait là, devant ces maisons qu'elle ne pourrait jamais s'offrir jusqu'à ce que le bébé, allergique au gazon fraîchement coupé, se mette à éternuer sans arrêt.

Elle était sur le point d'abandonner lorsqu'elle lut l'annonce placée par Joe Hennessy. Elle téléphona sur-le-champ au numéro indiqué même s'il était tard et, une fois assurée qu'il n'y avait pas d'erreur sur le prix, elle transporta ses deux fils endormis chez Mme Schneck, sa voisine de palier, une spécialiste de la soupe poulet et nouilles, qui ne demandait que cinquante sous l'heure pour garder. Elle prit ensuite le chemin de Long Island. La sortie sur le Southern State était relativement bien indiquée mais elle tourna en rond pendant plus d'une heure dans les rues toutes semblables, contournant la rue Hemlock plusieurs fois sans la trouver, les phares de sa voiture éclairant des rangées de bungalows identiques. Découragée, le réservoir de l'auto presqu'à sec, elle fit une dernière tentative, tourna à droite et se retrouva exactement en face de la maison qu'elle cherchait. Le voisin avec qui elle avait rendez-vous l'attendait dans l'allée. Persuadé qu'elle avait eu un accident, il était sur le point d'alerter la police. Il la fit entrer par la porte latérale en s'excusant du piètre état des lieux. Peut-être parce qu'elle ne put rien distinguer — l'électricité avait été coupée et elle avait visité la maison en longeant les murs — peut-être était-ce pure folie, Nora tomba amoureuse de la maison dès qu'elle y mit les pieds. Et, à ce prix-là, c'était une folie qu'elle pouvait se permettre.

Elle appela Roger dès le lendemain. Il travaillait maintenant à Las Vegas et, depuis quelque temps, il essayait de la convaincre de divorcer. Elle le pria donc de cosigner la demande de prêt hypothécaire en échange de son accord pour entamer les procédures de divorce. Comme il était déjà criblé de dettes — il avait acheté la Volkswagen à crédit, et, de l'avis de Nora, jamais une personne saine d'esprit n'aurait acheté une telle voiture, que ce soit comptant ou à crédit — une dette de plus ou de moins ne l'empêcherait certainement pas de dormir. Aussitôt que le prêt fut accordé, Nora signa la requête en divorce. Les documents indiquaient qu'elle s'était rendue coupable d'aliénation d'affection, ce qui pouvait signifier à peu près n'importe quoi, et ce qui était probablement vrai. En fait, pour Nora, Roger était mort depuis longtemps. Deux semaines plus tard, elle reçut le certificat de divorce accompagné d'une photo de son ex-mari et de son lapin, Happy, devant un motel, au milieu du désert. Il paraissait tellement heureux d'avoir retrouvé sa liberté que, sur la photo, qui était pourtant en noir et blanc, un halo de plaisir l'enveloppait d'une lueur rougeâtre. Happy faisait partie du numéro de Roger mais Billy l'avait toujours considéré comme un animal domestique et depuis le départ de Roger, Nora avait toutes les peines du monde à éloigner son fils de l'endroit où on avait l'habitude d'installer la cage du lapin.

— Ce n'était pas une bonne idée de garder Happy à la maison avec M. Popper. Tu sais combien ce lapin pouvait faire enrager M. Popper, avait dit Nora.

Lorsque Happy n'était pas de service, M. Popper s'installait sur sa cage et le lapin, tout excité, remuait fébrilement le nez comme s'il défiait le chat d'oser passer ses griffes à travers le grillage. Nora se sentait tellement malheureuse à cette époque-là qu'elle aurait volontiers tiré sur Roger avec un vrai fusil, et non pas avec celui qu'il utilisait dans son spectacle, celui qui ne projetait que des confettis et des serpentins. Chaque fois qu'elle surprenait Billy assis par terre dans le coin où l'on mettait habituellement la cage de Happy, en train de se tire-bouchonner les cheveux, elle se demandait comment elle en était venue à épouser cet homme. Elle venait d'avoir dix-huit ans lorsqu'elle l'avait rencontré et elle le trouvait si beau qu'il lui suffisait de le regarder pour se pâmer. Mais cela ne l'avait pas empêchée de sentir que quelque chose ne tournait pas rond chez lui. Elle avait voulu croire en lui mais l'homme en qui elle avait voulu croire avait disparu petit à petit. Il n'était même pas bon magicien. Il ne croyait pas vraiment en ce qu'il faisait. Les enfants le sentaient bien et c'était d'un air blasé qu'ils le regardaient sortir des foulards de soie de sa manche et faire apparaître des pièces de vingt-cinq sous derrière leurs oreilles. Ils bâillaient d'ennui, réclamaient des bonbons et un coup d'œil leur suffisait pour voir que sa baguette magique n'était en fait qu'une vulgaire baguette de bois. Les adultes, par contre, le trouvaient charmant. Il n'était peut-être pas très convaincant quand il sortait un lapin de son chapeau mais il savait dérider son auditoire avec un répertoire de plaisanteries cyniques. Il avait beaucoup de présence sur scène mais toutes les fois où Billy essayait de se représenter son père, la seule image qui lui venait à l'esprit était celle de Roger dans son numéro d'homme invisible, où on ne voyait de lui que son chapeau haut de forme et sa redingote, le laissant sans mains, sans corps et sans visage.

Billy essayait encore une fois d'évoquer l'image de son père lorsqu'ils arrivèrent devant la nouvelle maison. Nora dut se garer le long du trottoir parce que le camion de déménagement bloquait l'accès de l'allée. Elle fouilla dans son sac et en sortit la clé grise que lui avait fait parvenir John McCarthy ; la clé était brûlante à cause de la chaleur et elle dut souffler dessus en la tenant à deux doigts. Elle descendit de la Volkswagen et fit basculer le siège avant pour sortir le bébé de la voiture.

— On est arrivé à la maison mon cœur, roucoula-t-elle à l'adresse de James pendant que Billy demeurait assis sur son siège, immobile, regardant droit devant lui, ses cheveux en épi lui donnant l'allure d'un porc-épic.

— Allez, rabat-joie, sors de là, dit Nora.

Billy sortit lentement de la voiture. Mince et les épaules maigres, il avait, comme son père, un corps souple d'illusionniste, un corps qui pouvait facilement entrer et disparaître dans les malles truquées. Nora tenait le bébé appuyé sur une de ses hanches. Le gazon avait été coupé mais il restait des touffes de pissenlits de chaque côté de l'allée.

— Ne fais pas attention à ces mauvaises herbes, Billy, ce n'est rien.

Ils remontèrent l'allée jusqu'à l'entrée principale, Billy suivait Nora de si près qu'il lui marchait sur les talons. La clé ne fonctionnant pas, ils firent le tour de la maison jusqu'à l'entrée latérale et Nora fit signe aux déménageurs qui buvaient un café, installés autour d'une table à pique-nique en bois pourri.

— Eh bien, nous y voilà, dit Nora pendant que les déménageurs commençaient à vider le camion.

Le grondement de la circulation sur le Southern Stage aurait donné mal à la tête à n'importe qui et, comme si ce n'était pas assez, un avion survola la rue Hemlock en vrombissant. Voilà une maison qu'on avait tout avantage à visiter le soir, se dit Nora.

James frappa dans ses mains et pointa du doigt la porte-moustiquaire qui se balançait sur ses gonds. Billy s'arrêta et regarda fixement sa mère. Nora surprit son regard et elle appuya le bébé contre son épaule en lui tapotant le dos. Quand elle vit la peinture écaillée sur les moulures de la façade, son visage exprima une telle inquiétude que Billy fut tenté de dire quelque chose de gentil.

— Ça sent mauvais ici, s'exclama-t-il plutôt en plissant le nez.

— Eh bien merci, je savais que je pouvais compter sur toi pour m'encourager, répondit Nora.

Aussitôt que les déménageurs eurent apporté le parc de James, Nora installa le bébé dans la cuisine. Elle traversa la maison pour déverrouiller la porte de devant, sortit et contourna le canapé et les montants de lit dans l'allée pour aller prendre le sac de provisions qu'elle avait laissé dans la voiture. Revenue dans la cuisine, elle ne fit pas attention à l'odeur épouvantable qui empestait la pièce, ouvrit une des grosses boîtes de carton avec un couteau et en sortit ses plaques à gâteaux. Le four se remplit de fumée lorsqu'elle l'alluma et, sur l'élément arrière de la cuisinière, elle trouva une casserole remplie d'une épaisse mixture mauve, oubliée là depuis Dieu savait combien de temps. Elle prit un grand bol et ouvrit une boîte de bicarbonate de soude et une bouteille de vanille.

— Miam, miam dit-elle au bébé qui se tenait debout, agrippé aux barreaux de son parc.

Avant de commencer à cuisiner, Nora défit son bracelet et le posa sur le comptoir. C'était un cadeau de son ex-mari et elle aurait dû s'en débarrasser depuis longtemps mais chaque breloque lui rappelait un moment important de sa vie : le petit cœur que Roger lui avait offert, une dent de lait de Billy, l'ourson plaqué or que Roger lui avait donné à la naissance de James, la guitare miniature qu'elle s'était achetée quand Elvis s'était enrôlé dans l'armée.

Nora ne mesurait jamais les ingrédients lorsqu'elle cuisinait. À vrai dire, elle était plutôt mauvaise cuisinière mais elle réussissait bien les pâtisseries. Roger, ce salaud prétentieux, faisait beaucoup trop attention à son apparence pour apprécier ses biscuits et ses gâteaux. Il aimait plaire aux femmes. Il faisait comme si cela n'avait aucune importance mais Nora n'était pas dupe de son manège.

— Maman, c'est qui le salaud prétentieux à qui tu penses ? demanda Billy qui était resté tout ce temps-là appuyé à la porte-moustiquaire à tournicoter des mèches de ses cheveux.

— Personne, personne, répondit Nora.

Elle se tourna vers son fils.

— Et puis, je t'interdis de dire « salaud », ajouta-t-elle en agitant la plaque à gâteaux dans sa direction.

Billy possédait le don de lire dans les pensées. Heureusement, il ne pouvait en saisir que des bribes, ce qui n'empêchait pas Nora de constamment se demander si elle ne venait pas de parler tout haut ou si les antennes de Billy ne venaient pas de capter ses pensées les plus secrètes.

— Pourquoi ne trouves-tu pas quelque chose à faire ?

Nora se boucha le nez, prit la casserole contenant la mixture nauséabonde et la vida dans l'évier.

— Y a rien à faire, se plaignit Billy.

Nora vit qu'il convoitait la boîte d'allumettes que Mme Olivera avait laissée sur le comptoir.

— Laisse ces allumettes sur le comptoir et va plutôt nettoyer ta chambre.

Billy protesta mais se dirigea tout de même vers la salle à manger. Il entendit sa mère demander à un des déménageurs qui était entré dans la cuisine s'il n'avait pas vu sa collection de disques d'Elvis Presley. Avec le canapé de velours défraîchi, cette collection était une des choses les plus précieuses qu'ils possédaient. Le salon et la salle à manger ne formaient en fait qu'une seule pièce en forme de L. Des fils d'araignée pendaient du plafond et une fine couche de poussière blanche recouvrait les rebords des fenêtres et le dessus du climatiseur qu'on avait coincé dans l'une d'elles.

Une salle de bains et trois petites chambres se trouvaient de part et d'autre du couloir. Les lames en bois du lit de James avaient été empilées dans la plus petite et les déménageurs avaient entassé les grosses valises de Nora pêle-mêle dans la plus grande. Dans la troisième, celle dont la fenêtre donnait sur la rue, Billy trouva ses bottes de cow-boy et son globe terrestre qui s'illuminait dans le noir lorsqu'il le branchait. Il regarda par la fenêtre et vit des maisons identiques à la leur de l'autre côté de la rue. Il vit également la Volkswagen garée un peu n'importe comment et les rhododendrons que Mme Olivera avait plantés. Il s'assit par terre, le dos appuyé contre le mur. Il ne pensait pas être si fatigué mais dès qu'il pencha la tête en avant, il tomba endormi. Une araignée fit descendre un fil mince et soyeux du plafond où elle avait tissé sa toile, se laissa tomber et se faufila dans la poche de sa chemise.

Contrairement aux autres mères, celle de Billy croyait que les araignées portaient bonheur. Chaque fois qu'elle devait se résoudre à détruire une toile d'araignée avec un balai enveloppé d'une serviette, elle préférait fermer les yeux. Comme elle n'avait pas eu beaucoup de chance dans la vie, elle en savait long sur le sujet. Pour arrêter le saignement d'une coupure, elle mettait une toile d'araignée sur la blessure ; pour chasser les mauvais esprits, elle mettait du sel dans une assiette. S'il pleuvait trois jours de suite, on devait s'attendre à de la visite. Avec un mari qui parlait dans son sommeil, on pouvait s'attendre à être trahi, et, de cela, Nora pouvait personnellement témoigner.

Elle n'était donc pas le genre de femme à s'en faire pour un peu de désordre et elle continua à cuisiner, ne s'arrêtant que le temps d'ouvrir les fenêtres pour aérer la maison et de faire un chèque aux déménageurs qui la dévisageaient, appuyés au comptoir, subjugués par l'odeur de vanille qui flottait dans la cuisine et par la façon dont elle laissa voir un bout de langue rose pendant qu'elle signait le chèque. Après leur départ, Nora essuya ses mains pleines de farine et sortit James de son parc.

— Pa.. pa.., dit le bébé.

— Je t'en prie, ce n'est pas le moment de me parler de lui.

Nora savait trop bien qu'elle aurait continué à supporter Roger s'il ne l'avait pas quittée. Il aurait su réparer un toit qui coule, il aurait su quoi faire avec une fournaise à l'huile et, naturellement, si elle avait été encore mariée avec lui, elle n'aurait pas été une femme seule.

Le bébé chercha à téter et Nora s'assit à la table de la cuisine pour l'allaiter. Elle devrait le sevrer bientôt car il avait le don d'avoir faim dans les endroits les plus mal choisis, à l'épicerie par exemple, au bureau de poste, ou lorsqu'il se réveillait en sursaut et qu'il avait besoin de réconfort. Nora s'appuya sur la vieille table de cuisine et se débarrassa d'un de ses souliers à talons hauts. Le bébé téta. Son petit corps devint tout chaud comme chaque fois qu'il commençait à s'assoupir et Nora se dit que cela devait porter bonheur qu'un bébé s'endorme si rapidement dans une nouvelle maison.

Elle lui enleva doucement ses minuscules chaussons jaunes et James téta plus fort en étirant les orteils. Il avait dix mois et lorsqu'une nouvelle dent perçait, elle frottait ses gencives avec du rhum et pleurait parce que son bébé n'était plus tout à fait un bébé. James s'endormit, les bras en croix et la bouche ouverte. Nora le remit dans son parc, le couvrit d'un torchon à vaisselle, enfourna une autre plaque à biscuits et referma doucement la porte du four.

Elle entendit M. Popper miauler quelque part et le trouva au salon, perché sur le climatiseur. Elle le mit sur son épaule et décida de faire le tour de la maison. Elle dut enjamber des boîtes de carton, des casseroles, des bottes d'hiver, sa collection des disques d'Elvis et le tourne-disque qui avait bien besoin d'une aiguille neuve. Il faudrait repeindre la chambre du bébé, la chasse d'eau des toilettes coulait, et les déménageurs avaient abîmé son lit. Elle caressa M. Popper et se dirigea vers la chambre de Billy. Il dormait, le visage caché dans ses bras, et ses cheveux, ébouriffés par l'électricité statique et la poussière, formaient un halo autour de sa tête. La rumeur de la circulation sur le Southern State évoquait le chant d'un grillon qui aurait été emprisonné dans le mur.

Le déménagement avait épuisé les enfants et Nora les laissa dormir. Elle lava le plancher de la salle de bains, suspendit ses robes et son manteau court en lainage dans la penderie. Il lui faudrait bientôt préparer le dîner. Elle sortit un instant sur la terrasse et elle était en train de fumer une cigarette lorsque les corneilles revinrent s'installer dans la cheminée. Elles se mirent immédiatement à faire un vacarme d'enfer. Elles croassaient, arrachaient leurs plumes, prenaient des cailloux dans leur bec et les laissaient tomber un à un sur le sol. On aurait dit qu'une averse de grêle s'abattait sur la table de pique-nique. Nora mit une main en visière pour se protéger les yeux et finit sa cigarette. Elle savait que les oiseaux pouvaient porter bonheur, mais qu'ils pouvaient porter malheur aussi. Elle attendit donc quelques instants et lorsqu'elle fut certaine, elle alla sur le côté de la maison, là où poussaient les vignes. Des tas de raisins trop mûrs jonchaient le sol et Nora fit attention pour ne pas les écraser pendant qu'elle appuyait contre le mur une vieille échelle toute rouillée que M. Olivera avait laissé là. Elle entra dans la maison. Le bébé bougea dans son sommeil et mit son pouce dans sa bouche. Nora prit une salière dans la cuisine et ressortit doucement.

À cette heure, la circulation sur le Southern State était

dense et on aurait dit qu'une rivière coulait tout près de la maison. Nora grimpa à l'échelle et vit que les gouttières étaient pleines d'aiguilles de pin et de feuilles mortes. Il faudrait qu'elle y voit avant l'arrivée de l'hiver, avant que de nouvelles feuilles s'y accumulent. Elle s'agrippa à la gouttière d'une main pendant que de l'autre elle lançait du sel en direction de la cheminée. Les corneilles, serrées les unes contre les autres, poussèrent des croassements éperdus.

— Allez-vous-en.

Elle devait penser au sommeil de ses enfants après tout.

Les corneilles se lamentèrent de plus belle puis, leurs ailes enduites d'une couche blanche, elles prirent leur envol en direction du sud. Elles volèrent au-dessus de l'autoroute en zigzaguant jusqu'à ce que le sel qui enduisait leur queue saupoudre l'asphalte. On aurait dit de la neige. Lorsque Nora fut certaine qu'elles ne reviendraient pas, elle descendit de l'échelle. Elle goûta à un des raisins de M. Olivera et fut surprise de leur saveur sucrée. Elle sentit une montée de lait et l'attraction de la nouvelle lune qui se lèverait bientôt au-dessus de sa maison. Elle se lécha les doigts en songeant que jamais elle n'aurait eu le cœur de chasser ces corneilles de la cheminée s'il y avait eu des œufs dans leur nid.

Pendant que Billy rêvait qu'il jouait à la balle dans l'allée, le bébé se tourna dans son parc, s'éveillant doucement sous le torchon à vaisselle. Nora nettoya la table de cuisine et prépara un bol de céréales de riz pour James. Elle achèterait des livres de cuisine et elle demanderait à ses voisines quelles étaient leurs recettes préférées mais, ce soir, elle et Billy se contenteraient de Frosted Flakes avec du lait. Beaucoup plus tard, après que les enfants eurent dîné et goûté à ses biscuits, après qu'elle eut récuré la baignoire et que Billy et James eurent pris leur bain, Nora mit des draps frais sur son matelas posé directement sur le parquet de sa chambre. Elle coucha ses deux enfants avec elle — était-ce pour se réconforter, elle, ou pour les réconforter, eux, peu lui importait — et ils purent ainsi contempler les étoiles par la fenêtre sans rideau. Ses enfants auraient des macaronis au fromage pour dîner et elle ferait pousser des chrysanthèmes et des tournesols dans le jardin. Elle trouverait une gardienne pour James, elle achèterait un gant de base-ball pour Billy et elle n'oublierait pas de leur préparer du Bosco avec du lait chaque après-midi pour le goûter. Et puis, s'il le fallait, elle se répéterait la recette du flan à la vanille jusqu'à ce qu'elle la connaisse par cœur.

2

Bonne nuit, beaux rêves

Ace McCarthy se réveilla en sursaut, le corps en feu, les poumons sur le point d'éclater. Il s'assit sur le bord de son lit, mit sa tête entre ses jambes mais comme il se sentait toujours aussi mal, il se leva. Il prit une cigarette dans le paquet caché sur la tablette en haut de son placard, et, les mains tremblantes, réussit à l'allumer même si la flamme de son allumette vacillait comme s'il était dehors en plein vent.

Il entendait les ronflements du Saint dans la chambre voisine, le grondement de la circulation sur l'autoroute au loin et le bruissement des feuilles de l'érable qui poussait tout près de la maison. Il rejeta la fumée de sa cigarette et la regarda disparaître par la fenêtre ouverte. Il avait travaillé tout l'été à la station-service avec son père et son frère, et des traces de cambouis formaient un croissant noir indélébile sous chacun de ses ongles. Il avait les cheveux noirs, trop longs au goût de son père, et les yeux d'un vert profond et insondable. Il plaisait aux filles avec qui il avait des flirts beaucoup plus poussés qu'il n'osait l'avouer à Danny Shapiro. Il avait une passion pour les voitures sport et les blousons de cuir mais, contrairement à son frère Jackie qui se voyait déjà millionnaire à vingt et un ans, il avait les deux pieds bien sur terre grâce à un père qui lui avait inculqué le sens de la mesure.

Cette année, il aurait tout ce qu'il avait toujours voulu. Il avait assez d'économies pour se payer l'auto qu'il convoitait depuis longtemps, une Bel Air rouge écarlate qu'un ami de Jackie était prêt à lui vendre. Il n'y aurait pas de garçons plus vieux que lui pour lui voler la vedette dans les couloirs de l'école, et lorsqu'il ferait claquer la porte de son casier, les filles se retourneraient pour le regarder. Quant à ses professeurs, ils seraient trop contents de pouvoir enfin se débarrasser de lui.

Un peu plus tôt aujourd'hui, une bouffée de bien-être l'avait envahi à la perspective de cette dernière année d'école. Lui et Danny Shapiro s'étaient rendus à Long Beach en auto-stop et ils s'étaient installés sous la promenade en bois qui longeait la mer pour écouter le transistor de Danny en buvant de la bière. Plus tard, ils s'étaient baignés, ivres tous les deux, jusqu'à ce que les vagues les remettent d'aplomb. Les deux garçons étaient inséparables depuis l'arrivée de Danny dans le quartier et leur première dispute sur la pelouse des Shapiro. Ils étaient comme deux frères, plus proches en tout cas qu'Ace et Jackie ne l'étaient. Et pourtant, ce soir, seul dans sa chambre, Ace ne pouvait s'empêcher de se sentir frustré ; l'année suivante, Danny irait au *college* et, même s'il n'avait pas été assez doué pour être accepté dans l'établissement de son choix, ce qui n'était pas le cas, il aurait facilement pu obtenir une des bourses réservées aux athlètes. Il aurait pu se joindre à la ligue junior de base-ball cette année s'il l'avait voulu. Mais pour Ace, ce serait la fin d'une belle époque et il le savait. Rien d'excitant ne l'attendait. Bien sûr, l'année prochaine, les garçons qui seraient encore à l'école viendraient prendre de l'essence à la station-service et l'envieraient d'être libre et d'avoir une si belle voiture, mais lui vivrait encore chez ses parents et les filles, celles qui étaient maintenant folles de lui, exigeraient davantage que des baisers langoureux et des promesses creuses. Il voyait déjà dans leurs yeux ce que serait probablement sa vie : une maison, une famille et un compte en banque.

Ace fuma une autre cigarette. Il alla ensuite dans la cuisine boire trois grands verres d'eau mais cela ne suffit pas à le soulager du malaise qu'il ressentait. Maintenant que les corneilles avaient quitté la rue Hemlock, il aurait dû trouver le sommeil plus facilement mais c'était le contraire qui se produisait. Il regarda la maison des Shapiro par la fenêtre de la cuisine ; il pouvait voir directement dans la chambre de Rickie et remarqua que le store était baissé dans celle de Danny, où s'empilaient probablement des tas de brochures vantant les mérites de tous ces *colleges.* Ace s'assit à la table et fit craquer des allumettes qu'il éteignait ensuite une à une d'un seul souffle. Il entendit la porte de l'entrée s'ouvrir et se refermer. Quelqu'un enleva ses bottes, les laissa tomber sur le parquet et Jackie fit son entrée dans la cuisine. Il ouvrit le réfrigérateur et se servit un verre de jus d'orange. Il sentait l'alcool à plein nez.

— Salut, t'es encore debout ?

— Ouais.

Jackie prit son paquet de cigarettes et son briquet en argent dans la poche de son blouson. Il se tenait avec les mêmes garçons qu'il fréquentait à l'école secondaire et la petite bande traînait parfois à l'entrée du gymnase pour faire de l'œil à des filles encore naïves et trop jeunes pour eux. Jackie s'assit en face d'Ace, sourit et sortit une liasse de billets de la poche de son blouson de cuir.

— Qu'est-ce que c'est que tout cet argent ?

Ace n'en croyait pas ses yeux car il savait combien gagnait son frère à la station-service.

— Ce n'est sûrement pas à toi tout ça.

— Tu sais, la Corvette, celle qu'on a laissée à l'atelier pour être réparée, eh bien Pete l'a volée.

— Merde, je ne veux rien savoir de cette affaire-là.

— Tout ce que j'ai eu à faire, c'est d'oublier de verrouiller les portes de l'atelier. Simple comme bonjour.

Un ressort de sommier grinça et les deux frères regardèrent en direction du couloir. Le Saint bougeait dans son sommeil.

— T'es fou, murmura Ace.

— Je n'ai pas l'intention de vendre de l'essence toute ma vie et puis le propriétaire de la Corvette avait une assurance, chuchota Jackie.

— Et papa ?

— Papa... il ne le saura jamais, répondit Jackie en haussant les épaules.

Il compta deux billets de vingt dollars et les offrit à son frère qui s'empressa de refuser.

— Allez, prends-les, insista Jackie en lui mettant l'argent de force dans la main.

La main d'Ace le brûlait mais ses doigts se refermèrent malgré lui sur les billets.

— Allez, profites-en, quoi !

— D'accord, d'accord.

Jackie alla se coucher ; Ace nettoya le cendrier et regagna sa chambre. Il cacha l'argent sous une pile de bas propres dans un tiroir de sa commode. Il écouta le souffle de son père de l'autre côté de la cloison. Comment avait-il pu s'imaginer que Danny Shapiro était davantage un frère pour lui que ne l'était Jackie ? Après tout, Danny n'était qu'un gars comme un autre, un voisin, rien de plus. Une bouffée de méchanceté gonfla sa poitrine et il eut l'impression que les os de sa cage thoracique étaient sur le point de se briser. Il sentit un flux de sang empoisonné circuler dans les veines de ses bras et de ses jambes. C'était le début de la fin d'une période de sa vie et il n'allait certainement pas rester éveillé à attendre. Il se coucha, se couvrit de son drap et essaya de ne penser à rien. Son seul désir était de s'endormir au plus vite et c'est ce qu'il fit, à minuit moins cinq exactement.

Cinq minutes plus tard, sur le coup de minuit, l'été quitta la rue Hemlock comme chaque année, le jour de la Fête du travail. Une lueur blanche éclaira le ciel et un vent froid se leva faisant tomber les fruits des pommiers sauvages et incitant les chiens à faire trois fois le tour de leur refuge avant de s'installer pour la nuit. Poussée par le vent, une fine couche de poussière de craie s'envola des cheminées de l'école pour enrober les feuilles des peupliers et des saules d'une substance poudreuse et, si on y regardait de plus près, on pouvait voir les lettres de l'alphabet s'y dessiner avant de disparaître. Les mois de septembre se ressemblaient d'une année à l'autre. Les enfants retournaient à l'école et changeaient de classe. Ils grandissaient, ils se mettaient à mâcher de la gomme et à protester lorsqu'on leur demandait de nettoyer leur placard et, un beau matin, ils tournaient à droite au lieu de tourner à gauche à l'intersection de la rue Hemlock et de la rue Oak et prenaient le chemin de l'école secondaire. Mais, cette année, la poudre de craie sur les feuilles de l'érable qui poussait entre la maison des McCarthy et celle des Shapiro était si fine qu'elle n'en colora que les rainures et on aurait dit des os de squelettes qui brillaient dans le noir.

Ace se réveilla juste avant l'aube. Il s'était endormi en été et se réveillait en automne. Attirées par la chaleur de sa chambre, les dernières lucioles de la saison luisaient d'une faible lueur verte derrière la moustiquaire de sa fenêtre. Ace se leva, se couvrit les épaules d'une couverture, alla à la fenêtre et appuya les paumes de ses mains sur la moustiquaire. Les lucioles s'y agglutinèrent et ses mains devinrent vertes et transparentes lorsque les insectes se mirent à luire tout doucement. Il faisait encore nuit. Les dernières étoiles brillaient, accrochées au-dessus du Southern State, et Ace mit un certain temps avant de se rendre compte que, depuis un bon moment, il regardait la nouvelle propriétaire de la maison des Olivera, perchée sur son toit, en train d'enlever les feuilles mortes de ses gouttières.

De l'autre côté de la rue, Joe Hennessy se tenait debout dans l'allée de sa maison. Depuis plus de deux semaines maintenant, depuis sa promotion au rang d'enquêteur en fait, il n'arrivait plus à dormir et on pouvait souvent le voir rôder dehors au beau milieu de la nuit. Il continuait à sentir le poids de son revolver contre sa poitrine même quand il le laissait dans le tiroir de sa table de nuit, un peu comme on sentait encore la présence d'une jambe que l'on venait de se faire amputer.

Peut-être était-il malade, ce qui expliquerait pourquoi il entendait le tonnerre gronder dès qu'il posait sa tête sur l'oreiller et pourquoi il dégainait son arme au moindre bruit, au moindre tintement de monnaie dans la poche d'un de ses collègues. Cette promotion, il l'avait attendue pendant deux ans mais le jour où il troqua son uniforme de policier contre celui, plus conventionnel, d'enquêteur, tout se mit à aller de travers. Debout devant le réfrigérateur, il avait bu la moitié du liquide d'un pot d'olives noires en croyant que c'était du jus de raisin, jusqu'à ce qu'une olive lui reste coincée dans la gorge. Ce soir, au dîner, il s'était aperçu qu'il pouvait manger du poivre directement dans sa main, sans même éternuer. Et il n'entendait plus très bien. Il prenait la sonnerie du téléphone pour celle de la porte d'entrée et lorsque Suzanne, sa fille, l'avait supplié de l'emmener en promenade, il avait dû la faire répéter plusieurs fois car il ne parvenait pas à comprendre ce qu'elle lui disait.

Un peu plus tôt dans la soirée, il s'était retrouvé dans le hall de sa maison, en sueur et prêt à exploser, pendant que les enfants regardaient la télévision et que sa femme préparait le café dans la cuisine. Il savait que certains hommes pouvaient devenir fous du jour au lendemain, sans que l'on sache trop pourquoi, des hommes qu'il arrêtait parfois le samedi soir, à la sortie d'un bar, les yeux agrandis par l'étonnement lorsqu'on leur expliquait ce qu'ils venaient de faire. Un regard sur leurs mains maculées de sang et ils s'évanouissaient. Mais lui, Hennessy, n'était pas comme eux. Il avait toujours voulu devenir policier, non pas que la loi l'inspirât à ce point, mais parce qu'il était un homme d'ordre. Il aimait que ses chemises soient toujours suspendues à gauche dans la garde-robe. Il aimait savoir que le vendredi soir, il y aurait du poisson et du riz pour dîner, même s'il aurait préféré un bon steak. Il avait bon caractère, l'aisance que procure un physique agréable et une stature imposante, et il savait faire la part des choses. Il avait l'air d'un vrai policier. C'était lui que l'on envoyait à l'école élémentaire pour enseigner aux enfants les règles de sécurité et il lui suffisait d'entrer dans une classe pour que les élèves se calment.

Mais, d'une certaine façon, tout cela semblait lui avoir nui. Certains de ses collègues, les plus bagarreurs, les plus crâneurs surtout, avaient vite obtenu des promotions. Hennessy, par contre, était un homme sur qui on pouvait compter. S'il recevait une plainte au sujet d'une bande d'adolescents qui faisaient du grabuge derrière l'école, il s'arrangeait pour leur laisser le temps de cacher leurs bouteilles de bière avant qu'ils ne repèrent le gyrophare de son auto-patrouille. Il savait rassurer les vieilles dames qui venaient de débouler les marches de l'escalier menant au sous-sol de leur maison. Il n'avait qu'à siffler pour que les chiens égarés accourent vers lui. Les enfants lui prenaient spontanément la main lorsqu'il les faisait traverser Harvey's Turnpike aux feux de circulation. Il inspirait confiance et sa vie le comblait. Il possédait une maison, ses enfants étaient bien élevés et sa femme était encore séduisante.

Mais, malgré tout, il devait admettre que quelque chose n'allait pas. Il avait parfois de curieux pressentiments ; il ressentait un fourmillement le long de la nuque, comme s'il venait de passer à travers une toile d'araignée, et il savait alors que quelque chose allait bientôt se passer, quelque chose de terrible. Il était assis dans son auto-patrouille et, tout à coup, les poils de sa nuque se hérissaient. Quelques minutes plus tard, il recevait un appel-radio et ce n'était pas pour l'envoyer poursuivre un vulgaire chauffard ou vérifier un système d'alarme quelconque. Cela se passait généralement les jours où l'air était lourd et stagnant ; il circulait tranquillement dans une petite rue ombragée ou bien il buvait un café, assis derrière son volant, et il recevait un appel. Il ne prenait même pas le temps de réfléchir, il jetait son café par la fenêtre pour ne pas être éclaboussé et démarrait sur les chapeaux de roues. C'était d'ailleurs ce qui s'était produit l'autre jour. Une jeune mère avait laissé son bébé dans sa poussette à l'entrée du supermarché A&P ; la poussette avait roulé en bas du trottoir jusque dans le parking où une voiture l'avait manquée de justesse au moment même où Hennessy se précipitait hors de son auto-patrouille. Il était resté figé, le visage inondé de sueur, et le bébé avait ouvert les yeux et l'avait regardé avec une expression de confiance absolue. Le lendemain après-midi, au poste de police, il avait ressenti la même sensation le long de sa nuque et, s'étant retourné, il avait surpris deux collègues en colère, sur le point de se battre pour un simple problème d'horaire.

Cette sensation, cette prémonition, cette fichue intuition le prenait toujours par surprise et il arrivait parfois que ce soit une fausse alarme. Il touchait sa nuque, certain de l'imminence d'un événement malheureux, une ampoule sur le point d'éclater, une bataille sur le point de se déclencher, mais rien ne se produisait. Tout était calme. Les enfants dormaient, Ellen écoutait la radio et, tout à coup, les poils de sa nuque se hérissaient et il se sentait envahi par une peur incontrôlable, là dans sa propre maison, dans sa propre rue. C'était ce qui était arrivé cette nuit. Ellen et lui couchaient dans des lits jumeaux et il s'était toujours senti à l'étroit dans le sien. Pourtant, quand il s'était réveillé en sursaut, un peu après minuit, il avait eu l'impression d'être tout petit sous ses couvertures. Il avait voulu devenir enquêteur et il s'était battu pour le devenir. Pourquoi alors la réalisation d'un de ses désirs les plus chers le laissait-elle insatisfait ? Pourquoi était-il debout dans cette allée à l'heure où le laitier venait livrer ses bouteilles de lait ? Depuis sa promotion, il avait connaissance de choses dont il avait jusque-là ignoré l'existence. Oh, rien de bien sensationnel — il aurait pu les découvrir en écoutant les ragots au poste de police ou en lisant les journaux — mais il s'apercevait maintenant qu'il n'avait jamais vraiment voulu être au courant de ce genre de choses. Fini le temps des contraventions de dix dollars ou des présentations à l'école primaire. Il devait s'occuper de cas autrement plus difficiles, et c'est pourquoi il avait besoin d'être dehors, debout dans l'allée, pendant que ses voisins étaient encore au lit. Il avait besoin de savoir qu'il y avait encore des gens qui pouvaient dormir sur leurs deux oreilles même si les portes et les fenêtres de leurs maisons n'étaient pas verrouillées.

Plus tôt cette semaine, il avait dû intervenir, pour la première fois de sa vie, dans une affaire de violence conjugale. Deux agents de police l'attendaient devant un bungalow qu'il n'avait jamais remarqué, situé à la limite du quartier. Des voisins avaient téléphoné au poste, sans se nommer, pour se plaindre du bruit.

Hennessy et les deux agents de police, Sorenson et Brewer, attendirent quelques minutes sur le perron en fumant une cigarette, histoire de laisser au couple le temps de se calmer. Sorenson et Brewer quittèrent ensuite les lieux, soulagés. Lui aussi avait toujours été soulagé de pouvoir partir après l'arrivée d'un enquêteur mais, cette fois-ci, c'était lui l'enquêteur, c'était lui qui devait frapper à la porte.

L'homme finit par le laisser entrer après que Hennessy eut réussi à lui montrer son insigne par la porte entrouverte. Hennessy vit tout de suite à quel genre d'homme il avait affaire. Il en avait connu des dizaines comme lui mais jamais il ne s'était trouvé dans la situation de devoir insister pour entrer chez eux. De l'extérieur tout paraissait normal, les volets étaient droits, le gazon était coupé. À l'intérieur par contre, c'était une toute autre histoire. Ellen était une ménagère irréprochable et Hennessy n'avait jamais eu à se préoccuper de ménage ou de lessive. Ici, le salon était sombre, comme si les murs n'avaient jamais été peints, le tissu qui recouvrait les coussins du canapé était déchiré et laissait voir le rembourrage jaune ; des jouets graisseux traînaient par terre et des relents d'urine et de whisky empestaient la pièce.

— Vous n'avez pas le droit d'entrer ici, dit l'homme en bombant le torse comme s'il était fier du bordel qui régnait dans la maison.

Hennessy l'informa que deux voisins s'étaient plaints du bruit causé par une bagarre. D'après l'un d'eux, les murs en auraient même tremblé.

— Ben voyons... Je parie qu'aucun de mes charmants voisins n'a eu le courage de se nommer.

Ce qui était vrai, mais une plainte était une plainte et Hennessy dut insister pour pouvoir faire le tour de la maison.

Il s'exprimait calmement bien que le cœur lui martelât la poitrine. Il étouffait dans ce bungalow et la misère qui s'en dégageait le faisait frémir de dégoût. Il trouva la femme dans la cuisine en train de faire cuire des boulettes de steak haché même si l'heure du dîner était passée depuis longtemps. Elle lui tournait le dos. Elle était blonde et elle portait une robe de coton boutonnée à l'arrière ; elle ne devait pas avoir plus de vingt-cinq ans. Pendant que le mari se tenait dans l'encadrement de la porte, juste derrière Hennessy, un peu trop près même, Hennessy lui expliqua la raison de sa présence. La femme répondit d'un ton catégorique qu'elle n'avait rien à dire et il fut tenté de la croire sur parole et de s'en aller sur le champ. Il avait la gorge sèche et il aurait donné sa chemise pour une bière bien froide. Et c'est à ce moment-là qu'il ressentit un frémissement le long de sa nuque. Il baissa les yeux et vit que les jambes de la femme étaient couvertes d'ecchymoses.

— Bordel de merde, pensa Hennessy.

La femme mit une autre boulette de steak dans la poêle et la viande dégagea une odeur rance.

— Est-ce que ça vous dérangerait de me regarder pendant que je vous parle ?

Il avait deviné juste ; elle n'avait pas plus de vingt-cinq ans, peut-être même était-elle un peu plus jeune. Hennessy vit la lèvre fendue et le cercle bleui autour d'un de ses yeux mais, ce qui le frappa, ce fut le regard de haine qu'elle lui jeta comme si c'était lui qui venait de lui donner un coup de poing.

— J'aimerais savoir ce qui vous est arrivé.

Il pouvait sentir le mari tout près, derrière lui. Il s'attendait presque à ce que la femme lui rie au nez.

— Rien.

— Ce que moi j'aimerais savoir, dit le mari toujours derrière

Hennessy, c'est ce qui vous donne le droit de vous mêler de mes affaires.

Hennessy se retourna et entrouvrit son manteau pour montrer son étui à revolver.

— Ça.

Le mari recula brusquement. C'était le genre d'argument qu'il comprenait. Et Hennessy avait de la chance de mesurer un mètre quatre-vingt-dix car dans cette maison, c'était la force physique qui faisait la loi.

— Alors, qu'est-il arrivé ?

— Je me suis cognée à la cuisinière.

— Ah oui ? Vous en êtes certaine ?

La femme ne répondit pas, le regard vide.

— Je dois tout de même faire le tour de la maison.

— Bon Dieu ! s'exclama le mari.

Hennessy se dirigea vers le couloir en passant par le salon et la salle à manger. Il connaissait la disposition des pièces par cœur, la maison étant la réplique exacte de la sienne, et il n'avait besoin de personne pour savoir où se trouvaient les chambres des enfants. Il ouvrit la porte de la première chambre et alluma sa lampe de poche. Un jeune enfant dormait en tenant un animal de peluche dans ses bras. Des jouets et des ordures traînaient sur le plancher, des couches sales s'empilaient dans un coin. Hennessy referma la porte. Il détestait être mêlé à une dispute entre mari et femme ; cela ne regardait qu'eux et ne le concernait pas.

Le mari regardait la télévision dans le salon. C'était samedi soir et, Stevie, le fils de Hennessy était probablement en train de regarder Bonanza lui aussi. Hennessy s'arrêta devant l'entrée de la salle de bains. Il vit une serviette maculée de sang drapée par-dessus le rideau de douche ; la femme avait dû nettoyer son visage et essuyer sa lèvre fendue à l'arrivée de Sorenson et de Brewer. Hennessy concentra son attention sur la serviette tachée de sang. Après tout, cela ne le regardait pas si la baignoire et la cuvette étaient repoussantes de saleté. Il n'avait pas non plus à se demander comment une femme pouvait négliger d'entretenir sa maison à ce point. Son travail exigeait par contre qu'il regarde dans la chambre principale, qu'il voie le lit aux draps défaits et les piles de vêtements sales sur le parquet, au même endroit où se trouvait la commode en pin dans la chambre qu'il partageait avec Ellen. Hennessy longea ensuite le couloir jusqu'à la chambre qui, chez lui, était celle de Suzanne, sa fille de trois ans. Il mit un certain temps à comprendre ce qu'il y avait de différent dans celle-ci. Contrairement aux autres pièces de la maison, elle était parfaitement rangée. Les jouets étaient dans leurs boîtes, des photographies de chevaux et de chiens Labrador avaient été soigneusement découpées et fixées aux murs avec des punaises. Hennessy éclaira la pièce de sa lampe de poche et vit une fillette de sept ou de huit ans couchée sous une couverture effilochée.

Hennessy entendit le mari, toujours dans le salon, dire à la femme :

— Bon Dieu ! Est-ce que ce con va passer la nuit ici ?

La fillette qui rangeait si bien sa chambre faisait semblant de dormir et elle y réussissait assez bien, mieux en tout cas que les enfants de Hennessy lorsque celui-ci ouvrait la porte de leur chambre pour voir s'ils dormaient. Hennessy était sur le point de s'en aller, la croyant réellement endormie, quand il l'entendit respirer plus rapidement. S'il n'avait pas lui-même été père, il n'aurait pas reconnu la respiration d'un enfant feignant le sommeil. Mais, il connaissait les enfants et il savait reconnaître le souffle d'un enfant endormi. Il s'approcha doucement et s'accroupit à côté du lit.

— Est-ce que tu as vu ce qui est arrivé ? chuchota-t-il.

— Il n'est rien arrivé, murmura la fillette et Hennessy comprit qu'elle avait vu ce qui s'était passé.

— Quelqu'un a été méchant, poursuivit-il.

La petite fille fit non de la tête et s'enfonça plus profondément sous sa couverture.

— Ta chambre est vraiment jolie. J'aime bien les photos que tu as mises sur les murs. J'ai une petite fille qui aime beaucoup les chevaux elle aussi.

Il était sur le point de l'amadouer et c'était tellement facile qu'il en aurait pleuré. Elle s'appuya sur ses coudes pour mieux le voir.

— Ma petite fille aime bien ceux qui ont une crinière blanche.

— Des chevaux Palominos, affirma la fillette.

— Est-ce qu'il est méchant avec toi ? murmura Hennessy.

— Non, seulement avec elle.

Hennessy s'aperçut qu'il avait mis sa main à l'intérieur de son veston, prêt à dégainer son revolver.

— Est-ce que ta petite fille a un cheval à elle ?

— Tu sais, notre jardin est semblable au vôtre. C'est beaucoup trop petit pour un cheval.

— Oh, répondit la fillette, déçue. Mais tu pourrais l'emmener faire de l'équitation, je suis sûre qu'elle aimerait ça.

La porte de la chambre s'ouvrit tout à coup et la petite fille, rapide comme l'éclair, se recoucha, ferma les yeux et se mit à respirer profondément, comme si elle dormait. Sa mère se tenait dans l'encadrement de la porte et la lumière du couloir l'éclairait par-derrière. On ne voyait pas ses ecchymoses et elle ressemblait ainsi à une jeune et jolie femme qui n'aurait pas eu le temps de se coiffer.

— Je vous défends de réveiller ma fille.

Hennessy se releva et ses genoux craquèrent. Il s'avança et

fit un effort pour rester calme comme si pénétrer dans l'intimité des gens était une chose qu'il faisait tous les jours.

— Vous pouvez porter plainte, vous savez.

— Jamais.

— Je pourrais le conduire au poste dès ce soir.

— Ah oui, et après ? Est-ce que vous allez passer le reste de votre vie sur mon perron pour l'empêcher de revenir ? Est-ce que vous allez nous protéger, moi et mes enfants ?

Hennessy se sentit ridicule. Il savait que la fillette écoutait. Qu'avait-il à leur offrir au juste ?

— Vous pourriez obtenir une injonction du tribunal.

— Écoutez, je n'ai rien à vous dire.

— Bon, comme vous voulez.

Il avait répondu un peu trop vite et il en eut honte. Il prit une de ses cartes professionnelles — elles sortaient tout juste de chez l'imprimeur et sentaient encore l'encre fraîche — et en remit une à la femme.

— Vous pouvez me joindre à ce numéro à n'importe quelle heure du jour ou de la nuit si vous changez d'idée.

La femme le regarda comme s'il était devenu fou et lui remit la carte de force dans la main. Avant de quitter la chambre de la fillette, Hennessy s'arrangea pour glisser sa carte sous son matelas. L'homme était toujours dans le salon et il faisait semblant de regarder Bonanza. On aurait juré qu'il n'avait rien à se reprocher mais Hennessy savait qu'il l'attendait.

Le mari se leva lentement, regarda Hennessy, vit qu'il n'avait rien découvert et sourit.

— Vous pourrez dire à mes voisins qu'ils peuvent aller se faire foutre.

Hennessy n'avait qu'une envie, partir de là.

— Ici c'est chez moi, compris ? insista l'homme.

— Oui, mais si vous recommencez, je reviendrai. Compris ?

Hennessy partit sans se retourner. Il se rendit directement au White Castle sur Harvey's Turnpike mais il fut incapable d'avaler quoi que ce soit. Il ne pouvait s'empêcher de penser à la maison. Vue de l'extérieur, rien ne la distinguait des autres bungalows. Il aurait pu trouver la chaudière de chauffage dans le sous-sol les yeux fermés. Toutes ces belles façades ne voulaient strictement rien dire, pensa Hennessy, et il se demanda ce qui lui avait échappé pendant toutes ces années où il avait admiré les maisons de sa rue. Il se sentait mal, comme si c'était lui qui avait frappé la femme au visage, parce qu'il était certain maintenant qu'elle avait été battue. Mais elle n'avait pas porté plainte et il était parti. Et le pire dans tout cela, c'était qu'il s'était senti soulagé de partir. Voilà pourquoi il était dehors aux petites heures du matin, en train d'attendre le laitier dans l'allée de sa maison.

Il essaya de penser à ses enfants bien au chaud dans leur lit, au pot à lait sur la tablette au-dessus de la cuisinière dans lequel Ellen mettait l'argent destiné aux provisions, et à l'odeur de propreté qui se dégageait de ses chemises lorsque sa femme les repassait le matin. Il aurait dû avoir oublié les photographies sur les murs de la chambre de la petite fille ; il ne devrait même plus se rappeler la forme et la couleur de l'ecchymose autour de l'œil de la femme. Il entendit le camion du laitier s'engager dans la rue Hemlock en changeant de vitesse. Il regarda de l'autre côté, chez les Olivera, et vit que les mauvaises herbes avaient poussé depuis qu'il avait coupé le gazon et qu'elles atteignaient la hauteur d'une hanche d'homme. Le laitier arrêta son camion et Hennessy entendit le cliquetis des bouteilles de lait. Il ne désirait qu'une chose, que tout redevienne comme avant.

Le laitier le fit sursauter.

— Alors, comment ça va aujourd'hui, demandat-il comme

si Hennessy avait l'habitude de l'attendre dans l'allée chaque matin.

— J'ai froid.

Le temps s'était rafraîchi et Hennessy, vêtu d'un pantalon de coton et d'une chemise à manches courtes, frissonna.

— Deux litres de lait et du fromage blanc, c'est bien ça ?

Hennessy hocha la tête même s'il n'avait pas la moindre idée de ce qu'Ellen avait commandé. Le laitier lui remit les bouteilles de lait et le fromage blanc.

— À demain, dit-il en reprenant son panier métallique.

Il remonta dans son camion et fit lentement marche arrière car il n'allait pas très loin, juste à côté, chez les Shapiro.

S'il ne se passe rien dans les prochaines minutes, tout sera comme avant, pensa Hennessy. J'irai mettre le lait au réfrigérateur et je retournerai me coucher, heureux que mes enfants puissent jouer dans la rue en toute sécurité. J'aurai des œufs brouillés comme tous les matins et je ne demanderai rien de plus. Qu'on me laisse tranquille. Mais il était un peu tard pour cela. Il avait voulu devenir enquêteur, il l'était devenu et ce travail le forçait à affronter des réalités qu'il aurait préféré ignorer. Et ce matin-là, il commit une grave erreur. Au lieu de remonter l'allée et de rentrer chez lui, il regarda les dernières étoiles dans le ciel et elles le remplirent de désir, comme le font les diamants pour d'autres hommes. Il tourna ensuite son regard vers l'est, pour voir si le soleil se levait, et il vit une femme sur le toit de la maison des Olivera en train de nettoyer les gouttières, indifférente à ce qui se passait autour d'elle, et il comprit qu'il était trop tard pour se leurrer. Il avait comblé un de ses désirs les plus chers et, comme souvent dans ces cas-là, ce n'était pas assez. Il n'était pas encore satisfait.

Dès sept heures trente, l'arôme du café et du pain grillé se répandait dans tout le quartier. On entendait le cliquetis des bouteilles de lait et le ronronnement des moteurs lorsque les pères de la rue Hemlock se préparaient à se rendre au travail. Bientôt, les maisons se videraient ; il ne resterait que les mères et leurs plus jeunes enfants, ceux qui commençaient à peine à marcher, et les bébés que l'on mettrait bientôt au lit pour leur sieste. Dès huit heures quinze, des groupes d'écoliers descendaient la rue. Les garçons ouvraient la marche, vêtus de leur pantalon de coton tout neuf et de leur chemise à carreaux, neuve également. Ils se chamaillaient et s'arrêtaient parfois sur les pelouses pour se bagarrer. Les filles suivaient, leurs cheveux soigneusement nattés et leurs chaussettes remontées haut sur les jambes.

Billy Silk les regarda passer, assis sur le perron en ciment de sa maison, pieds nus, encore en pyjama. Sa mère dormait. Le bébé s'était réveillé à six heures et il lui avait donné un biberon de jus. M. Popper avait suivi Billy sur le perron et il se léchait maintenant les pattes sans s'occuper de lui. L'enfant le caressa mais le chat fit le gros dos et continua à faire sa toilette. Billy s'ennuyait de Happy. Souvent, le matin, quand tout le monde dormait encore, il prenait une carotte dans le réfrigérateur et la donnait au lapin à travers le treillis de sa cage. Happy semblait toujours reconnaissant et il permettait ensuite à Billy de passer sa main à travers le grillage et de le caresser.

Il faisait frais et Billy Silk regretta de n'avoir pas mis ses pantoufles. Il se contenterait de quelques biscuits rassis pour son petit déjeuner et il avait déjà bu son Yoo-Hoo, debout devant la porte ouverte du réfrigérateur. Après, s'il avait encore faim, il pourrait toujours manger une des tomates encore vertes que sa mère avait mises sur le rebord de la fenêtre pour les faire mûrir. Depuis quelque temps, il avait l'impression d'avoir toujours faim. Nora prétendait suivre un régime même s'il était évident qu'elle n'en n'avait vraiment pas besoin, et Billy n'était pas dupe.

Il voyait bien que sa mère commençait à manquer d'argent. Chaque matin, il se jurait de faire un effort pour ne pas manger autant mais il semblait incapable de tenir sa promesse, même quand il voyait sa mère se contenter de café noir, de moitiés de pamplemousses saupoudrées de sucre et de verres de lait écrémé.

Elle ne l'aurait jamais avoué, mais il se rendait bien compte que sa mère découvrait chaque jour de nouveaux défauts à la maison. Une famille entière d'écureuils avait élu domicile dans le garage, le réfrigérateur fonctionnait plus ou moins ; un jour, le lait surissait et, le lendemain, les œufs gelaient dans leur contenant de carton. Le lavabo de la salle de bains s'emplissait d'eau quand il pleuvait et ils avaient vu un serpent à sonnettes glisser tranquillement sur le linoléum du sous-sol. Nora continuait tout de même à proclamer que tout allait bien. Bien sûr, tout n'était pas parfait mais tout s'arrangerait très bientôt. Elle avait commencé à vendre des abonnements pour des magazines par téléphone et elle avait trouvé un emploi de manucure Chez Armand, un salon de coiffure situé à côté du A&P. Toute la semaine, elle s'était exercée sur ses propres ongles et la maison empestait le dissolvant. Billy avait même trouvé des limes à ongles sur les comptoirs de la cuisine et entre les coussins du canapé. Et puis, si tout allait si bien que ça, pourquoi continuait-elle à se nourrir de café et de pamplemousses, pourquoi leurs voisins ne leur adressaient-ils pas la parole ?

Billy se pencha un peu pour voir les derniers enfants se diriger vers l'école. Ils avaient tous une belle boîte pour emporter leur déjeuner et Billy savait que Nora avait préparé le sien la veille, au cas où elle ne se réveillerait pas à temps, et qu'elle avait mis son sandwich et son orange dans un petit sac de papier brun. Il pensa à son père, à ce tour de magie pendant lequel il disparaissait de la scène et il se demanda s'il était possible d'hériter d'un tel talent. Il sentait qu'il était sur le point de pouvoir lui aussi se rendre invisible.

Pendant que Billy mangeait son dernier biscuit, Ace McCarthy sortit de chez lui, vêtu d'une chemise blanche que sa mère avait repassée pendant qu'il prenait son petit déjeuner, et d'un pantalon noir si ajusté que Le Saint lui avait fait promettre de le mettre à la poubelle. Il s'arrêta dans l'allée pour prendre une cigarette dans son paquet de Malboro.

— Salut, lança-t-il à l'adresse de Billy.

Billy le dévisagea en continuant de grignoter son biscuit. Au lieu d'aller chercher Danny Shapiro pour qu'ils se rendent ensemble à l'école, Ace traversa la pelouse. La rosée laissa des gouttelettes sur ses bottes noires.

— Merde, s'exclama-t-il quand il se rendit compte que ses bottes étaient mouillées.

Il s'approcha de Billy et alluma sa cigarette tout en jetant un coup d'œil en direction de chez lui. Il avait peur que sa mère le surprenne en train de fumer.

— Est-ce que tu habites ici ?

Billy hocha la tête et retroussa ses orteils.

Ace pointa sa cigarette en direction de Billy et le regarda attentivement pendant que la fumée l'enveloppait d'un nuage gris.

— Deuxième année !

— Non, troisième.

— Je te plains.

Ace remarqua que Billy était encore en pyjama.

— Tu vas te faire attraper par ton père.

— Non.

Billy fit rouler un raisin sec sur sa langue.

— Il est parti.
— Comment ça, parti ? Tu es orphelin ?
— Non, il est parti à Las Vegas.
— À Las Vegas !

La porte s'ouvrit et Nora apparut, encore vêtue de sa chemise de nuit, James appuyé sur une de ses hanches.

— Billy, tu devrais aller t'habiller, tu vas avoir froid aux pieds et puis tu vas être en retard. Allez, allez, dépêche-toi.

Ace continua de regarder fixement la porte après que Nora l'eut refermée.

— C'est ta mère ?

Billy fit signe que oui.

— Eh ben !
— Comment ça, Eh ben !, demanda Billy.

Il se sentait indigné sans trop comprendre pourquoi.

— Laisse tomber.

Ace écrasa sa cigarette sous le talon de sa botte.

— Elle ne ressemble vraiment pas à une mère.
— Ouais, fit Billy et, dans un sens, il savait ce que Ace voulait dire.
— Il faut que j'y aille. Salut, dit Ace et il se dirigea lentement vers la maison des Shapiro.

Billy resta assis sur le perron et suivit Ace et Danny du regard pendant qu'ils marchaient en direction de l'école. Il commençait à se sentir ridicule en pyjama et il entra s'habiller pendant que Nora donnait à manger au bébé.

— Dépêche-toi, dépêche-toi, répétait Nora même si elle-même n'était pas prête.

Elle se présenta finalement à l'entrée de la chambre de Billy vêtue d'une robe noire et chaussée de souliers noirs à talons aiguilles. Elle avait mis une ceinture élastique noire et or, fermée par une grosse boucle dorée. Billy était en train d'examiner son cahier à anneaux neuf.

— Il n'y a aucune raison de s'énerver, dit Nora.

Elle avait le visage tout rouge et elle avait appliqué un vernis couleur « fruit de la passion » sur ses ongles.

— J'suis pas nerveux, répondit Billy même s'il avait l'impression d'être sur le point de s'évanouir.

L'école élémentaire n'était qu'à trois rues mais comme ils étaient en retard, Nora décida de prendre la voiture. La Volkswagen, le moteur encore froid, étouffa puis se mit à avancer par à-coups, le moteur menaçant de s'arrêter à tout moment. Nora rangea la voiture de l'autre côté de la rue, face à l'allée circulaire où les autobus scolaires étaient garés. Quelques enfants en retard se dépêchaient d'entrer et l'air sentait encore le beurre d'arachide, le savon Ivory et l'essence. Nora éteignit le moteur. Elle se regarda dans le rétroviseur, remit son serre-tête doré en place et fit gonfler sa frange.

— Alors ?, dit-elle à son fils.

— Alors, j'y vais pas.

— Oh oui, tu vas y aller.

— Tu n'as même pas l'air d'une vraie mère.

— Pour moi c'est un compliment. Alors merci beaucoup, dit Nora en ouvrant la portière de la voiture.

Elle prit le bébé dans ses bras et attendit Billy sur le trottoir. Une mère sortit de l'école, vêtue d'un bermuda, les cheveux cachés sous un foulard. Nora ajusta sa ceinture. Elle avait bien un bermuda elle aussi mais elle le portait pour laver les planchers dans son ancien appartement. Elle se pencha pour se regarder dans le rétroviseur extérieur. Peut-être aurait-elle mieux fait de ne pas se maquiller les yeux et de ne pas s'asperger d'Ambush. Elle frappa à la vitre et Billy la regarda.

— Allez, viens.

Billy déverrouilla la porte, sortit et suivit sa mère de l'autre côté de la rue. Les chaussures à hauts talons de Nora cliquetèrent bruyamment lorsqu'ils longèrent le couloir en direction du bureau du directeur. Nora portait James appuyé sur une épaule et le bébé tendit les bras vers Billy en criant « Baba ». Sa voix raisonna dans le couloir et Billy s'arrangea pour marcher loin derrière. Il avait honte et tenait son petit sac brun serré contre lui.

— Arrête de lambiner, lui lança Nora.

Elle aurait dû lui faire des œufs et du bacon ce matin pour lui donner de l'énergie. C'est ce qu'elle servait habituellement à Roger les soirs où il donnait un spectacle, jusqu'au jour où elle s'était aperçue qu'il faisait son numéro beaucoup plus pour le bénéfice de ses maîtresses que pour celui d'un quelconque auditoire. Le matin où il la quitta, elle lui avait servi un mélange de henné, d'oignons et d'œufs. Lorsqu'il lui avait téléphoné de Las Vegas, il s'était plaint d'avoir eu la diarrhée durant tout le trajet. Comme si cela pouvait la toucher. Comme s'il s'attendait à des conseils gratuits.

— C'est bien fait, lui avait-elle répondu, de toute façon tu n'es qu'un tas de merde.

Dans le bureau du directeur, Nora fouilla dans son sac à la recherche du carnet médical de Billy et de son dernier bulletin ; les bâtons de rouge et les cigarettes au menthol roulèrent sur le bureau.

— Je suis certaine qu'ils sont quelque part dans ce sac, déclara-t-elle avec entrain.

Elle mit le bébé par terre et des Cheerios s'échappèrent des poches de sa salopette en velours côtelé. Billy Silk s'assit sur une chaise au coussin rembourré et se mit à examiner les tuiles acoustiques du plafond. James se mit debout en se tenant à la jambe de son frère et Billy, mine de rien, balança sa jambe d'avant en arrière jusqu'à ce que le bébé tombe par terre.

— Il est très doué, dit Nora en remettant les documents au directeur.

— Il pourra commencer en troisième année aujourd'hui mais nous devrons quand même lui faire passer un examen pour nous assurer qu'il est au bon niveau.

— Vous pouvez lui faire passer un examen si vous voulez mais, vous savez, cet enfant sait même lire dans les pensées.

— Est-ce qu'il a été vacciné contre la polio ?

— Oui, oui, répondit Nora et sans se retourner, elle chuchota à Billy « Tes cheveux ».

Billy cessa d'enrouler des mèches de ses cheveux autour de ses doigts et Nora se pencha pour ramasser les Cheerios éparpillés un peu partout.

— J'adore cette école dit Nora au directeur comme il les invitait à sortir de son bureau. C'est un endroit tellement agréable.

Billy examina les murs gris pâle en se disant que ceux d'une cellule de prison étaient probablement peints de cette même couleur sale.

— Vous trouverez la classe de troisième année deux portes après la salle de gymnastique. Billy, crois-tu être capable d'y aller seul ?

Pour la première fois depuis son arrivée, Billy regarda le directeur.

— Il est à Las Vegas.

— Qui est à Las Vegas ? demanda le directeur, surpris.

— Mon père.

Le directeur se tourna vers Nora.

— Je n'ai rien lu au sujet de votre mari dans le dossier de Billy.

— Las Vegas, répéta Nora. Et elle ajouta : « Dans le Nevada ».

Elle poussa Billy en direction de la salle de gymnastique.

— Cesse de lire dans la pensée des gens.

— Je peux trouver la salle de classe tout seul.

— C'est sérieux, Billy. Les gens n'aiment pas les enfants indiscrets.

Ils s'arrêtèrent devant la porte de la salle de classe. Billy pouvait voir le drapeau américain suspendu à un mât en bois au-dessus des fenêtres.

— D'accord, je vais essayer, promit-il à sa mère même s'il ne savait pas si c'était en son pouvoir de tenir ou non sa promesse. Ce serait peut-être comme la promesse qu'il s'était faite de cesser de trop manger.

— C'est bien. Alors, as-tu tout ce qu'il te faut ? Des feuilles, des crayons ?

Billy hocha la tête.

— Mon Dieu que tu es pâle.

Nora lui toucha le front. Il n'avait pas de fièvre. À l'intérieur de la classe, le professeur demanda à un élève de faire circuler les livres de lecture.

— Ce n'est pas si terrible, essaie de te détendre.

— Ouais.

— Tu n'as qu'à te dire qu'ils vont t'aimer et ça marchera.

— Tu pourras en fumer une quand tu seras dans l'auto, dit Billy.

Nora fit la moue et lui donna une petite poussée. Elle attendit qu'il fût entré dans la classe et qu'il eût refermé la porte avant de regagner sa voiture, et la première chose qu'elle fit après avoir installé James sur la banquette arrière fut de sortir son paquet et d'allumer une cigarette.

D'accord, elle s'était trompée, ce n'était pas la première fois d'ailleurs et puis, elle n'était pas parfaite. Si elle était parfaite, est-ce qu'elle serait là, un beau samedi matin, à faire des manucures pendant qu'une petite voisine de seize ans qu'elle connaissait à peine gardait ses enfants ? Si elle était parfaite, est-ce qu'elle serait en train d'essayer de déboucher le bain pendant que son ex-mari se faisait photographier devant le Sands Hotel où Frank Sinatra présentait son spectacle tous les soirs ? Son pantalon toréador rouge ne lui allait plus, elle n'avait vendu que quatorze abonnements de *Life* et trois de *Ladies' Home Journal* en deux semaines, les enfants de la classe de Billy le haïssaient, et alors ? Les choses pouvaient changer, non ? Elle ferait plein de petits gâteaux recouverts de glace rose et parsemés de bonbons miniatures qu'elle apporterait en classe à la fin de la semaine. Elle se procurerait la liste de tous les camarades de Billy et inviterait chacun d'eux à la maison. Elle leur ferait du maïs soufflé, les laisserait courir partout et essayerait de les amadouer avec de la limonade et des fusils à pétard. Elle vendrait des Tupperware et elle pourrait emmener James avec elle lorsqu'elle irait faire des démonstrations à domicile. Elle pourrait en organiser ici même, dans sa cuisine. Et puis, si elle continuait de se nourrir de pamplemousses, elle finirait bien par entrer dans ce fichu pantalon.

Ici, après tout, les étoiles étaient plus brillantes que celles qu'on voyait au-dessus de la ville. Le soir, on pouvait humer l'odeur des cerisiers au lieu de celle de la suie. Une fois les enfants endormis, Nora sortait parfois pour marcher pieds nus sur la pelouse. Ici, on pouvait sentir que l'automne approchait, l'herbe était plus fraîche, les matins moins lumineux. Et tant pis s'il n'y avait pas d'homme pour l'embrasser, pour l'inviter à danser ou pour l'emmener en vacances dans un hôtel, au bord de la mer.

Elle mit un de ses disques d'Elvis Presley sur son vieil électrophone et réfléchit au meilleur moyen d'installer les doubles fenêtres. Elle chanta « Don't Be Cruel » en tapissant de papier d'aluminium le four de sa cuisinière. Elle coiffa ses cheveux en queue de cheval et enfila une des vieilles chemises de Roger. Les autres mères de la rue purent la voir, perchée en haut d'un escabeau, un torchon à la main, pendant que le bébé jouait dans la terre, ses petits bas noirs de saleté, les mains maculées de boue et la bouche pleine de brindilles et de feuilles mortes. Et il ne portait qu'une veste de laine par-dessus un léger pyjama. Ses voisines crurent même l'entendre chanter "A Fool Such as I" pendant qu'elle lavait les vitres.

Réunies chez Ellen Hennessy, elles regardaient leur nouvelle voisine par la fenêtre du salon. Elle tenait une bouteille de Windex à la main. Elle ne portait pas d'alliance.

— Peut-être que ses doigts sont enflés et qu'elle a mis son alliance sur un crochet à côté des tasses à café ? suggéra Lynne Wineman.

— Peut-être, dit Ellen Hennessy. Mais alors, où est son mari ?

Elles réfléchirent quelques instants à cette question.

— Il est peut-être en voyage d'affaires ? suggéra Donna Durgin mais tout le monde savait que Donna était très naïve. Personne ne s'en préoccupait d'ailleurs, tout comme personne ne faisait cas de son obésité.

— Penses-tu à la même chose que moi ? demanda Lynne Wineman à Ellen Hennessy.

Stevie, le fils d'Ellen, était à l'école et Suzanne jouait à servir le thé dans sa chambre avec les deux filles de Lynne Wineman. Melanie, le bébé de dix-huit mois de Donna Durgin, dormait sur une couverture, sous la table basse du salon.

— Tu parles, répondit Ellen, c'est la seule explication possible.

— Quoi, fit Donna Durgin, qu'est-ce qui est la seule explication possible ?

Ni Lynne ni Ellen n'eut le courage de lui répondre. Elles ne pouvaient tout simplement pas se résoudre à prononcer le mot « divorcée » tout haut et pourtant, de l'autre côté de la rue, on pouvait voir une main sans alliance, tenant une bouteille de Windex. Le mariage, c'était toute leur vie, et les trois femmes étaient solidaires de cet état de fait. Ellen Hennessy, Donna Durgin et Lynne Wineman se voyaient presque tous les jours. L'été, elles pique-niquaient avec leurs enfants tantôt chez l'une, tantôt chez l'autre ; elles buvaient du Hawaiian Punch et mangeaient des sandwiches au saucisson de Bologne. Elles échangeaient les vêtements d'enfants devenus trop grands ; elles allaient au supermarché ensemble ; elles jouaient à la canasta pendant que les enfants s'amusaient avec leurs blocs et laissaient des tonnes de miettes de biscuits Graham sur le parquet.

Elles décidèrent de téléphoner à Marie McCarthy et lorsque celle-ci arriva chez Ellen, elles prirent place autour d'elle en demi-cercle, impatientes d'avoir son avis sur leur nouvelle voisine. Les enfants de Marie étaient plus vieux et les autres mères la voyaient donc moins souvent mais elles savaient qu'elles pouvaient toujours compter sur elle quand un de leurs enfants brûlait de fièvre au beau milieu de la nuit. Marie avait une solution pour tout. Elle leur conseillait de frotter les gencives de leur bébé avec un peu de rhum quand il perçait de grosses dents et que tout ce que le médecin avait prescrit restait sans effet ; elle avait une excellente recette de lasagne et de pain de viande aux échalotes et à la sauce tomate ; elle prenait soin de leurs enfants lorsque l'une d'elles devait aller chez le dentiste ou avait absolument besoin d'une robe neuve et n'avait pas le cœur de traîner les enfants chez S. Klein, ou chez A&S s'il s'agissait d'une occasion spéciale. Lorsqu'elles se disputaient avec leur mari, le genre de dispute à laquelle il n'attachait aucune importance, Marie les accueillait dans sa cuisine et les réconfortait avec une tasse de thé et des biscuits. Elle leur laissait tout le temps nécessaire pour se remettre et trouver le courage de rentrer chez elles.

Marie avait réussi à passer au travers de tout cela et elle servait un peu de modèle aux autres femmes mais, même elle acceptait difficilement l'idée d'avoir une divorcée comme voisine. Elle aurait dû inviter la nouvelle venue à prendre le café ; elle aurait dû offrir de garder ses enfants mais, dès qu'elle avait vu cette femme arriver dans sa vieille Volkswagen, seule avec ses deux garçons, elle avait compris que quelque chose n'allait pas. Où était donc son mari ? C'est ce que Marie demanda aux autres femmes. « Je crois que vous connaissez la réponse », chuchota-t-elle et même Donna Durgin qui n'avait jamais rencontré une personne divorcée de sa vie comprit dans quelle situation était Nora. Personne n'osait le dire tout haut mais il était là, ce mot, il faisait dorénavant partie de leur vocabulaire et il planait dans l'air comme un nuage noir au-dessus de leur tasse à café. Voilà pourquoi ces femmes se taisaient. Voilà pourquoi Marie leur offrit les Tootsie Rolls, qu'elle avait apportés pour les enfants, même si ces bonbons ne suffiraient certainement pas à les débarrasser du mauvais goût qu'elles avaient dans la bouche.

Naturellement, les hommes de la rue Hemlock n'avaient rien remarqué. Bien sûr, ils avaient vu la Volkswagen et s'étaient dit que les roues avaient besoin d'être alignées ; ils avaient pris bonne note que les volets de la maison n'avaient pas été réparés et que, quant à eux, il y a belle lurette qu'ils auraient acheté du ciment pour réparer les marches du perron. Comme tout bon enquêteur, Joe Hennessy se flattait de remarquer les détails qui passaient inaperçus aux yeux de la majorité des gens mais, ce soir-là, quand il arriva chez lui et qu'il posa son revolver sur sa table de chevet, il ne remarqua même pas que sa femme s'était rongé les ongles jusqu'au sang. Il enleva son manteau et remplit un seau de plastique avec de l'eau savonneuse. Comme il faisait encore assez clair dehors, il décida de laver sa voiture. Il emporta son seau dans l'allée mais l'eau déborda en chemin et laissa une trace derrière lui. Il posa le seau par terre et au moment où il allongeait le bras pour prendre son éponge, il ressentit une drôle de sensation le long de sa nuque. Il pensa au clair de lune, il pensa à la voisine sur son toit, dans la nuit, et il eut envie de fuir aussi vite que possible. La Volkswagen blanche garée dans l'allée des Olivera brillait dans les derniers rayons du soleil.

Hennessy mit une main en visière pour se protéger les yeux et regarda de l'autre côté de la rue. Il vit un bébé dans un parc sur la pelouse. On aurait dit qu'il le saluait de la main mais peut-être essayait-il plutôt d'attraper des brins d'herbe car, tout à coup, il y eut un tourbillon d'herbes coupées et Nora Silk apparut, venant de l'arrière de la maison. Arc-boutée de tout son poids, elle poussait la vieille tondeuse des Olivera et l'engin sifflait comme une locomotive en laissant échapper des bouffées de fumée noire. Un gamin la suivait de près, traînant un râteau de bois trop grand pour lui.

Hennessy se demanda quel genre d'homme pouvait laisser sa femme entretenir la pelouse à sa place. Dans son monde, les femmes jardinaient et les hommes s'occupaient des pelouses. Pourtant, il y avait cette femme, là, qui travaillait comme un chien, obligée de porter des gants de cuir pour éviter de se faire des ampoules, et qui se penchait en chancelant sur ses chaussures à hauts talons pour arracher les mauvaises herbes. La tondeuse se coinça. La femme n'arrivait plus à la faire bouger et le moteur étouffait sans arrêt. Hennessy avait été le voisin des Olivera pendant cinq ans et il n'était entré dans leur maison qu'une seule fois, avant la mort de M. Olivera. Le vieil homme était de plus en plus handicapé par l'arthrite et Hennessy avait offert de vider les calorifères à l'aide d'une pièce de dix sous et de vérifier la chaudière dans le sous-sol, ce qui s'était avéré parfaitement inutile puisque M. Olivera était mort quelques jours après la fête de la Thanksgiving. Hennessy lança son éponge dans le seau d'eau et traversa la rue.

— Maudite tondeuse de merde, maugréa la femme tout haut même si son petit garçon était tout près et pouvait l'entendre.

C'était du moins ce que Hennessy crut avoir entendu malgré le bruit du moteur. Il y avait de l'herbe partout, dans les plis de sa blouse de coton et dans les cheveux de son bébé. Il lui semblait qu'il pouvait goûter cette herbe et cela lui donna soif ; sa nuque le chatouillait de plus en plus.

— C'est coincé, cria Hennessy et Nora se retourna, surprise.

Elle n'était pas aussi jeune qu'il l'avait pensé, mais jamais il n'avait vu des yeux aussi noirs.

Il se pencha et coupa le moteur de la tondeuse.

— Le gazon est pris en pain.

Il se sentit ridicule tout à coup. Il se pencha et enleva le paquet d'herbes pris entre les lames. Le gamin s'appuya sur son râteau et le regarda faire. Le bébé se leva en s'agrippant au rebord de son parc.

— Et voilà, dit Hennessy. Ça devrait aller maintenant.

Il se releva et se frotta les mains mais il ne pouvait se débarrasser de l'herbe collée à ses paumes moites.

— Eh bien ! fit Nora.

Son cœur battait la chamade. Elle fit gonfler sa frange et regretta de s'être coiffée en queue de cheval. Elle ne parvenait pas à détacher le regard de cet homme. Elle avait peur que quelque chose se brise en elle si elle cessait de le regarder.

— Merci beaucoup.

— Vous devriez demander à votre mari d'acheter une nouvelle tondeuse.

— Une nouvelle tondeuse... répéta Nora.

— Qui est paresseux ? demanda le gamin.

— Qu'est-ce que tu dis ? demanda Hennessy.

— Merci encore, intervint Nora. C'est vraiment agréable d'avoir des voisins.

— Ouais, répondit Hennessy.

Dans le parc, le bébé tendit les bras en gazouillant. Nora réussit à détourner son regard de Hennessy, prit James dans ses bras et l'appuya sur sa hanche. De l'autre côté de la rue, Stevie sortit de la maison et cria à son père que s'il ne venait pas dîner tout de suite, ils seraient en retard à la partie de base-ball.

— C'est la dernière semaine de base-ball, expliqua Hennessy. C'est mon fils. Il est premier but.

— Il m'a l'air d'un gentil garçon, dit Nora. Elle s'approcha de Billy et lui mit la main sur l'épaule. « Je parie que vous allez bien vous entendre tous les deux », dit-elle, pleine d'espoir.

Billy regarda sa mère comme si elle avait perdu la tête. À l'école, Stevie avait déjà commencé à le harceler ; il lui avait volé son déjeuner à deux reprises et il l'avait jeté à la poubelle ; il l'avait traité de face de rat et de porte-panier et il avait éclaté de rire comme un dément lorsque Billy avait été incapable de grimper aux cordages pendant le cours de gymnastique.

— Ce gars-là ? Tu veux rire, répondit Billy incrédule.

— Ah, les enfants d'aujourd'hui, dit Nora en lui donnant un petit coup avec le bout de sa chaussure.

Elle n'avait pas la moindre idée de ce qui rendait cet homme si séduisant à ses yeux. Il était grand mais pas vraiment beau, il n'avait pas le regard hypnotisant d'Elvis ni l'irrésistible sourire de Roger. Peut-être étaient-ce ses mains, de grandes et fortes mains, qui l'attiraient. Elle regarda les doigts de

Hennessy et se demanda quelle sensation cela ferait de les sentir sur ses épaules et sur ses hanches.

— Alors, votre fils joue au base-ball, dit Nora d'une voix songeuse.

Le bébé émit un vagissement et chercha le sein de Nora à travers la blouse.

Nom de Dieu ! pensa Hennessy.

Nora changea rapidement le bébé de position mais Hennessy eut le temps d'apercevoir un peu de sa peau blanche.

— Je suis certaine que Billy aimerait jouer au base-ball.

— Moi ? fit Billy.

Il faut que je parte d'ici, pensa Hennessy.

— Les inscriptions ont lieu en mai, dit-il tout en reculant vers le trottoir.

— C'est bon à savoir, répondit Nora. J'aimerais beaucoup faire la connaissance de votre femme, vous savez.

— Oui, ce serait bien.

C'est vrai, quoi, dit Nora à Billy lorsqu'elle vit l'expression sur le visage de son fils.

Hennessy salua de la main et traversa la rue. Nora admira son dos et se mordit la lèvre. Elle ne pouvait tout simplement pas se permettre de penser aux hommes, pas maintenant.

— Je te l'avais bien dit que les gens étaient gentils ici, dit-elle à Billy.

Elle appuya le bébé sur une hanche et poussa la tondeuse d'une main jusque dans le garage.

— Tout va bien aller, tu verras.

Nora entra dans la maison pour préparer des macaronis au fromage, le genre de plat qu'elle ne réussissait pas très bien. Il y avait souvent trop de sauce et on devait manger les pâtes avec une cuillère. Dans ces moments-là, elle jetait les macaronis à la poubelle et servait des Frosted Flakes ou du Beef Jerky sur du pain. Billy reprit son râteau et commença à ratisser le gazon. Le râteau était trop grand pour lui, ses épaules lui faisaient mal mais il s'en fichait. Il ne leva même pas les yeux quand il entendit des voitures passer dans la rue. Il s'entraîna à devenir invisible et il y réussit presque. On aurait juré voir un jean surmonté d'un chandail molletonné bleu en train de ratisser la pelouse, même si on savait très bien que cela n'était pas possible. S'il y mettait tout son cœur, s'il ramassait toute l'herbe coupée pour en faire des tas qu'il lancerait ensuite par grosses brassées dans les poubelles d'aluminium, peut-être alors leur maison serait-elle semblable aux autres. C'est pourquoi il travailla jusqu'à la nuit et, à l'heure où les autres enfants de la rue finissaient de dîner, jouaient à la balle et se préparaient à se mettre au lit, Billy Silk, lui, était encore en train de ratisser le gazon et avait même oublié à quel point ses épaules le faisaient souffrir.

3

Les fantômes de l'Halloween

Lorsque James eut un an, Nora constata avec plaisir qu'il ne ressemblait ni aux gens de sa famille ni à celle de Roger, comme s'il était né un jour d'octobre, sans passé, sans héritage, le fruit d'un ventre de femme plutôt que de gênes quelconques. Comme tous les natifs de ce mois, il aimait dormir et ne craignait pas le froid. Le soir, dans son petit lit, il enlevait ses chaussons de laine et se débarrassait de sa couverture. Il s'agitait en montrant la fenêtre du doigt jusqu'à ce que Nora accepte de l'ouvrir et il se calmait aussitôt. Il aimait regarder les étoiles qui formaient une arche au-dessus de la maison. C'était un enfant souriant, qui aimait s'amuser seul et, s'il ne semblait pas pressé d'apprendre à marcher, il avait tout de même commencé à faire quelques pas. Quand il trébuchait et que Nora le prenait dans ses bras, elle se disait qu'elle ne pourrait pas l'aimer plus qu'elle ne l'aimait dans ces moments-là, et pourtant elle l'aimait chaque jour davantage. Elle avait l'étrange impression d'avoir grandi, comme si son corps avait voulu accommoder tout cet amour qu'elle portait en elle. Elle dut s'acheter des gants neufs, de nouvelles bottes et elle fit agrandir ses souliers à talons hauts chez le cordonnier.

Nora adorait les anniversaires mais, cette année, celui de

James tombait un samedi et elle n'eut pas le temps de faire un gâteau-maison ni même un gâteau à partir d'une préparation. Elle fut si occupée au salon de coiffure qu'elle travailla jusqu'à seize heures alors qu'elle aurait dû être à la maison à quatorze heures trente. Elle devrait donner un dollar et cinquante sous de plus à la gardienne mais cela lui avait permis de distribuer davantage d'invitations à ses démonstrations de Tupperware.

— Je n'aime pas beaucoup ça, dit Armand lorsqu'il mit la main sur une invitation.

Il avait abandonné une de ses meilleures clientes, les cheveux crêpés et prêts à être coiffés, pour parler à Nora près des lavabos.

— En fait, cela fait très chic vous savez. À Manhattan, il y a des défilés de mode et des cours de maquillage dans les salons de coiffure. Je pourrais faire des démonstrations de Tupperware ici même dans votre salon. Je pourrais commencer la semaine prochaine.

Heureusement, Armand ne s'était pas aperçu qu'elle vendait aussi des abonnements à des magazines. Il réfléchit quelques secondes et lui donna finalement son accord contre un pourcentage de dix pour cent sur les ventes. Nora se dit qu'elle lui refilerait un billet de cinq dollars et que le tour serait joué. Jamais il ne la mettrait à la porte car les clientes l'adoraient. Elle coiffait ses cheveux en torsade, elle appliquait du vernis « rouge romain » sur ses ongles et des femmes qui n'avaient jamais eu de manucure de leur vie réclamaient qu'on leur applique la même teinte. Elles s'arrangeaient pour venir au salon le samedi, et il y en avait même une qui venait en autobus d'aussi loin que East Meadow.

— La main, disait Nora à ses clientes, est le reflet de l'âme.

Elle savait pertinemment que les yeux étaient le reflet de l'âme, mais quelle importance après tout ? Elle leur tenait la main et donnait son avis sur l'état de leurs cuticules ou sur la couleur de leur teint. Lorsqu'elle s'aperçut que ses conseils sur l'agencement des couleurs lui valaient de plus gros pourboires, elle arrêta de parler de cuticules. Elle savait trouver la nuance qui convenait le mieux à une femme, le rouge orangé plutôt que le rouge écarlate, et elle allait même jusqu'à conseiller le renouvellement complet d'une garde-robe. « Surtout pas de gris pour vous », disait-elle à une cliente au teint trop pâle. « Vous devriez porter du violet », chuchotait-elle à une autre.

Le jour de l'anniversaire de James, elle quitta le salon avec ses pourboires dans une enveloppe, bien en sécurité dans la poche de son manteau noir. Des mèches de cheveux collaient à ses manches et aux semelles de ses chaussures. Elle enleva les pinces qui retenaient son chignon français aussitôt qu'elle fut hors de vue du salon. Elle se recoiffa avec ses doigts et se précipita au A&P. Elle trouva rapidement ce dont elle avait besoin et se dirigea vers la caisse en passant carrément devant les gens qui attendaient en ligne.

— Ça ne vous dérange pas que je passe maintenant ? demanda-t-elle à la caissière, Cathy Corrigan, une jolie blonde qui, prise au dépourvu, se mit à poinçonner sans faire attention à la queue de clients qui s'allongeait jusqu'au comptoir des fruits en conserve.

— C'est la fête de mon fils, annonça Nora à la ronde en montrant un paquet de bougies rayées bleu et blanc. Vous me sauvez la vie, ajouta-t-elle à l'intention de la caissière en mettant ses quatre boîtes de Twinkies dans un sac.

Elle fila chez elle, gara la Volkswagen et prit le sac de provisions. La vue de sa maison la remplissait encore de bonheur. Elle aimait sentir ses hauts talons s'enfoncer dans le gazon quand elle traversait la pelouse, entendre le bruissement des feuilles mortes qui tombaient sur le perron et, par-dessus tout, elle aimait la sensation de sa main sur la poignée de la porte déverrouillée, juste avant de l'ouvrir. Rickie Shapiro écoutait un disque d'Elvis et, bien que le son du tourne-disque fut exécrable, Nora monta le volume dès qu'elle entra. Elle suspendit son manteau à un cintre dans la penderie du hall en constatant une fois de plus combien elle était spacieuse. Elle alla ensuite à la cuisine où James jouait par terre avec ses blocs. Rickie était assise à la table et chantait avec Elvis tout en appliquant du vernis rose sur ses ongles.

— Bon anniversaire mon trésor, dit Nora en prenant le bébé dans ses bras. Est-ce que les enfants ont été sages, Rickie ?

— Oui, mais Billy n'a pas voulu sortir de sa chambre.

Ce n'était pas nouveau, se dit Nora, et elle mit James par terre. Il s'accrocha à sa jambe pendant qu'elle ouvrait les boîtes de Twinkies et les disposait dans une assiette.

— Cette teinte ne te convient pas, dit Nora à Rickie par-dessus son épaule.

— Mais, le rose me va très bien, au contraire.

— Comme tu voudras.

Rickie souffla sur ses ongles pour les faire sécher plus vite pendant que Nora allait chercher son sac et lui donnait les six dollars qu'elle lui devait.

— C'est le rose qui me va le mieux, dit Rickie.

— Non, c'est le rouge.

Nora se dirigea vers l'entrée de la cuisine.

— Billy, sors de ta chambre. C'est l'anniversaire de James aujourd'hui.

— Rouge ? Vous plaisantez. Ma mère ne me laisserait jamais porter du rouge. Ça ne va pas du tout avec la couleur de mes cheveux.

— Crois-moi, le rouge t'irait beaucoup mieux. Et puis tu

devrais arrêter de te faire des mises en plis. Tu devrais laisser sécher tes cheveux au naturel.

— Pour qu'ils frisottent dans tous les sens ? Jamais de la vie.

— D'accord, répondit Nora en plantant une bougie dans chaque Twinkies. Libre à toi de ressembler à toutes les autres filles. Est-ce que tu as donné son biberon au bébé ?

— Ouais, répondit Rickie.

Ses ongles étaient assez secs pour qu'elle puisse mettre son manteau. Elle mit le flacon de vernis rose dans son sac et examina ses mains. La teinte lui parut beaucoup trop pâle. C'est ce qu'elle détestait le plus quand elle gardait James et Billy Silk : elle sortait toujours de chez Nora un peu moins sûre d'elle-même. Elle se demandait d'ailleurs pourquoi elle continuait. Après tout, elle n'avait pas vraiment besoin de cet argent. Le bébé était mignon mais Billy la rendait folle. Il pouvait jouer pendant des heures avec elle au Monopoly et la semaine suivante, il ne lui adressait même pas la parole. Il s'enfermait dans sa chambre, enroulé dans une vieille couverture, et il mangeait des bretzels et des croustilles. Il avait l'air si furieux qu'elle n'osait même pas lui parler et elle pouvait presque l'entendre grincer des dents à travers la porte fermée.

Elle avait bien besoin de ça ! Elle avait toujours été très gâtée et elle le savait. Cela la rendait parfois mal à l'aise et elle avait pris l'habitude de donner quelques-uns de ses vêtements à Joan Campo, sa meilleure amie, qui devait travailler les samedis et les dimanches à la charcuterie de son père. Elle venait justement de recevoir un chandail en laine angora et elle décida de le donner à Joan. Il était rose, comme l'intérieur d'un coquillage, et peut-être Nora avait-elle raison, peut-être que le rouge écarlate et le rouge cramoisi lui conviendraient mieux. En fait, son problème, c'était que son père était plus riche que celui de la plupart de ses amies. Il conduirait bientôt une Cadillac Eldorado ; il lui rapportait souvent des vêtements de chez A&S ; il lui obtiendrait un poste de vendeuse dans le rayon « Jeunes filles » l'été prochain et elle aurait droit à la remise de dix pour cent consentie aux employés. Il lui paraissait injuste, surtout lorsqu'elle était avec Joan, que sa famille soit plus riche que les autres. Elle était allée en Floride quatre fois déjà et, à l'hôtel, elle savait comment demander le service aux chambres. Elle avait appris à remonter sa jupe juste assez pour laisser voir le bas de sa crinoline, ce qui, elle le savait très bien, faisait tourner la tête des garçons. Tout le monde admettait que son frère Danny était l'élève le plus brillant de l'école et le meilleur joueur de base-ball que la ville ait jamais eu. Et, ce que peu de gens savaient, sa mère, Gloria, parlait français, assez bien pour lire le menu d'un grand restaurant, et elle portait toujours des bas nylon même lorsqu'elle passait l'aspirateur.

Mais Rickie continuait quand même à garder les enfants de Nora même si Nora n'avait rien de ce qu'une femme aussi vieille qu'elle devrait avoir : un mari et une maison confortable. Bien entendu, aucun des modestes bungalows du quartier ne ferait l'affaire. Un cottage avec piscine et foyer, voilà ce qu'elle voulait. Lorsqu'elle aurait atteint l'âge de Nora, elle aurait non seulement un mari et une résidence dans Cedarhurst ou dans Great Neck mais elle serait mère de deux petites filles qu'elle habillerait de robes identiques, roses naturellement, quoique le rouge pourrait également convenir.

— Oh ! j'oubliais. Vous avez reçu un appel de la maison d'abonnements, dit Rickie pendant qu'elle boutonnait son manteau.

— Merde. Est-ce que je suis virée ?

— Vous n'avez rien vendu depuis deux semaines et on voulait savoir ce qui se passait. D'ailleurs, vous leur devez quatorze dollars et quatre-vingt-quinze sous.

— Eh bien, ils attendront, répondit Nora.

Elle se lécha les doigts et déposa l'assiette de Twinkies sur la table.

— Bon anniversaire, chantonna-t-elle en se penchant pour prendre James.

Elle l'appuya sur sa hanche et alluma les bougies.

— Billy, viens. Les bougies sont allumées.

Nora mit les allumettes en sécurité dans sa poche, juste au cas où son fils aurait le goût de mettre le feu quelque part, et elle embrassa son fils.

— Mon trésor, mon bébé en chocolat, roucoula-t-elle.

Rickie n'aimait pas les Twinkies, elle suivait un régime de toute façon, mais elle ne pouvait détacher son regard de Nora et de James. Le bébé était vraiment mignon, une vraie poupée. Mais Nora... comme elle paraissait songeuse et triste à la lueur des bougies, avec ses cheveux qui pendaient, raides, de chaque côté de son visage comme ceux d'une petite fille. Ce soir, Rickie et Joan Campo avaient rendez-vous avec deux membres du club de maths pour aller voir « Le Journal d'Anne Frank » au cinéma. Elle avait déjà vu le film à deux reprises et elle ne devait pas oublier d'apporter des mouchoirs en papier car, dès qu'elle pleurait, la peau de son visage devenait rose foncé. Mais peut-être était-ce rouge pâle ?

— Aurez-vous besoin de moi samedi prochain ? demanda Rickie avant de partir.

— Oui. Il faut bien que je continue à faire des manucures, du moins jusqu'à ce que mes démonstrations de Tupperware aient plus de succès. Peut-être que ça intéresserait ta mère ? Je pourrais l'inviter ici avec ses amies ou je pourrais aller chez toi.

— Je ne pense pas que ça marcherait. Ma mère dit que la vaisselle de plastique, ça manque de classe.

— Eh bien, elle a tort. Dis-lui que bientôt, à part les

pauvres et les gens sans éducation, plus personne ne se servira de vaisselle de porcelaine ou de verres en cristal. Le plastique, c'est l'avenir.

— Ma mère ne s'intéresse pas tellement à l'avenir, vous savez.

Après le départ de Rickie, Nora prit James dans ses bras pour aller chercher Billy, toujours barricadé dans sa chambre.

— Je vais me fâcher, dit Nora en poussant sur la porte.

Billy était assis sur son lit et il mangeait des croustilles, enroulé dans sa couverture de laine. Nora tolérait difficilement cet engouement soudain de son fils pour une couverture. La nuit, pendant qu'il dormait, elle en coupait des bouts et la couverture ressemblait maintenant à une cape, accrochée ainsi aux épaules de Billy.

— Je vais perdre patience, dit Nora et elle frappa sur la porte avec son poing.

Billy s'était arrangé pour apporter sa couverture à l'école mais Mme Ellery, le professeur de troisième année, avait insisté pour qu'il la laisse sur la tablette du haut dans le placard où les enfants suspendaient leurs manteaux. Mais elle ne pouvait pas empêcher Billy de s'y enrouler lorsqu'il allait jouer dans la cour et, pendant la récréation, il s'assoyait sur l'asphalte, s'enveloppait dans sa couverture et s'exerçait à devenir invisible. Et ça marchait. Au lieu de passer leur temps à le harceler, les autres enfants le laissaient tranquille et cela faisait bien son affaire. Sa mère refusait de comprendre. Elle avait déjà réussi à l'humilier en invitant trois de ses camarades à venir jouer à la maison, à tour de rôle. Elle leur avait servi des biscuits et elle avait joué avec eux pendant que Billy restait assis sur une chaise dans la cuisine et qu'il refusait de leur adresser la parole. Il n'arriverait jamais à faire comprendre à Nora que même si ces enfants devenaient ses amis, jamais leur mère n'accepterait qu'ils reviennent jouer avec lui.

N'avait-elle pas vu la réaction de la mère de Mark Laskowsky quand elle avait vu son fils en train de s'empiffrer de petits gâteaux et de Coca-Cola pendant que « Teddy Bear » jouait à tue-tête sur le tourne-disque et que James, assis dans sa chaise haute, agitait sa cuillère, le visage barbouillé de mousse au chocolat ? Lorsque Nora croyait bavarder avec une des mères venues chercher leur fils, elle subissait un véritable interrogatoire et ne s'en apercevait même pas. Billy captait des bribes de ce que pensaient réellement ces femmes, et il en rougissait de honte. « Quand on n'a pas le cœur de laver le visage de son bébé, il vaut mieux ne pas avoir d'enfants. » « Quand on ne peut même pas nourrir ses enfants convenablement, on ne mérite pas d'être mère. »

À la fin d'octobre, chaque mère de chaque enfant de sa classe savait que Nora était divorcée, grâce à cette grande gueule de Stevie Hennessy, et il se retrouva plus isolé que jamais. Sa mère ne trouvait-elle pas curieux qu'il ne soit jamais invité chez un ami après l'école ? Ne se demandait-elle pas pourquoi on ne l'avait pas informée de la réunion du comité de parents ni de la vente de gâteaux organisée à l'occasion de la fête de Columbus Day ? Mise au courant à la dernière minute, Nora était restée debout presque toute la nuit à confectionner des Junket Pies décorées de guimauves et de cerises confites dont personne n'avait voulu. Le lendemain, le concierge de l'école avait dû les jeter à la poubelle et, naturellement, tous les élèves de troisième l'avaient su.

Et, en dépit de tout cela, elle continuait d'insister pour que lui et Stevie deviennent des amis, juste parce que Stevie demeurait de l'autre côté de la rue.

— Il faudrait bien que je téléphone à Mme Hennessy, déclarait Nora de temps en temps, et cette menace planait comme un nuage noir au-dessus de Billy.

En fait, Stevie ressemblait plutôt à une énorme tornade qu'à un petit nuage noir. Billy avait beau se rendre invisible, Stevie finissait toujours par le retrouver. Il le débusquait dans les toilettes des garçons ; il lui lançait des serviettes mouillées et le bombardait de boulettes de papier pleines de salive. Il déclarait que son père tuait au moins une personne par jour et que Billy était un des premiers sur la liste. Il parvint même à transformer Billy en véritable monstre à ses propres yeux. Un jour, après que Stevie eut confié à Marcie Whitman que les parents de Billy étaient divorcés, la fillette s'était approchée de Billy pour lui dire combien elle avait de la peine pour lui, et Billy, qui n'avait jamais frappé qui que ce soit de sa vie, lui envoya un coup de poing en plein dans le ventre. Jamais il ne s'était senti aussi mal. Marcie était plus petite que lui, c'était une fille en plus, et sa bouche avait formé un « O » silencieux lorsqu'il l'avait frappée.

C'était l'enfer. « Petit morveux », « sale orphelin », lançait Stevie pendant qu'ils attendaient en ligne pour recevoir leur berlingot de lait à la cafétéria. « Petit merdeux », avait chuchoté Stevie pendant un exercice d'évacuation en cas d'attaque aérienne, quand tous les enfants s'étaient précipités hors de la classe pour se réfugier dans le couloir.

— Il faudrait bien que je téléphone à Ellen Hennessy, disait Nora.

— À ta place, je ne ferais pas ça, répondait Billy. Et il serrait sa couverture de laine encore plus étroitement autour de lui et il enroulait des mèches de cheveux autour de ses doigts.

Au retour de l'école, il se postait à la fenêtre de sa chambre et regardait Stevie et les autres enfants jouer à la balle. Un soir, il les avait vus sortir leur Hula Hoops. Que répondrait-il à Nora quand elle lui dirait d'aller prendre l'air ? Qu'il avait peur d'aller dehors ? Il préférait ne rien dire et continuer à s'arracher des touffes de cheveux. Il se plongea dans la lecture d'un livre sur Harry Houdini, emprunté à la bibliothèque de l'école. Houdini représentait tout ce qu'il rêvait de devenir ; en fait, il représentait tout ce que son père n'était pas. Billy n'avait que du mépris pour les vulgaires tours de magie, et son don de voyance lui pesait. Mais le talent de Houdini, lui, était pur et vrai ; il se battait contre de véritables entraves, des cordes, des chaînes, et il parvenait à s'en libérer. Il maîtrisait les éléments et on pouvait voir la lumière qui brillait à l'intérieur de son corps même à travers le métal et l'étoffe de ses vêtements.

Un jour, Billy trouva une corde dans le garage et décida d'apprendre à faire des nœuds coulissants. Il attachait ses pieds ensemble et forçait ensuite ses chevilles à se contracter jusqu'à ce qu'il puisse se dégager. Il se glissait sous sa couverture, attachait ses poignets et parvenait, non sans peine, à se libérer. Épuisé, il restait allongé et il se sentait purifié, comme s'il venait de livrer une dure bataille. Ses yeux piquaient, il avait la bouche sèche mais, quelques minutes plus tard, il recommençait.

Parfois, James poussait la porte de la chambre, rampait jusqu'au lit et se glissait sous la couverture pour regarder Billy s'exercer à faire des tours de magie. Lorsque son grand frère se concentrait et fermait les yeux, son visage et son cou devenaient tout luisants de transpiration. Il se serrait contre lui et tous les deux s'amusaient à regarder à travers l'étoffe de laine pendant que Nora préparait le dîner ou écoutait de la musique. Ils étaient bien ainsi, dans la quasi-obscurité, et Billy aimait sentir la présence de James près de lui. Il pouvait facilement lire dans les pensées de son petit frère, mais avec lui c'était différent. Ce n'étaient pas des mots qu'il captait mais des sensations : l'odeur du lait chaud, le mœlleux du plumage brun de la chouette dans son livre de contes préféré, le bruit mat d'une balle sur le parquet, la douceur d'un pyjama de finette, la chaleur rassurante d'un ourson de peluche. James était le spectateur idéal et jamais il ne le mettrait à la porte de sa chambre. Lorsqu'il réussissait à se libérer de ses liens, James applaudissait solennellement et hochait la tête.

— Tu vas gâcher l'anniversaire de ton frère, dit Nora d'un ton sévère en espérant que Billy aurait des remords.

Le bébé suivait son grand frère partout, en rampant le plus vite possible pour ne pas se laisser distancer, et Billy s'était toujours senti responsable de James, même avant le départ de Roger.

— Il était temps, dit Nora quand Billy sortit enfin de sa chambre.

Elle ne fit aucune remarque sur la couverture même si elle en mourait d'envie.

— Où est le gâteau ? demanda Billy quand il vit l'assiette de Twinkies.

— Tu l'as devant toi, dans cette assiette.

Nora souleva James au-dessus de la table. Le bébé gonfla les joues et éteignit les bougies avec l'aide de son frère et de sa mère.

— Twinkies !

James venait de prononcer son premier mot et il fallut un certain temps à Billy et à Nora avant de s'en rendre compte.

La veille de l'Halloween, Stevie Hennessy vit Nora en face de l'école, toute vêtue de noir, un panier de pommes à la main, et il s'empressa de répandre la rumeur que Nora était une sorcière. C'étaient des pommes vertes à la pelure brillante, les derniers fruits d'un vieux pommier tout rabougri qui poussait près de Dead Man's Hill. Nora avait découpé une recette de tarte, faite à partir de pommes fraîchement cueillies, dans le numéro d'octobre de Good Housekeeping. Elle avait donc fait un détour jusqu'à Dead Man's Hill, juste avant d'aller chercher Billy à l'école, pour y cueillir des pommes, même si elles étaient toutes abîmées et beaucoup moins appétissantes que celles que l'on trouvait au supermarché.

Billy se dirigeait vers la sortie en traînant les pieds lorsqu'il entendit Stevie Hennessy crier dans le couloir : « Attention, une sorcière. » Les autres enfants s'enfuirent en hurlant et, quand Billy leva les yeux, il vit sa mère et son frère qui l'attendaient dans l'allée, en face de l'école.

Billy sortit et lança un regard furieux à sa mère.

— Qu'est-ce que tu fais ici ?

— Quel accueil ! J'ai pensé que cela te ferait plaisir que je vienne te chercher. Les mères font ce genre de chose, tu sais.

Billy leva les yeux au ciel et traversa la rue en direction de la Volkswagen.

— Laisse-moi te dire une chose, mon garçon, dit Nora lorsqu'elle et James l'eurent rejoint dans l'auto. Tu ferais mieux de changer d'attitude.

Billy appuya sa tête contre la vitre et commença à enrouler des mèches de cheveux autour de ses doigts.

— Est-ce que tu m'écoutes ou est-ce que je parle dans le vide ?

Tout à coup, venue on ne savait d'où, une grosse pierre tomba sur le toit de l'auto avec un bruit sourd.

— Qu'est-ce que c'est ? dit Nora.

— On ferait mieux de démarrer, répondit Billy.

Une autre pierre heurta le pare-choc.

— Merde ! fit Nora.

Une bande de gamins se tenaient de l'autre côté de la rue. Ils avaient tous une pierre à la main.

— Merde de merde, dit Nora en ouvrant la portière.

Billy la retint par la manche.

— Non, non, n'y va pas.

Nora s'écarta et sortit de la voiture.

— Maman ! s'écria Billy mais Nora ne lui prêta pas attention et s'avança au milieu de la rue.

— Qu'est-ce qui vous prend ? hurla-t-elle.

Les gamins se serrèrent les uns contre les autres.

— C'est la sorcière, lança un des garçons à l'arrière du groupe.

C'était Stevie Hennessy mais Nora n'eut pas le temps de le reconnaître. Elle eut juste le temps de voir une pierre qui arrivait droit sur elle, lancée par un grand de cinquième année, Warren Cook. La pierre la manqua de justesse et s'écrasa à ses pieds en éclatant en morceaux. Nora s'élança en courant aussi vite qu'une mère pouvait courir et elle attrapa Warren Cook par le col de son manteau. Les autres s'enfuirent en criant. Warren devint pâle comme un mort.

— Si jamais tu recommences, je te jette un sort, tu entends ? Tu ne seras jamais plus capable de faire pipi. Est-ce que je me fais bien comprendre ?

Warren ouvrit la bouche mais aucun son n'en sortit.

— Tu auras le ventre si plein de pipi que chaque fois que tu ouvriras la bouche pour parler, devine ce qui en sortira ? Je suis sûre que ce n'est pas ça que tu veux.

Warren ferma la bouche et fit prudemment non de la tête.

— Bien. Je vois qu'on se comprend toi et moi, dit Nora en le relâchant.

Le gamin partit en courant et Nora revint vers la voiture, mit le moteur en marche et démarra brusquement. Sur le siège voisin, Billy se tenait courbé vers l'avant, la tête entre les jambes.

— Assieds-toi comme il faut.

Pris de nausées, Billy frissonna et un léger gargouillis sortit de sa gorge.

— Si tu as envie de vomir, ouvre la portière. J'arrêterai l'auto.

Arrivés devant la maison, ni l'un ni l'autre ne fit le moindre mouvement pour sortir de la voiture. Nora alluma une cigarette et contempla le bungalow à travers le pare-brise. Elle avait épinglé un squelette sur la porte d'entrée ; il avait de longs bras fabriqués avec des mouchoirs en papier. Billy pleurait.

— Ce n'est pas tout le monde qui est comme ça, affirma-t-elle.

— Ouais, ouais, répondit Billy.

— Ils ne peuvent pas tous être comme ça, insista Nora. Tu verras.

Le soir de l'Halloween, Billy refusa de sortir. Ils entendirent les rires et les cris des enfants déguisés qui passaient de porte en porte, mais personne ne s'arrêta chez eux. Plus tard, alors que ses fils dormaient et qu'elle se préparait à se coucher, Nora entendit un bruit à l'extérieur. Elle alla dans le salon et écouta attentivement. Elle regarda par la fenêtre et ne vit que le contour sombre des rhododendrons. Elle décida d'aller jeter un coup d'œil dehors. Elle enfila son manteau par-dessus sa robe de nuit, prit une lampe de poche et sortit sur le perron. Tout était silencieux. Pas la moindre auto qui passait dans la rue, pas la moindre brise, pas le moindre miaulement de chat. Elle descendit les marches. Le faisceau de sa lampe de poche éclaira la pelouse puis l'allée, et des cercles lumineux se formèrent sur le gazon et ricochèrent sur les réverbères. Elle éclaira sa Volkswagen, I'extérieur d'abord, puis l'intérieur. Rien d'anormal. Seulement de vieux paquets de cigarettes et des miettes de biscuits qui jonchaient le plancher. Il s'était bien passé quelque chose pourtant. Quelqu'un avait laissé des traces de pas noirâtres et crayeuses en bordure de l'allée. Nora se retourna vers la maison et vit le mot « Sorcière » écrit en lettres noires sur la porte du garage.

Elle éteignit sa lampe de poche. Elle respira profondément et écouta le grondement sourd de l'autoroute. Elle leva la tête et vit la constellation de la Grande Ourse et celle du Grand Chien. Elle arrivait à peine à rembourser son hypothèque et hier, après avoir pelé les pommes qu'elle avait cueillies sur Dead Man's Hill, elle avait compris que jamais elle ne réussirait une pâte à tarte qui se tienne. Les gâteaux, ça pouvait aller, mais pour ce qui était de la pâte brisée, elle était vraiment nulle. La pâte faisait des grumeaux, elle collait à ses doigts et au plateau de la table de cuisine. Il y avait des mois qu'un homme ne l'avait embrassée, des mois que personne ne l'attendait dans son lit mais elle refusait d'y penser et regarda les étoiles dans le ciel. Elle imagina sa position exacte dans la Voie lactée, un point noir, une pointe d'épingle aux confins de la lumière blanche et aveuglante. À l'intérieur, ses enfants dormaient, chacun dans sa propre chambre, et le chat ronronnait, roulé en boule sur le tapis du salon.

Nora retourna dans la maison, remplit un seau d'eau tiède et ajouta du Lysol. Elle défit un paquet d'éponges neuves et prit ses gants de caoutchouc sur le bord de l'évier. Ce n'était que du charbon après tout et en une demi-heure tout fut nettoyé. Après cette nuit-là, Nora continua d'aimer sa maison et d'encourager Billy à inviter des amis pour jouer mais elle prit l'habitude d'aller le chercher après l'école. Elle garait sa voiture juste derrière les autobus scolaires pour que Billy n'ait pas à traverser la rue seul.

Non seulement sa mère venait-elle le chercher après la classe mais elle les emmenait ensuite, lui et James, à des démonstrations de Tupperware loin de la rue Hemlock et de leur quartier. Les quelques voisines à qui elle avait parlé étaient trop occupées pour la recevoir ou bien, comme la mère de Rickie Shapiro, elles se méfiaient de tout ce qui était en plastique. Mais peut-être ne voulaient-elles tout simplement pas avoir affaire à Nora. Elle avait tout de même réussi à vendre quelques ensembles de contenants Tupperware à des voisins, dont certains s'étaient empressés de lui venir en aide quand ils avaient vu cette femme seule aux prises avec ses énormes boîtes de carton. Joe Hennessy s'était même précipité à deux reprises pour aider Nora et il était maintenant un inconditionnel des Tupperware.

Nora était certaine qu'elle finirait par vendre ces fichus contenants de plastique dans toutes les maisons de la rue Hemlock mais, en attendant, elle organisait des démonstrations dans les villes voisines, Valley Stream et Floral Park, East Meadow et Levittown. James avait toujours beaucoup de succès au cours de ces après-midi — il était un peu sa carte de visite — et quand les clientes avaient fini de le cajoler, Billy s'occupait de son jeune frère. James était capable de faire quelques pas si on le tenait par la main et Billy l'emmenait habituellement dehors pour le faire marcher sur le trottoir. Ils partaient à la recherche de fourmis dont, parfois, James se régalait. Ils faisaient semblant d'être des chasseurs. Ils arrachaient des morceaux d'écorce des jeunes arbres et, quand Billy avait été assez malin pour prendre un carton d'allumettes dans la poche du manteau de Nora, il allumait un petit feu de camp. Lui et James s'assoyaient par terre et contemplaient le feu jusqu'à ce qu'il s'éteigne en ne laissant qu'un petit tas de cendres sur le trottoir.

Billy oubliait parfois qu'il devait surveiller son petit frère et il revenait seul jusqu'à la maison où avait lieu la démonstration. Il retournait alors en courant vers l'endroit où il l'avait laissé. Il le retrouvait en proie à une violente crise de larmes, le visage barbouillé de morve, les genoux écorchés par le ciment d'avoir rampé si vite pour essayer de le rattraper. Billy le prenait alors dans ses bras pour le ramener et l'enfant se calmait peu à peu mais il continuait de s'agripper à son cou comme si sa vie en dépendait. Quand Billy réussissait enfin à le remettre par terre, James s'accrochait à la jambe de son pantalon et, serrés l'un contre l'autre, ils attendaient Nora sur le perron. Billy pensait à Harry Houdini, celui qui s'était juré d'être le meilleur, celui qui s'entraînait nuit et jour et qui ne divulguait jamais ses secrets. Il essuyait le visage de James avec un pan de la chemise de son frère pour que Nora ne voie pas qu'il avait pleuré, et il nettoyait le sang de ses genoux. Lorsque Nora sortait de la maison, de bonne ou de mauvaise humeur selon le nombre d'ensembles Tupperware qu'elle avait vendus, elle leur jetait un regard soupçonneux.

— Alors, que se passe-t-il ? demandait-elle lorsqu'elle voyait sur les joues de James les traînées de larmes que Billy n'avait pas réussi à enlever.

— Rien, répondait Billy.

— Bon, eh bien, fichons le camp d'ici.

Comme Nora devait transporter sa grosse boîte d'échantillons, Billy prenait le bébé dans ses bras jusqu'à la voiture. James passait ses petits bras autour du cou de son frère et collait son oreille sur sa poitrine pour mieux entendre les battements de son cœur.

Hennessy avait acheté tant de Tupperware que sa femme se mit à protester. Tant qu'à les avoir, autant s'en servir, se dit-elle, et elle prit l'habitude de mettre le déjeuner que son mari emportait au travail dans un contenant de plastique. Mais la vue de ces salades de macaroni et de ces œufs farcis décorés de paprika coupait carrément l'appétit de Hennessy. Il se garait le long d'une rue transversale, près de Harvey's Turnpike, et se forçait à grignoter un peu. Ce n'était pas un hasard s'il s'était retrouvé dans l'allée de Nora au moment où elle sortait des boîtes de Tupperware de sa voiture. La première fois, il l'avait vue entrer dans sa Volkswagen, garée devant le salon de beauté, et il l'avait suivie jusque chez elle. La fois suivante, il l'avait vue de sa fenêtre en train de transporter des boîtes d'échantillons et il était sorti de chez lui dans une telle hâte qu'il avait oublié de fermer la porte. Il était si troublé par cette femme qu'il finissait toujours par lui acheter des quantités astronomiques de Tupperware.

En fait, Hennessy surveillait la maison de Nora. Il savait que Billy passait le plus clair de son temps dans sa chambre parce que sa lumière était toujours allumée et, parfois, lorsque le soir tombait, Hennessy pouvait voir sa petite figure pâle à la fenêtre. Il connaissait l'heure à laquelle Nora se couchait, il savait qu'elle n'avait pas de journée réservée à la lessive parce que des vêtements étaient suspendues à la corde à linge du jardin peu importait le jour de la semaine. Il savait qu'elle partait pour le salon de coiffure tous les samedis matins à neuf heures et qu'elle revenait habituellement vers quatorze heures trente. Il savait surtout qu'aucun homme, mari ou ex-mari, amant, père ou oncle ne lui avait rendu visite depuis son emménagement. Il essaya de se convaincre qu'il avait simplement le sens de l'observation ; c'était une femme seule et il était de son devoir, en tant que policier et voisin, de jeter un coup d'œil de temps en temps sur la maison. Mais alors, pourquoi n'était-il pas intervenu quand il avait vu les quatre gamins en face de chez elle, le soir de l'Halloween. Il n'avait rien fait lorsqu'il avait reconnu son propre fils parmi eux. Alerté par une sensation désagréable le long de sa nuque, il avait regardé par la fenêtre du salon et il était resté là sans bouger pendant que les garçons couraient se cacher dans l'ombre. Cette nuit-là, il continua d'observer la maison longtemps après que Stevie eut réintégré sa chambre en passant par la fenêtre et que Nora eut fini de nettoyer sa porte de garage.

Il était obsédé par cette femme et il était en train de se rendre malade. Il ne mangeait plus que de la nourriture pour vieillards, du fromage blanc et du pain de mie, du flan au caramel et du riz. S'il avalait autre chose, il avait mal à l'estomac. Ce premier samedi de novembre, il essayait désespérément de ne pas penser à elle lorsqu'il rencontra Jim Wineman et Sam Romero à la quincaillerie. Les trois hommes se retrouvaient souvent dans les allées du magasin à la recherche d'essence à briquet ou de chaînes pour les pneus de leur voiture l'hiver. Ce jour-là Hennessy était venu acheter une scie car Ellen voulait qu'il installe des étagères au-dessus de la machine à laver.

— Alors, c'est aujourd'hui que tu poses les étagères, dit Jim Wineman.

Hennessy comprit alors que Jim Wineman savait déjà ce que lui, Joe Hennessy, ferait pendant le week-end, avant même qu'il ne le sache lui-même. Ellen en aura parlé à Lynne qui, à son tour, l'aura dit à son mari, et voilà qu'il achetait une scie pour faire exactement ce que tout le monde savait déjà qu'il ferait. Les trois hommes s'attardèrent devant le comptoir des pièces d'automobile à se demander quel serait le meilleur rétroviseur latéral pour la Studebaker de Sam. Ils arrêtèrent de parler lorsque Nora Silk passa près d'eux, des tournevis à la main et, sous le bras, une scie comme celle que Hennessy venait d'acheter.

— Regardez-moi ça, dit Sam Romero.

Nora était vêtue d'un pantalon noir et de bottes, noires également, au lieu de la jupe que portaient habituellement leurs femmes pour faire des courses, ses cheveux, coiffés en queue de cheval, laissaient voir des boucles d'oreille en forme d'étoiles.

— Je te parie qu'elle en meurt d'envie, dit Jim Wineman.

— Qu'est-ce que tu dis ? demanda Hennessy.

Billy suivait Nora en tenant le bébé par la main. Il regarda Hennessy ; leurs regards se croisèrent un instant mais Billy détourna les yeux. Une sorte de cape en laine battait son dos et on aurait dit l'aile blessée d'un gros oiseau.

— Elle est divorcée..., dit Jim Wineman.

Jim Wineman et Sam Romero suivirent Nora du regard, l'air désolé. Nom de Dieu ! pensèrent les deux hommes.

— Je dois partir, dit Hennessy et, la gorge serrée, il les planta là pour suivre Nora à la caisse.

— Bonjour, dit Nora.

Elle avait assis le bébé sur le comptoir-caisse à côté des tournevis, de fusibles, d'un balai et de la scie.

— Ne touche pas, dit-elle au bébé qui tirait sur la scie.

— Ce n'est pas nécessaire que vous en achetiez une. Vous pourrez toujours emprunter la mienne lorsque vous en aurez besoin.

— Comme c'est gentil, dit Nora, et elle regarda Billy.

Billy haussa les épaules et se mit à examiner un plateau de piles.

— Je passe mon temps à lui dire combien c'est important d'avoir de bons voisins. Justement, je voulais téléphoner à votre femme.

Billy et Joe Hennessy se figèrent.

— Ma femme ?

— Je voudrais inviter Stevie à la maison. Comme j'habite en face de chez vous, j'ai pensé que Billy et Stevie pourraient devenir des amis, peut-être même de très bons amis.

Hennessy remarqua que le gamin semblait pâlir à vue d'œil. C'était comme si l'enfant se réfugiait à l'intérieur de ses vêtements ou comme si — mais cela était probablement un effet de l'éclairage fluorescent au-dessus d'eux — il devenait invisible.

— Ne poinçonnez pas cette scie, demanda Hennessy à la caissière qui faisait le total des achats de Nora.

Nora prit son portefeuille et en sortit un billet de dix dollars. Ses ongles étaient très rouges. Elle se tourna vers Hennessy et le regarda dans les yeux.

— Alors, qu'en pensez-vous ? demanda-t-elle.

Surpris, Hennessy recula.

— Pour les garçons.

Nora prit ses paquets et donna le balai à Billy. Elle fit glisser James de côté pour que Hennessy puisse déposer ses achats.

— Eh bien, fit Hennessy prudemment, Vous savez, les garçons... à cet âge...

Nora réfléchit quelques instants.

— Oui, je comprends.

— Je pense qu'ils doivent se faire eux-mêmes des amis. On ne peut pas les forcer.

Billy redevenait de plus en plus visible. Il s'approcha de sa mère. De toute évidence, il écoutait tout ce que Hennessy et Nora se disaient.

— Vous avez raison, dit Nora.

Elle attendit Hennessy et ils marchèrent ensemble vers la sortie. Hennessy décida d'ignorer la présence de Wineman et de Romero. Il ouvrit la porte pour la laisser passer et ils se dirigèrent vers le parking. Leur voiture était garée l'une à côté de l'autre.

— Quelle coïncidence ! s'exclama Nora.

Elle installa James sur la banquette arrière et ouvrit le coffre situé à l'avant de la Volkswagen.

— Je hais cette voiture.

Billy tenait toujours le balai à la main. Il était plus pâle que jamais.

— Est-ce que tu as déjà tué quelqu'un ? demandat-il à Hennessy.

Hennessy baissa les yeux vers Billy et remarqua les touffes de cheveux emmêlés sur le dessus de son crâne.

— Tu sais, je ne pourchasse pas les criminels.

— Ouais, fit Billy en balançant le balai d'avant en arrière. Mais as-tu déjà tué quelqu'un ?

— Oui, pendant la guerre, en France.

— Stevie dit que tu descends une personne par jour.

— Ce n'est pas tout à fait exact, répondit Hennessy. Du coin de l'œil, il aperçut le bras droit de Nora quand elle ferma le coffre.

— Ah non ? dit Billy.

— Stevie t'a conté une blague.

Nora revint vers eux. Elle souriait et tendait les bras. Hennessy resta figé quelques instants, les jambes flageolantes. Il fit un pas en avant et Nora le regarda en inclinant la tête sur le côté.

— La scie, dit-elle.

Hennessy s'arrêta net.

— Vous avez dit que je pourrais l'emprunter. J'en aurais besoin aujourd'hui, si ça ne vous dérange pas trop.

— Oh, fit Hennessy. Oui... Certainement.

Billy s'installa sur la banquette arrière à côté de James et Hennessy aida Nora à coincer la scie sur le siège avant.

— C'est défendu de toucher à cette scie, compris les enfants. Et merci encore, ajouta-t-elle à l'intention de Hennessy. Il me faut vraiment d'autres étagères dans le sous-sol.

Hennessy regarda la Volkswagen s'éloigner. Et dire que Jim Wineman et que Sam Romero pensaient qu'il était en route pour construire des étagères qui devraient tout simplement attendre que Nora Silk lui remette sa scie.

Le lendemain, il était toujours aussi obsédé par Nora. Il

alla avec sa femme et ses enfants chez la sœur d'Ellen et, comme c'était dimanche, il donna un bain à Stevie et à Suzanne. Cette nuit-là, il fit un rêve. Ellen et les enfants dormaient, les rideaux étaient tirés. Il était couché sous un drap blanc et une mince couverture de laine, vêtu d'un pyjama rayé, les pieds froids et blancs. Lorsque Nora apparut, il l'attira vers lui. Ellen ne se réveilla pas, elle ne bougea même pas dans son sommeil. Comment ne pouvait-elle pas sentir le parfum de Nora ? Comment ne pouvait-elle pas entendre grincer les ressorts du sommier ?

Il dégrafa un vêtement sans trop savoir de quel vêtement il s'agissait. Sa femme dormait dans la même pièce et cela ne le dérangeait pas le moins du monde. Il mit ses mains sur les seins de Nora pendant qu'Ellen remontait sa couverture et que ses enfants dormaient, pendant que les planches de bois avec lesquelles il devait faire des étagères restaient là, sur le plancher du sous-sol. La peau de Nora était si chaude qu'elle lui brûlait les doigts. Il pouvait entendre le tic-tac de son réveille-matin sur sa table de chevet et le bruit de la chaudière dans le sous-sol, juste en dessous de la chambre. Il caressa le ventre de Nora et glissa sa main entre ses jambes. Lorsqu'elle se mit à gémir, il lui couvrit la bouche de son autre main pour qu'Ellen ne l'entende pas. Comment pouvait-elle continuer à dormir, comment pouvait-elle ne pas voir l'empreinte de la bouche de Hennessy sur la peau de Nora. Pour le moment, il ne voulait même pas y penser. Il pénétra Nora et cessa de penser à quoi que ce soit. Lorsqu'il se réveilla, il pleurait.

Il se rendit dans la salle de bains, s'aspergea le visage avec de l'eau et, comme il avait peur de se rendormir, il s'habilla et se prépara une tasse de café instantané. Incapable d'avaler la moindre gorgée, il alla jeter un coup d'œil aux enfants, retourna dans la chambre, prit son revolver sur la table de chevet et sortit de la maison.

Il faisait encore sombre lorsqu'il gara sa voiture devant Louie's Candy Store. On livrait les journaux du matin.

— Eh bien, fit Louie quand Hennessy fit son entrée, les bras chargés de journaux. On est matinal aujourd'hui !

Hennessy s'assit au comptoir et but un vrai café. Il songea à sa famille qui dormait paisiblement. Il ne savait même plus s'il aimait Ellen et les enfants. Il ne parvenait pas à se rappeler de la chanson que fredonnait sa femme lorsqu'il était revenu de la quincaillerie, ni de l'excuse qu'avait trouvée Stevie quand il lui avait demandé pourquoi la fenêtre de sa chambre était grande ouverte le lendemain de l'Halloween, et pourquoi ses doigts étaient noirs comme du charbon si, comme il le prétendait, il était allé se coucher tout de suite après son bain.

Hennessy avait encore quelques heures devant lui avant de commencer sa journée de travail et il ne voulait pas retourner chez lui. Il décida de faire tranquillement le tour du quartier en voiture. Les arbres dénudés de leurs feuilles ressemblaient à des poteaux noirs sous le ciel bleu. Un chat noir traversa Harvey's Turnpike en courant et Hennessy se demanda si cela pouvait lui porter malheur. Il tourna à gauche avant d'atteindre l'endroit où le chat avait traversé la route. Il conduisait lentement et à six heures quarante-cinq, il se retrouva aux limites du quartier. Il rangea sa voiture en face de la maison où demeurait la petite fille qui aimait tant les chevaux. Il ne devait pas être tout à fait réveillé parce que, s'il l'avait vraiment été, jamais il ne serait venu ici. Il avait la bouche amère, des brûlures à l'estomac et la nuque lui faisait mal comme si on y avait planté des centaines de petites épingles. Il avait arrêté le moteur. Il faisait froid à l'intérieur de l'auto car il n'y avait plus de chauffage mais Hennessy resta là à observer les alentours. Les hommes partirent travailler, les enfants s'en allèrent à l'école. À huit heures trente, personne n'avait encore quitté la maison. Il sortit de sa voiture et traversa la rue.

Il était tout courbaturé d'être resté assis immobile si longtemps. Il monta les marches du perron, frappa à la porte et comme personne ne venait ouvrir, il redescendit, longea le mur jusqu'à la fenêtre du salon, jeta un coup d'œil à l'intérieur mais, avant même d'essuyer une partie de la vitre sale et de regarder à l'intérieur, il avait compris que la maison était vide.

— Êtes-vous un agent immobilier ? lui demanda une voisine qui l'observait depuis son parterre.

Hennessy se redressa et passa au travers des buissons.

— Non, un ami de la famille.

— Ah oui ? De toute façon, il n'y a personne. Ils ont déménagé au New Jersey.

— Je vois.

— Il y a trois semaines.

Hennessy la remercia et traversa la pelouse en direction de sa voiture. Il était en retard maintenant. Il démarra, manœuvra un virage en U et prit la direction de Harvey's Turnpike. Il s'arrêta en chemin à une pharmacie pour acheter un flacon de Pepto-Bismol, dévissa le bouchon et en prit une bonne gorgée avant d'ouvrir la boîte à gants pour y ranger le flacon. Il était arrivé un peu trop tard, voilà tout. Pourquoi alors se sentait-il si mal, pourquoi avait-il envie d'écraser l'accélérateur et de rouler le plus vite possible ? Il n'en n'avait pas la moindre idée.

4

Le voleur

Une couche de glace noire tapissait la chaussée et elle n'attendait que l'occasion de faire glisser les passants. Les serrures des portières d'auto gelaient, les branches des arbres se fendaient et tombaient par terre. La glace incrustait les feux de circulation et il devenait difficile de distinguer le feu vert du feu rouge, le signal « Allez » du signal « Arrêtez ». Elle lissait la surface enneigée de Dead Man's Hill et les enfants qui plaçaient leur traîneau dans les sillons tracés par des dizaines d'autres avant eux, dévalaient la pente à la vitesse de l'éclair jusqu'à la clôture longeant le Southern State. Le soir, ils étaient aveuglés par les phares des voitures et le jour, les rayons du soleil qui se reflétaient sur la glace les éblouissaient. Lorsque leur traîneau se renversait, ils restaient couchés dans la neige, les yeux fermés mais, tout à coup, pris de panique à l'idée que s'ils ne se levaient pas immédiatement on les retrouverait à la fonte des neiges, figés dans la glace pour l'éternité, ils se relevaient d'un bond.

Ni la glace ni le froid mordant n'aurait empêché Jackie McCarthy de laver sa Chevy le vendredi, et de la polir un samedi sur deux. Des gants de coton noir, dont il avait coupé les bouts, lui permettaient de nettoyer les enjoliveurs de roues en magnésium à l'aide de coton-tige. Pour faire briller la carrosserie, il ne faisait confiance qu'à la cire Turtle Wax, qu'il appliquait à l'aide d'un torchon à vaisselle emprunté à sa mère, et à son haleine chaude pour la touche finale. C'était le plus sûr moyen d'obtenir un lustre parfait et si brillant qu'il pouvait s'admirer sur la surface polie de l'aile arrière comme dans un véritable miroir. Il mettait le contact, baissait la vitre et allumait la radio. Il fredonnait « Oh, Baby » et « Sweet Little Sixteen » et lorsqu'il se voyait dans le rétroviseur latéral, il chantait plus fort en se déhanchant, comme le faisait Elvis Presley.

La vie était belle et il avait de l'argent plein les poches depuis que lui, Pete et Dominick avaient volé la Cadillac de Phil Shapiro, celle qu'il venait tout juste de s'acheter et qu'il avait laissée à l'atelier pour qu'on vérifie une portière. Avant de conduire la voiture jusqu'à Queens Boulevard pour la remettre au cousin de Pete en échange d'argent comptant, ils avaient roulé sur l'autoroute enneigée jusqu'à Jones Beach, juste avant que la route ne soit déblayée et, pour Jackie, cette randonnée fut un des plus beaux moments de sa vie. Ce serait moins drôle le lendemain matin. Il devrait accompagner son père à la station-service et attendre en se balançant d'un pied sur l'autre dans le froid pendant que Le Saint ouvrirait la porte de l'atelier et s'apercevrait que la Cadillac avait disparu. Cette fois, la colère du Saint serait terrible et, d'une certaine manière, il avait hâte de voir son père perdre le contrôle de lui-même. Quand John McCarthy mit la clé dans la serrure, Jackie inspira profondément. « Ça y est », se dit-il. « C'est maintenant que Le Saint perd les pédales, qu'il élève la voix, qu'il me frappe peut-être ». Mais Le Saint resta immobile quelques instants puis s'affaissa contre le mur de briques froides comme si on venait de lui donner un coup de poing.

— Papa, qu'est-ce qu'il y a ?

La voix de Jackie se brisa malgré lui. Il eut l'impression d'être en train de regarder son père subir un infarctus.

Le Saint se laissa glisser par terre dans la nappe d'huile, les flaques d'essence et les traces de saleté dont il ne parvenait jamais à se débarrasser même si, chaque soir, il balayait l'entrée de l'atelier.

— Allez, papa, relève-toi.

Jackie se pencha et prit son père sous les bras pour l'aider à se relever. C'était comme s'il avait soulevé un tas de brindilles. Il l'aida à marcher jusqu'à son bureau et à s'asseoir sur une chaise droite en métal. Il mourait d'envie d'allumer une cigarette, mais il n'avait jamais fumé devant son père et il ne commencerait certainement pas aujourd'hui. Le Saint téléphona à Phil Shapiro avant d'avertir la police et lorsque Jackie entendit son père présenter humblement ses excuses et qu'il le vit se laisser engueuler sans dire un mot, il se sentit sur le point d'éclater. Il se pencha et abaissa brusquement sa main sur le téléphone pour couper la communication. Le Saint lui jeta un regard surpris.

— Tu n'es pas obligé de te laisser engueuler comme ça. Qu'il aille voir ailleurs s'il n'est pas content.

— Ce qui est arrivé est de ma faute.

— Papa, la voiture a été volée.

— J'aurais dû faire installer un système d'alarme, répondit Le Saint, faisant écho à la dernière phrase que Shapiro lui avait dite.

— Écoute, le Juif a une assurance. Il a les moyens de s'acheter une autre Cadillac.

Jackie se retourna pour mettre son blouson de cuir sur un crochet et il ne vit pas Le Saint se lever et s'avancer vers lui ; il n'eut même pas le temps de réagir lorsque son père le poussa contre le mur. Ça y était. Le Saint allait enfin exploser de colère, il allait enfin agir comme n'importe quel être humain, pensa Jackie. Mais rien ne se produisit et il n'éprouva aucune satisfaction quand Le Saint le relâcha en reculant. Il paraissait si frêle qu'on aurait pu l'assommer d'une seule main.

Hennessy arriva une heure plus tard. Dans l'atelier, Jackie remettait un carburateur à neuf. Le Saint était resté dans le bureau, le regard tourné vers la fenêtre panoramique. Hennessy arriva dans une Ford noire banalisée. Le gyrophare, rattaché par un câble, avait été rangé sous le siège avant. Il arrêta la voiture près de la pompe à essence et sortit. Aucun client en vue. Dans l'atelier, la radio jouait « I Only Have Eyes for You ». Il entra dans le bureau et John McCarthy ne leva même pas les yeux lorsque la porte se referma automatiquement derrière lui.

— Les routes sont dans un état épouvantable, une vraie patinoire, dit Hennessy.

Il se dirigea vers la cafetière installée sur une petite table en pin et se versa un café. Il était froid. C'était probablement du café de la veille et Hennessy remit sa tasse sur la table. Il aurait préféré qu'un autre enquêteur reçoive l'appel.

— J'étais responsable de cette voiture, dit McCarthy.

— Malheureusement, vous savez, ce genre de chose arrive plus souvent qu'on ne le pense. Est-ce qu'on a forcé la porte de l'atelier ?

— Phil Shapiro m'avait laissé sa voiture pour qu'on vérifie une des portières qui grinçait. Il aurait pu demander au concessionnaire mais je lui ai offert de m'en occuper. La portière avait simplement besoin d'un peu d'huile.

— Est-ce qu'on a brisé une des fenêtres ?

John McCarthy fit signe que non.

— Il faudrait que je fasse installer un système d'alarme.

Hennessy alluma une cigarette et regarda autour de lui. Le

plancher était si propre qu'il n'osa pas jeter son allumette par terre et la mit dans la poche de son manteau.

— Essayez de vous rappeler si vous avez verrouillé la porte hier soir.

Un écran de fumée bleue séparait les deux hommes. Du givre s'était formé à l'intérieur de la fenêtre panoramique.

— Je ne sais pas, je ne me rappelle pas très bien.

Hennessy remit le rapport de police à McCarthy pour qu'il le remplisse et se dirigea vers l'atelier. Il y faisait un froid de canard et si on s'éloignait d'un petit radiateur électrique posé sur le sol en ciment, on gelait tout rond.

Agenouillé à côté du carburateur, Jackie travaillait en fredonnant, accompagné par la radio qu'il avait installée sur un banc de travail. Il sentit la présence du policier derrière lui mais il continua à chanter comme s'il ne l'avait pas entendu entrer.

— Penses-tu avoir assez de talent pour passer à la télévision ?

Jackie se retourna brusquement comme si Hennessy l'avait surpris. Il se mit debout.

— Peut-être, on ne sait jamais, répondit-il en souriant.

Jackie observa Hennessy pendant que celui-ci faisait le tour de l'atelier. Les fenêtres et la serrure de la porte n'avaient pas été touchées.

— C'est vraiment pas de chance, hein ? dit Jackie. Shapiro venait tout juste de nous laisser sa voiture pour qu'on lubrifie les portières. On s'est fait voler une Corvette dernièrement et mon père se sent responsable.

— Est-ce qu'il lui arrive d'oublier de verrouiller cette porte ? demanda Hennessy pendant qu'il examinait la porte à deux battants.

— Papa ? Jamais. Il n'oublie même pas de balayer le plancher le soir avant de fermer la station-service.

Hennessy examina le sol de ciment ; il n'y avait aucun

endroit où éteindre sa cigarette alors il la laissa se consumer doucement entre ses doigts.

— Et toi, est-ce que ça t'arrive d'oublier ?

— Moi ? dit Jackie avec un large sourire. Il pouvait sentir son pouls s'accélérer. Je suis plus malin que j'en ai l'air, vous savez.

— Ouais. Eh bien, rends-moi service, veux-tu. Jette un coup d'œil sur ton père de temps en temps.

— Que voulez-vous dire ?

Jackie regarda en direction du bureau. Le Saint était en train de remplir le rapport de police. Il avait donc le temps de fumer une cigarette. Il sortit son paquet et son briquet de sa poche et alluma soigneusement sa cigarette en éloignant la flamme de son visage.

— Ton père me semble un peu perturbé. Il ne sait pas s'il a verrouillé la porte ou non.

Jackie comprit qu'il était tiré d'affaire. Hennessy ne se doutait de rien. Il regarda par-dessus son épaule pour s'assurer que son père ne le voyait pas, aspira profondément la fumée de sa cigarette et fit tomber la cendre sur le sol de ciment.

— Vous inquiétez pas. Je m'en occupe.

Ce soir là, pendant le dîner, personne ne parla de l'incident. Le Saint se dépêcha de manger et sortit mettre du sel sur le trottoir, jusqu'en face de la maison des Olivera, pour que les enfants ne glissent pas sur la glace en se rendant à l'école le lendemain matin. Au bout d'une heure, il n'était toujours pas rentré. Il était encore sur le bord du trottoir, immobile, un sac de gros sel à la main.

Ce n'est que le lendemain, en route pour l'école, qu'Ace apprit la nouvelle et il sut immédiatement qui était le voleur.

— Tu ne le croiras jamais mais on a volé la Cadillac de

mon père à la station-service de ton père, lui dit Danny Shapiro.

— Ah oui ? fit Ace et il n'ajouta pas un mot. Il ne toussa pas, il ne haussa pas les épaules. Rien.

— Mon père est tellement enragé, tu n'as pas idée. Phil-le-bien-élevé est devenu fou furieux.

Jamais Ace ne trahirait son frère. Jamais il ne le dénoncerait à Danny.

— Bof, il n'a qu'à s'en acheter une autre. Il finira bien par se calmer.

— Peut-être, mais en attendant je n'ai plus le droit d'aller chez toi.

— Tu blagues ?

— Pas du tout. À vrai dire, mon père est plutôt bizarre ces temps-ci. Il part à six heures du matin pour aller travailler et il ne revient pas avant neuf heures le soir. On ne le voit presque plus à la maison. Et puis cette histoire de Cadillac lui a vraiment fait perdre les pédales.

Ace alluma une cigarette en songeant à la manière dont son frère s'était renversé sur le dossier de sa chaise la veille, au dîner, lorsqu'il avait redemandé des pommes de terre, le sourire fendu jusqu'aux oreilles. Ace aurait voulu laisser tomber l'école et retourner se coucher. Il vit Rickie Shapiro qui marchait devant eux avec son amie Joan. Elle portait des bottes de cuir noir à talons hauts et, de temps en temps, elle glissait sur la glace et devait s'accrocher au bras de son amie. Elle avait quelque chose de différent, sa coiffure peut-être. Ses cheveux paraissaient plus épais, plus fous, comme si elle avait abandonné tout espoir de les discipliner. Son haleine laissait un ruban de fumée blanche qui s'enroulait autour d'elle dans le froid.

— As-tu fait le travail sur le Continental Congress ? demanda Danny.

— Merde, j'ai oublié.

Danny fouilla dans son cartable.

— Tiens, prends le mien.

Ace s'arrêta et regarda Danny.

— Tu n'as qu'à arracher la première page.

— Et toi, qu'est-ce que tu vas faire ?

— J'ai déjà un A dans ce cours. Si je ne remets pas le travail, j'aurai probablement un B mais toi tu couleras le cours.

Ace savait qu'on ne devait jamais laisser un copain vous rendre ce genre de service, à moins que ce copain soit comme un frère. Il regarda Danny et ne ressentit aucune émotion. Il pensait à la chevelure rousse de Rickie.

— Merci, je te revaudrai ça, dit-il en mettant le devoir de Danny sur le dessus de la pile de livres qu'il apportait chez lui tous les soirs et qu'il n'ouvrait jamais.

— Lis-le au moins avant de le remettre, comme ça tu auras quelque chose à dire si Miller t'interroge.

Ils arrivèrent à l'école et Ace monta au deuxième étage où était son casier. Il marchait derrière Rickie et Joan Campo en pensant à son père en train de saupoudrer du sel sur le trottoir. Il ouvrit son cadenas, jeta sa veste à l'intérieur de son casier et claqua la porte. Il se dirigea ensuite vers le casier de Rickie. Elle avait accroché un miroir à l'intérieur et elle venait de sortir sa brosse à cheveux de son sac.

— C'est joli, cette nouvelle coiffure.

Rickie le regarda, fit la grimace, se tourna vers son miroir et commença à se brosser les cheveux.

— Ton père est vraiment fâché ?

— Oh non, il adore ça se faire voler sa nouvelle Cadillac deux semaines après l'avoir achetée.

Rickie remit sa brosse dans son sac et ferma la porte de son casier. Comme elle s'apprêtait à passer devant Ace, elle jeta un coup d'œil sur les livres qu'il portait.

— Qu'est-ce que c'est ça ?

Elle regarda de plus près et vit le rapport de Danny, celui sur lequel son frère avait travaillé la veille.

— Tu vas laisser Danny aller en classe sans son travail ?

— Et puis après ? Tout ce qu'il risque c'est d'avoir un B.

— Tu me rends malade.

Ce n'était pas la première fois que Rickie était désagréable avec lui mais cette fois, elle exagérait. Il ne bougea pas quand elle essaya de passer devant lui.

— Ah oui ? fit Ace.

— Laisse-moi passer.

Ace demeura immobile. Il était ébloui par la couleur de ses cheveux, une couleur à faire perdre la tête. Rickie lui jeta un regard dégoûté. Elle fit un pas vers la gauche, Ace l'imita. Elle fit un pas en avant et Ace lui bloqua le passage.

— Mais arrête ! dit Rickie au bord de la panique.

Ace avança et Rickie s'adossa au casier. Elle sentit le froid du métal à travers sa veste de laine, sa blouse et son soutien-gorge. Elle avait le visage en feu.

— Arrête ! dit Ace d'un ton si menaçant qu'il en fut lui-même surpris.

Les couloirs étaient presque déserts maintenant. Larry Reinhart passa près d'eux et salua Ace d'une tape dans le dos, mais Ace ne se retourna pas. Il se rapprocha encore de Rickie. Elle sentait le citron, c'était peut-être son savon ou son shampooing. Elle regarda dans le couloir par-dessus l'épaule d'Ace comme si son salut en dépendait. Il sentait la brûlure du sang empoisonné qui circulait dans ses veines ; il sentait surtout qu'il commençait à avoir une érection. Il aurait aimé la prendre là, sur le plancher de linoléum, ou debout contre les casiers. Elle leva son visage vers lui, le regarda droit dans les yeux et, dans ce regard, il vit ce qu'il avait souvent vu dans celui de beaucoup d'autres filles : elle était amoureuse de lui.

— Comme ça, je te rends malade ? murmura Ace d'une voix presque inaudible mais il savait qu'elle pouvait très bien entendre ce qu'il disait.

Rickie avait l'air si effrayé qu'il finit par s'écarter d'elle. Ce n'était pas la seule raison. Il venait de comprendre qu'il était amoureux. La cloche sonna mais Rickie ne fit pas un geste. Ace se détourna et se dirigea rapidement vers sa classe. Il était en retard et s'arrangea pour entrer pendant que le professeur avait le dos tourné.

Il posa ses pieds chaussés de bottes sur son pupitre. La poussière de craie et les odeurs de transpiration rendaient l'air de la classe irrespirable, et on risquait carrément de s'évanouir si on inspirait trop profondément. Devant lui, Cathy Corrigan bougea sur sa chaise lorsqu'il appuya ses bottes contre son dos. Ses cheveux crêpés étaient maintenus en place par de la laque et elle portait une jupe droite noire et une blouse blanche ornée d'un jabot et de volants aux poignets. Après la classe, elle travaillait au supermarché A&P. Elle avait la réputation d'être une fille facile et elle ne protestait jamais quand Ace mettait ses pieds sur son bureau. La peau de son cou était très blanche et lorsqu'elle bougeait la tête, ses boucles d'oreille rouges oscillaient doucement. Le printemps dernier, deux garçons qu'Ace connaissait, lui avaient juré avoir été là lorsque le frère aîné de Larry Reinhart avait persuadé Cathy de baiser avec son chien dans le sous-sol, chez lui, à côté de la table de ping-pong et du petit frigo où son père gardait des bouteilles de bière et des boissons gazeuses au frais. Ace continua de regarder le cou blanc de Cathy pendant que le professeur prenait les présences. Il aurait dû en profiter pour lire le travail de Danny mais il pensait au corps de Rickie.

Cathy Corrigan le regarda par-dessus son épaule ; elle avait un petit visage doux, un peu chiffonné, et les yeux bleus. Ace craignit un instant qu'elle ait pu voir dans ses pensées à quel point il désirait Rickie Shapiro mais Cathy essayait simplement de prendre son sac blanc, imitation cuir, accroché au dos de sa chaise et sur lequel Ace avait laissé une empreinte noire avec une de ses bottes.

— Excuse-moi, dit Ace.

— Ce n'est rien, répondit Cathy, et elle sortit un mouchoir de papier de son sac et essaya d'enlever la tache noire.

— Essaie avec du Pine-Sol. C'est ce que ma mère utilise.

— Ouais.

— Ou bien de l'ammoniaque si ça ne marche pas avec du Pine-Sol.

— McCarthy, lança le professeur.

Ace arrêta de parler. Danny Shapiro se tourna vers Ace et lui lança un sourire complice. Il pensait qu'Ace flirtait avec Cathy Corrigan.

Ace se pencha en avant.

— Il est vraiment beau ton sac, chuchota-t-il.

Cathy se tourna vers lui et lui adressa un grand sourire comme s'il venait de lui faire le plus beau compliment du monde, comme si c'était la première fois qu'on lui disait quelque chose de gentil. Cela le mit encore plus mal à l'aise ; il aurait préféré être entièrement à la merci de ses mauvais penchants et ne pas se sentir obligé de s'excuser. Il passa le reste de la matinée à attendre que la cloche sonne, essayant de ne pas trop regarder la tache noire. À la fin de la classe, il attendit Danny dans le couloir et lui mit son travail de force dans les mains avant qu'il ait le temps de protester. De toute façon, Miller n'oserait jamais le faire échouer uniquement parce qu'il n'avait pas fait son travail, sans compter le fait que si Ace échouait, Miller serait pris avec lui pendant une autre très longue année.

Plus la journée avançait, plus Ace se sentait obsédé par Rickie Shapiro et il dut finalement s'avouer qu'il était amoureux fou d'elle. Il ne pouvait tout simplement pas ressentir ce qu'il ressentait et continuer d'exister. Il n'osait même pas imaginer ce qu'aurait pensé Le Saint s'il avait su ce que son fils mourait d'envie de faire ce matin, dans le couloir. Ace aurait voulu soulever la jupe de Rickie et glisser sa main dans sa culotte ; il aurait voulu la faire gémir, sentir qu'elle le désirait elle aussi, qu'elle était prête pour lui et que ce désir était plus fort qu'elle. Il savait que Le Saint ne ferait aucune remarque mais que son regard trahirait sa déception. Jackie, par contre, ne se priverait pas pour lui donner des conseils. « Espèce d'idiot », lancerait-il, parce que non seulement Ace désirait Rickie mais qu'il était assez bête pour l'aimer. « Elle se croit plus intelligente que toi. Tout ce que tu as à faire c'est de coucher avec elle et de la planter là, tout de suite après. Oui, la planter là, mon vieux, et ce serait encore mieux si, avant, tu la rendais folle de toi. Elle te supplierait de rester, elle aurait les yeux pleins de larmes mais toi tu t'en irais sans te retourner. »

Quand Jackie sortait avec Jeanette, ils s'enfermaient à double tour dans la chambre de celle-ci même quand ses parents étaient à la maison, ce qui ennuyait un peu Jeanette, mais elle ne disait rien. De toute façon Jackie ne lui adressait pratiquement jamais la parole. Elle devait s'asseoir toute seule sur la banquette arrière lorsqu'ils partaient en balade et que des amis de Jackie les accompagnaient. Elle avait finalement abandonné ses études pour se marier avec un policier d'Oceanside. Chaque année, elle envoyait une carte de vœux adressée à toute la famille McCarthy à l'occasion de Noël et, si c'était Jackie qui prenait le courrier cette journée-là, il jetait la carte à la poubelle. Il ne se rappelait même plus à quoi elle ressemblait et quand il la voyait sur des photos, il ne la reconnaissait pas.

Jackie connaissait bien Cathy Corrigan, ses amis Pete et Dominick également, tout comme quantités d'autres gars du quartier. En fait, ce n'était pas quelque chose dont Jackie se vantait et il en parlait encore moins facilement. Les gars allaient voir Cathy Corrigan quand ils n'en pouvaient plus ou quand ils voulaient baiser avec une fille qui acceptait de faire ce que les filles bien refusaient de faire. Elle était plutôt jolie même si elle louchait un peu. Mais le plus triste, c'était qu'elle était folle de Jackie même après toutes les vacheries qu'il lui avait faites. Elle demeurait tout au bout de la rue Hemlock et Jackie se rendait bien compte qu'elle faisait tout pour attirer son attention ; elle passait « par hasard » devant chez lui quand il était en train de réparer sa voiture et, comme par hasard également, elle portait des vêtements sensés lui plaire, un nouveau chandail ou une jupe si courte qu'aucune autre fille n'aurait osé sortir affublée ainsi. Et il était encore plus cruel à son égard depuis qu'elle s'était acheté des boucles d'oreilles en forme d'anneaux parce qu'il lui avait dit qu'il trouvait cela très sexy.

Deux jours après le vol de la Cadillac. Jackie, Pete et Dominick se sentaient toujours comme s'ils étaient millionnaires. C'était vendredi soir et la chaussée était très glissante. Un halo givré enveloppait les lampadaires le long de Harvey's Turnpike et les branches des arbres, dénudées et couvertes de glace, s'élevaient vers un ciel noir. Les clôtures grillagées qui entouraient les jardins semblaient enchâssées dans des flaques argentées. On avait saupoudré de la sciure de bois sur le linoléum de Louie's Candy Store pour empêcher que les clients, venus acheter des cigarettes ou de la gomme à mâcher, ne perdent pied. Il faisait déjà nuit noire à dix-sept heures quand Jackie et ses amis se garèrent sur le parking en face de Louie's. Ils n'avaient aucun but précis si ce n'était d'acheter des cigarettes et d'aller peut-être faire un tour à la salle de bowling. Ils portaient tous les trois des bottes noires et leurs cheveux avaient été lissés en arrière avec tellement d'eau que des cristaux de glace s'étaient formés dans leur chevelure durant le court trajet entre la voiture et l'entrée de Louie's.

— Regardez-moi ça, dit Pete pendant qu'ils attendaient que Louie leur donne leur paquet de cigarettes.

Jackie prit un paquet de gomme Juicy Fruit et le mit dans sa poche sans payer. Il vit Cathy Corrigan assise sur le dernier tabouret du comptoir. Son manteau de laine la faisait ressembler à une mouffette. Elle portait un sac blanc taché de noir en bandoulière.

— Une vraie putain, cette fille, dit Jackie.

— Ouais, fit Dominick.

— Elle te fait envie ? demanda Jackie avec un large sourire.

Il laissa quelques pièces de monnaie sur le comptoir, prit son paquet de Malboro et se dirigea vers Cathy. Elle portait son uniforme de caissière sous son manteau. Elle s'apprêtait à manger son hamburger et elle avait posé son paquet de Salems et son briquet plaqué or à côté de la bouteille de Ketchup. Jackie s'appuya sur le tabouret à côté d'elle.

— Viens me rejoindre dehors, lui lança-t-il sans la regarder.

Il alluma une cigarette et quand il sentit le regard insistant de la fille posé sur lui, il se dirigea tranquillement vers la sortie. Pete et Dominick l'attendaient près de la voiture.

— Alors ? demande Pete.

— Elle arrive.

Ils patientèrent en fumant une cigarette. Une sirène hurla au loin et le vent fit trembler les lettres en néon rose de l'enseigne « Louie's Candy Store ». Cathy Corrigan sortit, s'arrêta un instant et remit la courroie de son sac en place sur son épaule.

— Tu ne m'avais pas dit qu'il y aurait quelqu'un d'autre.

— Qu'est-ce que ça peut te faire ? répondit Jackie.

Il lui tourna le dos et se dirigea vers la voiture, suivi de Dominick et de Pete. Cathy leur emboîta le pas en marchant précautionneusement pour ne pas glisser. Ils montèrent dans la voiture et Jackie conduisit jusqu'à la salle de bowling. Il gara l'auto à l'arrière du parking, un peu à l'écart.

Jackie, puis Pete, qui avait déjà couché avec elle, prirent Cathy sur la banquette arrière. Quand ce fut au tour de Dominick, Jackie dut convaincre Cathy de se laisser faire une dernière fois.

— Et moi, qu'est-ce que je suis, un prix de consolation ? dit Dominick.

Jackie et Pete jurèrent à Cathy que ce pauvre Dominick n'était jamais allé jusqu'au bout avec une fille, et qu'elle lui rendrait un énorme service en acceptant de coucher avec lui. Jackie la menaça de ne pas la reconduire chez elle si elle continuait à faire la difficile et Cathy finit par céder. Pete et Jackie restèrent à côté de la voiture et regardèrent par la vitre pendant que Dominick prenait Cathy à son tour. Il faisait très froid et ils entendaient la musique du juke-box à l'intérieur de la salle de bowling. Ils voyaient les fesses de Dominick, et les seins nus de Cathy ressemblaient à deux grosses lunes blanches. Ni l'un ni l'autre n'avait pensé à lui demander de se déshabiller.

— Je pense que je vais la présenter à ma mère, se moqua Pete.

— Ouais, répondit Jackie en riant. Je t'aiderai à choisir une bague de fiançailles.

Pete frappa ses mains l'une contre l'autre et souffla sur ses doigts.

— Il fait un temps de chien, dit-il.

Jackie jeta un regard circulaire sur le parking. Il cherchait des Cadillac. Jamais il n'avait conduit une voiture aussi confortable, plus confortable encore que sa Chevy et même qu'une Corvette. Pete le poussa du coude.

— De chien..., tu piges ?

Dominick sortit de l'auto et remit sa chemise dans son pantalon. À l'intérieur, Cathy se rhabilla et fouilla dans son sac pour trouver un peigne.

— Tu sais ce qu'on raconte à son sujet, dit Pete. Il paraît qu'elle a baisé avec un chien et puis avec un chiot.

— Arrête tes conneries, dit Jackie.

Il prit une cigarette et essaya de l'allumer, malgré le vent.

— Je te jure, poursuivit Pete, elle a ramené le chiot chez elle. Elle l'a même adopté et je te parie qu'elle le laisse lui sucer les seins.

— Connard, dit Jackie. Est-ce qu'on t'a déjà dit que tu étais un connard ?

— Connard ! Connard toi-même.

Les trois garçons prirent place sur la banquette avant et Jackie démarra la voiture. Au moment où ils longeaient le seul endroit encore boisé le long de Harvey's Turnpike, Dominick jeta un coup d'œil sur Cathy, assise seule à l'arrière.

— Merde, elle pleure maintenant.

— Eh bien, moi les gars j'en ai assez. Jackie, laisse-moi descendre au coin de la rue, dit Pete.

Quand Jackie arrêta la voiture, Pete et Dominick sortirent tous les deux de l'auto. Jackie regarda dans le rétroviseur. Cathy Corrigan ne disait pas un mot mais le clair de lune éclairait son visage où coulaient des larmes silencieuses.

— Arrête de pleurer, tu vois bien que je te raccompagne chez toi.

Il prit une cigarette et regarda de nouveau dans le rétroviseur. Cathy pleurait toujours.

— Et puis merde. Tu peux venir t'asseoir à l'avant.

Cathy sortit, fit le tour de la voiture et s'assit sur le siège avant. Ses yeux étaient cerclés de noir à cause de son mascara qui avait coulé et elle avait l'air de quelqu'un qui venait d'avoir un accident.

— Tu aurais pu m'avertir que tu ne serais pas seul.

— Qu'est-ce que ça peut te foutre ? répondit Jackie.

Il passa brusquement une vitesse. Non mais, pour qui se prenait-elle ? Cathy le regarda sans un mot lorsqu'il passa devant chez elle sans s'arrêter. Il continua jusqu'à l'arrière de l'école où il gara la voiture sur le parking réservé aux professeurs. Il avait toujours détesté cette école mais il y revenait continuellement sans même se demander pourquoi.

— Déshabille-toi.

— Me déshabiller ?

Il savait que lorsque Cathy prenait cette voix haut perchée, c'était qu'elle avait peur. Il laissa le moteur en marche pour qu'il ne fasse pas trop froid dans la voiture et monta le volume de la radio.

— Enlève tes vêtements. J'ai encore le goût de baiser.

Cathy lui jeta un regard soupçonneux comme s'il avait eu l'intention de la planter là, toute nue sur le parking. Cela lui était déjà arrivé avec un autre gars, dans une autre voiture.

— Allez, fais-moi confiance.

Cathy rit doucement mais on aurait dit qu'elle avait mal à la gorge. Elle enleva son manteau et commença à déboutonner sa blouse.

— Tu ne m'as jamais embrassée.

— Et alors ?

— Et alors rien.

S'il ne l'embrassait pas, elle ferait des manières et puis après tout, personne ne le saurait. Il l'attira vers lui et l'embrassa. Elle avait un goût de fraise. Ce n'était pas désagréable et il continua de l'embrasser tout en finissant de déboutonner sa blouse. S'il n'avait pas été si occupé, si la radio n'avait pas joué aussi fort, il aurait sûrement vu qu'une autre voiture venait d'entrer dans le parking. Quand Pete, qui conduisait l'Oldsmobile de son père, braqua ses phares sur la Chevy, Jackie se dégagea brusquement de Cathy. Il reconnut Pete, Dominick et Jerry Tyler à travers le pare-brise embué, et il vit d'autres gars dont il ne parvenait pas à distinguer les traits.

— Baisse-toi. Vite.

Surprise, Cathy le regarda un moment avant de comprendre qu'il ne voulait pas qu'on les voie ensemble. Il ne voulait surtout pas qu'on les voie s'embrasser.

— Allez, baisse-toi.

La voix de Jackie se brisa de nervosité et, peut-être à cause de cela, Cathy resta assise et trouva le courage de dire non.

Jackie lui lança un regard furieux. Il avait envie de la frapper mais il n'en n'avait pas le temps.

— Alors assieds-toi à l'arrière, dit-il et, comme Cathy ne bougeait pas, il la poussa jusqu'à ce qu'elle se retrouve la moitié du corps à l'avant, l'autre moitié pendant à l'arrière. Dans l'Oldsmobile, les garçons avaient ouvert les vitres et interpellaient Jackie en lançant des appels de phares. Il se vit prisonnier dans sa Chevy avec cette fille. Il lui fallait faire quelque chose, n'importe quoi. Aveuglé par les phares, il se pencha et démarra brutalement la voiture. Il lâcha l'embrayage si brusquement que Cathy fut projetée un peu plus vers l'arrière ; elle eut un petit cri étouffé lorsqu'il appuya à fond sur l'accélérateur et dut se retenir au-dessus du siège avec ses ongles.

La Chevy partit en flèche, droit devant ; le pied de Jackie sur l'accélérateur était si pesant qu'il aurait été incapable de réduire la vitesse même s'il l'avait voulu. La voiture se mit à déraper sur les plaques de glace et il perdit le contrôle. Cathy Corrigan tenait toujours son sac d'une main et de l'autre, elle s'agrippait au dossier du siège. La Chevy fila à toute vitesse sur la glace noire, sous un ciel criblé d'étoiles et rien ni personne n'aurait pu l'empêcher d'emboutir la clôture qui séparait le parking du terrain d'entraînement. Jackie entendit le cri de Cathy lorsque la voiture heurta la clôture. Ensuite, les hurlements du métal résonnèrent dans sa tête mais ce qu'il entendait, c'étaient ses propres hurlements et il aurait voulu que tous ces cris réduisent la force de l'impact.

Et voilà comment les choses se passèrent, du moins si on se fiait au rapport de Joe Hennessy. Il venait de quitter le poste et, avant de rentrer chez lui, il s'arrêta sur les lieux de l'accident même s'il n'était pas en service. Le parking de l'école était envahi par trois autos-patrouille et une ambulance, en plus d'une voiture pleine de garçons au visage blême. Johnny Knight, un enquêteur, était déjà là. Hennessy sortit de sa voiture, boutonna son manteau et le rejoignit. Il alluma une cigarette.

— La fille a été projetée hors de la voiture et elle est morte sur le coup, dit Knight.

Un corps gisait sur le terrain d'entraînement sous une couverture de laine grise.

— Les jeunes, soupira Knight, ils pensent que rien ne peut leur arriver. Elle était probablement en train de faire la folle et d'essayer de passer par-dessus le siège avant. Elle est passée à travers le pare-brise sous le choc de l'impact.

Hennessy hocha la tête et prit une bouffée de sa cigarette.

— Tu ne vois pas d'objection à ce que je jette un coup d'œil ?

— Pas du tout, mon vieux, si ça t'amuse, dit Johnny Knight.

Hennessy marcha jusqu'à la clôture. La Chevy était irrécupérable et il y avait tant de débris de verre que l'asphalte semblait parsemé de milliers d'étoiles. Hennessy vit quelque chose de blanc qui scintillait dans le noir. Il se pencha et prit l'objet dans sa main. Ce n'était pas un morceau de vitre brisée. C'était une dent saine et parfaitement blanche.

Le drapeau dans la cour de l'école fut mis en berne pendant deux jours et il y eut une cérémonie à la mémoire de Cathy. Portant cravate noire et chemise blanche, ceux qui avaient couché avec Cathy Corrigan, et ceux qui affirmaient avoir couché avec elle, gardèrent un silence respectueux. Les filles, celles-là même qui avaient écrit sur les miroirs des toilettes avec leur tube de rouge à lèvres que Cathy était une putain et qui avaient refusé de s'asseoir à côté d'elle en classe, pleurèrent en se tenant par la taille. Il y eut des traces de sang sur le terrain d'entraînement pendant une semaine, des taches qui ressemblaient à de la rouille et qui rendaient silencieux ceux et celles qui passaient par là, mais la neige finit par les recouvrir tout à fait.

Depuis l'accident, il y avait deux semaines maintenant, Ace se levait avant l'aube et, ce matin-là, même si Jackie devait être de retour de l'hôpital dans quelques heures, il s'habilla et quitta la maison avant le réveil de ses parents. Le jour se levait lorsqu'il arriva près du terrain d'entraînement. Il y avait tellement de neige que ses pieds s'enfonçaient jusqu'aux chevilles. Chaque matin, il venait regarder la clôture défoncée mais, aujourd'hui, tout ce qu'il voyait, c'était de la neige. Elle avait pris une teinte bleutée à cause du froid et Ace dut souffler dans ses mains pour réchauffer ses doigts gelés. Il resta là jusqu'à ce qu'il puisse voir l'accident derrière ses paupières closes puis il releva son col et mit les mains dans ses poches.

Comme il le faisait chaque jour depuis l'accident, il retourna chez lui en prenant le chemin le plus long de façon à passer devant la maison de Cathy Corrigan. Après avoir contourné la rue Poplar, il arriva devant chez elle. Ses bottes étaient pleines de neige. Il s'arrêta, le temps de fumer une cigarette et d'écouter les jappements du chien. Le père de Cathy conduisait un camion de livraison qu'il garait dans l'allée et les cageots de boissons gazeuses étaient recouverts de neige. Ace laissa tomber sa cigarette par terre et contourna le camion pour mieux voir l'arrière du bungalow. Il longea les petits arbustes jusqu'à la barrière qui fermait la clôture grillagée. Il vit une table de pique-nique, un grill pour barbecue que personne ne s'était donné la peine de ranger pour l'hiver, et une grosse corde tendue à l'extrême. Ace s'agrippa à la barrière et cligna des paupières pour enlever les flocons de neige de ses cils. Il essaya de se rappeler la petite Cathy, celle qui avait emménagé dans ce nouveau quartier à l'époque où, les soirs d'été, les parties de ballon ralliaient tous les enfants du voisinage, mais il ne pouvait même pas se rappeler son visage la dernière fois qu'il l'avait vue.

Le père de Cathy sortit de la maison et prit sa pelle sur le perron. Il se dirigea vers l'allée et s'arrêta quand il vit Ace.

— Qu'est-ce que tu fous ici ?

Ace se tourna vers lui et cligna des yeux. Tout lui paraissait blanc et embrouillé.

— Je voulais juste voir ce qu'il y avait dans le jardin.

— Ouais, tu peux toujours essayer de faire croire ça à d'autres, répondit M. Corrigan.

Il portait des gros gants de cuir. Il s'approcha d'Ace.

— Je ne veux pas te voir ici. Retourne d'où tu viens, compris ?

— D'accord, dit Ace.

Il avait les orteils complètement gelés.

— Qu'est-ce qu'il y a derrière la maison ?

— Il vaudrait mieux que je ne revoie jamais ton frère. Je pourrais avoir envie de le tuer, dit M. Corrigan.

Il tourna le dos à Ace et se mit à pelleter la neige autour de son camion.

— Est-ce que je peux vous donner un coup de main ?

— Tu ferais mieux de t'en aller.

Il continua à pelleter encore plus vigoureusement et son haleine formait des petits nuages bleus à cause du froid.

Ace s'approcha. M. Corrigan se tourna vers lui.

— Tu ne m'as pas entendu ? Je t'ai dit de foutre le camp d'ici.

Ils se dévisagèrent un moment ; derrière eux, les aboiements se firent de plus en plus insistants.

— Je me demandais juste ce qu'il y avait derrière la maison.

— C'est le chien de Cathy, mais ce n'est pas de tes affaires.

— Il fait froid dehors, pour un chien.

— Ah oui ? Tu te fais de la bile pour un chien ? Et ma fille, hein ? Est-ce que quelqu'un s'est fait du mauvais sang pour elle ?

M. Corrigan recommença à pelleter. Il pleurait.

— Il fait trop froid, répéta Ace et quand les mots sortirent de sa bouche ils gelèrent et se fendirent en deux.

— Je m'en fous.

Les aboiements du chien poursuivirent Ace jusque chez lui. Sous la neige, les maisons de la rue Hemlock se ressemblaient encore davantage avec leur même toit pointu, les mêmes bosquets que l'on avait recouverts de toiles pour l'hiver et les mêmes plaques, indiquant les adresses, cachées par la neige.

On pouvait facilement se perdre dans ces tourbillons de neige aveuglants. Rickie Shapiro venait de se frayer un chemin dans l'allée — c'était samedi et elle allait garder les enfants de Nora Silk — lorsqu'elle vit Ace. Il n'était qu'une ligne noire qui avançait dans le milieu de la rue. Tout était silencieux à part les aboiements d'un chien mais elle pouvait entendre la respiration du garçon. Elle aurait pu tourner et se diriger vers la maison de Nora mais elle resta là sur le trottoir, les cheveux cachés sous un bonnet de laine que jamais elle n'aurait osé porter en public et les mains protégées par des moufles aux rayures roses et blanches. Ace avança péniblement jusqu'au bord du trottoir et s'arrêta devant elle.

— Je ne t'attendais pas, tu sais, je m'en allais chez Nora Silk.

Ace était pâle et son regard était vide comme s'il ne la voyait pas.

Rickie se sentit rougir.

— Je ne t'attendais pas, répéta-t-elle en se rendant compte que c'était précisément ce qu'elle avait fait. Elle l'avait attendu. En fait, elle l'attendait depuis longtemps.

Ace s'approcha de Rickie, ouvrit son manteau et passa ses bras autour de sa taille.

Elle glissa en arrière dans la neige mais Ace l'attira vers lui. S'il avait tenté quoi que ce soit, s'il avait mis ses mains sur ses seins, s'il avait essayé de l'embrasser, elle aurait paniqué ; elle aurait couru jusque chez elle à travers les rafales de neige et elle aurait verrouillé la porte derrière elle. Mais Ace appuya sa tête sur la sienne et murmura la seule chose qui était capable de la retenir.

— S'il te plaît, chuchota-t-il d'une voix si basse qu'elle l'entendit à peine.

— Je ne sais pas de quoi tu veux parler, dit Rickie.

Elle le savait pourtant. Elle avait toujours fait exactement ce qu'on attendait d'elle et cela ne lui avait jamais rien donné. C'était peut-être parce qu'elle n'avait jamais vraiment désiré quelque chose auparavant.

— Tu pourrais venir dans ma chambre ce soir, dit Rickie.

Elle devait être devenue folle pour oser dire une énormité pareille.

Ace recula. Il avait autre chose à faire ce soir, quelque chose d'important.

— Je pourrais laisser ma fenêtre ouverte, chuchota Rickie même s'il n'y avait personne d'autre qu'Ace à pouvoir l'entendre.

— Pas ce soir, murmura Ace.

Rickie le regarda partir. Elle frappa ses moufles l'une contre l'autre, faisant tomber la neige qui s'enfonça dans les congères. Il avait dit non, pas ce soir, et elle le désirait quand même. Elle ne se reconnaissait plus. Elle n'avait plus d'amour-propre. Elle aurait fait des choses avec lui, des choses dont elle n'aurait jamais osé parler à Joan Campo. Jamais. La peau de son visage était brûlante. Elle se dirigea vers la maison de Nora, entra, enleva son manteau et prit le bébé dans ses bras. Pendant que Nora se préparait à se rendre à pied au salon de coiffure, James tendit la main et toucha la joue brûlante de Rickie avec un doigt. Elle sursauta et se rendit compte qu'elle n'était pas là où elle pensait être. Elle rêvait. Elle rêvait à la nuit où Ace passerait par la fenêtre de sa chambre, se laisserait tomber sans bruit sur le parquet et qu'elle serait là, à l'attendre.

Le Saint avait déblayé l'allée et le trottoir et il avait fixé des chaînes aux pneus de sa Chrysler. Marie buvait du café dans la cuisine. Incapable d'avaler le moindre petit déjeuner, elle s'était contentée de deux biscuits Stella D'oro qui avaient un goût de poussière. Elle ne pensait qu'à sortir Jackie de cet hôpital et à le ramener à la maison. Il avait une jambe cassée à deux endroits, une épaule démise, deux côtes brisées mais le pire, c'était qu'il avait perdu toutes ses dents. Sa bouche avait heurté le volant quand la voiture avait enfoncé la barrière. La Chevy n'était plus qu'un tas de ferraille dans un coin de l'atelier mais le volant était encore couvert de poussière blanche.

La nuit de l'accident, Marie s'était évanouie à la vue de son fils aîné étendu sur une civière, la bouche en sang. On lui avait fait respirer de l'ammoniaque et lorsqu'elle était revenue à elle, elle avait maudit la fille qui était dans la voiture avec son fils, celle qui lui avait fait perdre la tête. Ace avait pris la place de son frère à la station-service après l'école et pendant les fins de semaine, mais il avait refusé d'aller le voir à l'hôpital. D'après le dentiste et le chirurgien, Jackie ne pourrait pas porter de dentier avant des semaines, sinon des mois. On l'avait alimenté par intraveineuses et il pouvait maintenant boire des laits fouettés à l'aide d'une paille.

Ce matin-là, Marie avait tellement insisté que Le Saint était allé acheter un mélangeur électrique avant même que les rues ne soient déblayées. Il n'avait donné aucune explication à la vendeuse. Il avait simplement pointé du doigt l'appareil qu'il voulait et il avait payé comptant. Il n'avait pas ouvert la bouche durant le trajet entre l'hôpital et la maison. Marie aida Jackie à enlever sa veste de cuir et à s'asseoir à la table de la cuisine. Elle avait passé les deux dernières semaines à pleurer, mais il était impossible de le deviner à la façon dont elle souriait et s'empressait autour de son fils.

— Voudrais-tu un bon lait fouetté au chocolat ?

Jackie fit non de la tête. Il posa les mains sur la table et quand il bougea sur sa chaise, ses côtes lui firent mal. On lui avait mis la jambe dans un plâtre et il portait une botte spéciale qui lui permettait de se doucher et de marcher dans la neige.

— Bien riche, bien crémeux avec beaucoup de sirop au chocolat ? insista Marie.

Le Saint se versa un café. Sa gorge lui semblait à vif et la boisson chaude lui ferait du bien.

— Goûtes-y, au moins, dit Marie en sortant la glace du congélateur et le lait et les œufs du réfrigérateur.

— C'est le mélangeur que tu as acheté ? demanda-elle à son mari. Il n'est pas comme celui de Lynne Wineman.

Sa gorge se serra mais Le Saint réussit tout de même à parler.

— Je dois ouvrir la station-service.

— Aujourd'hui ? Le jour où ton fils revient de l'hôpital ?

— Les gens ont quand même besoin d'essence et d'antigel.

Marie fit la moue et versa le sirop Hershey. Le Saint mit sa tasse de café dans l'évier et la rinça à l'eau froide. Il pouvait sentir la présence de Jackie dans la cuisine mais c'était une sensation vague, bizarre. Habituellement Jackie parlait sans arrêt, de ses projets, de sa chance, de ses prouesses. Un accident était un accident, mais pourquoi avait-il l'impression que Jackie était en faute, pourquoi était-ce la fille qui était passée à travers le pare-brise ? Le Saint se tourna vers son fils ; Jackie avait les joues creuses et son visage paraissait plus petit.

— Cette fille, est-ce qu'elle était ta petite amie ?

Jackie haussa les épaules sans répondre.

— Laisse-le donc tranquille, il vient juste de revenir à la maison, intervint Marie.

— Tu aurais dû la protéger. Elle était dans ta voiture après tout. Qu'est-ce qu'elle était pour toi ? poursuivit Le Saint.

Jackie leva les yeux vers son père. Lorsqu'il ouvrit la bouche, elle ressembla au bec noir et mince d'un oiseau. Il bougea sa langue enflée.

— Rien, répondit-il d'une voix pâteuse.

Le Saint alla dans le salon ; il se rendit compte qu'il respirait trop vite. Il ne savait pas qu'Ace était déjà levé et il l'appela.

— Ace ? Tu te lèves ?

Cette année, la fête de la Thanksgiving était passée inaperçue chez les McCarthy. Marie n'avait pas eu le cœur de cuisiner et, pendant que les voisins s'attablaient devant la dinde traditionnelle, la famille McCarthy s'était contentée de sandwiches grillés au fromage et de soupe en conserve. Le lendemain Le Saint avait décoré l'extérieur de sa maison avec des décorations de Noël. Il espérait que cela apaiserait sa colère mais, au fond de lui, il savait que ce ne serait pas suffisant.

Il s'assit lourdement sur le canapé du salon pour attendre son fils. Ace sortit de sa chambre. Il était déjà habillé et prêt à partir.

— Il est arrivé ?

Le Saint hocha la tête. Le canapé orange sur lequel il était assis faisait face à une table basse en acajou, et deux petites tables avaient été placées à chaque bout du canapé. Le Saint venait d'avoir vingt-cinq ans lorsqu'il avait fait l'amour pour la première fois. C'était pendant sa nuit de noces, lorsqu'il avait épousé Marie. Il lui en avait été si reconnaissant qu'après il s'était réfugié dans la salle de bains pour pleurer.

— Allez p'pa, on y va.

Le Saint se leva et ils se dirigèrent ensemble vers la cuisine. Le mélangeur électrique ronronnait et Jackie regardait fixement le réfrigérateur. Ace mit les mains dans ses poches.

— Salut Jackie, dit-il.

Il n'avait qu'une idée en tête : s'en aller. Il passa devant sa mère et sortit par la porte latérale. Le Saint prit son trousseau de clés sur la tablette au-dessus de la cuisinière. Il pouvait entendre Ace en train de nettoyer le pare-brise de la Chrysler.

— Fais un effort pour rentrer à temps pour le dîner au moins, dit Marie.

Le Saint sortit une cigarette de son paquet. Il s'était toujours montré plus sévère envers Ace mais il n'avait pas eu le choix. Ace était son préféré. Il pensa à toutes les fois où il avait fermé les yeux devant les frasques de son aîné, le jour où il s'était rendu compte que Jackie volait de l'argent dans son portefeuille, qu'il fumait et qu'il buvait probablement de l'alcool. « Quand je serai millionnaire. Quand j'aurai un bel appartement. Quand ma limousine m'attendra à la porte », disait Jackie le matin avant de partir travailler.

Le Saint prit son briquet en argent et alluma une cigarette. Son regard croisa celui de son fils et Jackie détourna les yeux.

Le Saint mit ses clés dans sa poche et se dirigea vers la porte. Il s'arrêta devant Jackie et lui offrit une cigarette. Jackie, surpris, leva les yeux mais Le Saint hocha la tête et il prit la cigarette que lui offrait son père. Il la porta à ses lèvres, aspira profondément et rejeta lentement la fumée.

— John, protesta Marie quand elle vit que son mari encourageait Jackie à fumer.

— Je serai ici pour le dîner.

John McCarthy prit sa tuque de laine dans la poche de son manteau ; il ferait probablement un froid de loup dans l'atelier aujourd'hui, même avec le radiateur fonctionnant au maximum.

— Papa...

Le Saint avait la main sur la poignée de la porte. Il attendit sans se retourner.

— Merci.

Ace attendit la nuit. Il avait cessé de neiger et, de sa chambre, il voyait de la lumière dans celle de Rickie Shapiro. Il essaya de ne pas trop penser à la fenêtre qu'elle avait dû laisser entrouverte ; il mit son manteau et se glissa silencieusement dehors. La lumière des réverbères, tamisée par les cristaux de glace, éclairait à peine la rue et il faisait très noir. Il entendait les aboiements du chien mais ils étaient étouffés par la neige et semblaient venir de très, très loin. Aucun bruit de circulation ne provenait du Southern State et, peut-être à cause de ce silence inhabituel, Ace se mit à penser à tous ces endroits que traversait l'autoroute. Comment se sentait-on lorsque, de sa voiture, on voyait défiler des paysages de sable et de fleurs, lorsqu'on arrivait dans un endroit où personne ne connaissait ni votre famille ni votre nom ? Pourquoi n'avait-il jamais imaginé d'autres villes, d'autres pays où les maisons n'étaient pas toutes identiques ?

Ace avançait dans la neige, dans la lumière bleutée de la nuit. Il avait travaillé dans l'atelier toute la journée et ses mains étaient gercées et fissurées par le froid. Il aurait pu, à ce moment précis, être en train d'embrasser Rickie Shapiro mais il marchait, seul dans la nuit froide. La lune était pleine et la neige crissait sous ses pas. Lorsqu'il arriva chez les Corrigan, il se dirigea vers le côté de la maison et sauta rapidement par-dessus la clôture. La neige amortit le bruit de sa chute. Il s'approcha en restant dans l'ombre. Il passa devant l'entrée latérale, devant la cuisine vide et sombre, la table de pique-nique et le grill du barbecue. Il transpirait et les gouttelettes de transpiration gelaient et lui brûlaient la peau. Il songea à tous ceux qui dormaient : son frère, Danny Shapiro, les parents de Cathy Corrigan. Il pensa à la clôture, là-bas, enfoncée et repliée sur elle-même. On aurait dit une chaîne d'argent brisée. Il continua d'avancer et s'arrêta lorsqu'il vit le chien, attaché à un pommier sauvage.

La laisse était juste assez longue pour lui permettre de trouver refuge sous l'auvent de plastique ondulé qui protégeait la terrasse en ciment bordée de hautes congères. Sous l'éclairage de la lune, la fourrure du chien luisait d'une teinte bleutée. Ce n'était qu'un chiot, un jeune berger allemand d'à peine six mois que l'on avait abandonné dehors depuis le jour de l'accident. Il y avait un bol de nourriture et un seau d'eau gelée près de lui. Le chien continuait de japper mais ses jappements semblaient de plus en plus enroués. Il se calma dès qu'il vit Ace ; il dressa les oreilles mais demeura immobile. Ace s'approcha lentement et essaya de détacher la corde du collier de métal. La corde était raidie par le froid et il dut souffler dessus pour l'assouplir. Il frotta la fourrure du chien pour enlever la neige jusqu'à ce que ses doigts gelés le brûlent. Il le prit dans ses bras et il sentit le cœur du berger battre contre le sien. Une douleur, le froid sans doute mais surtout une angoisse sans nom, lui étreignit la poitrine. Cette fois, il ne sauta pas par-dessus la clôture. Il ouvrit la barrière et, même si elle grinçait sur ses gonds et qu'il dut pousser très fort pour l'ouvrir car la neige en bloquait l'entrée, il prit soin de bien la refermer derrière lui.

5

L'épouse perdue

Donna Durgin pesait quatre-vingt-cinq kilos mais elle n'avait pas l'intention d'être grosse encore longtemps. Elle prenait tant de Metrecal que si jamais elle décidait de s'ouvrir les veines, on la retrouverait baignant dans ce liquide sirupeux. Elle prenait une canette au petit déjeuner, une au déjeuner et au dîner, elle ne mangeait rien d'autre qu'un pamplemousse et une salade ou un peu de steak haché grillé sans Ketchup et sans petit pain. Chaque semaine, elle achetait quatorze canettes de Metrecal qu'elle rangeait sous l'évier avec l'ammoniaque et les éponges à récurer.

Elle avait un visage en forme de cœur, encadré de cheveux blonds qui bouclaient sur sa nuque par temps humide, et sa peau était blanche comme la neige. De purs étrangers l'arrêtaient parfois au A&P pour lui dire combien elle serait jolie si seulement elle maigrissait un peu. Comment pouvait-on se laisser aller ainsi ? chuchotaient-ils. Un coup d'œil dans son chariot leur aurait donné la réponse. Ils y auraient trouvé des barres de chocolat Snickers, de l'Ovaltine, des Frosted Flakes et du pain blanc si spongieux qu'il suffisait de rouler une tranche entre les doigts pour former une boulette de pâte parfaitement lisse. Mais ce que les gens ne savaient pas, c'était que depuis le premier décembre, Donna s'était mise au régime. S'ils avaient regardé sous cet amoncellement de sucreries, ils auraient vu des concombres et de la viande hachée maigre que Donna façonnait en tranches minces pour en faire des grillades, et tout au fond du chariot, sous les croustilles et les spaghettis, des canettes de Metrecal de différents parfums.

Il y avait sept ans que Donna était grosse et ses voisins de la rue Hemlock ne l'avaient jamais connue autrement. Elle avait pris trente kilos pendant sa première grossesse et même si elle avait réussi à perdre un peu de poids avant de se retrouver enceinte de son deuxième enfant, elle avait abandonné la partie après la naissance du troisième. Elle chaussait encore du trente-cinq et ses pieds étaient si petits que lorsqu'elle penchait la tête pour les regarder, cela lui donnait envie de pleurer. Mais, la plupart du temps, elle ne se regardait même pas dans le miroir. En fait, elle ne pensait jamais à elle ou, si elle y pensait, elle se voyait comme un gros nuage blanc, une prison ouatée où son âme se serait réfugiée. Et puis, un beau jour de novembre, son cœur s'était brisé et voilà comment Donna Durgin avait compris qu'elle avait un corps.

Ce jour-là, Bobby et Scott, ses deux garçons, regardaient la télévision et Melanie s'était endormie sur le parquet du salon, un biberon de lait au chocolat à la bouche. Un plat de pâtes au thon mijotait doucement dans le four réglé à 180° et un sac de haricots verts décongelait sur le comptoir. Robert, le mari de Donna, rentra de son travail à dix-sept heures trente, comme d'habitude. Il était imprimeur et les manchettes de ses chemises étaient toujours noires d'encre. La première chose qu'il fit en entrant fut d'aller à la salle de bains pour se laver avec du savon Lava. Il enfila ensuite des vêtements propres et se dirigea vers la cuisine après avoir enjambé les garçons étendus devant la télévision. Il avait vu le camion de Sears garé en face de la maison et il pouvait entendre le réparateur s'affairer au sous-sol.

— Alors, qu'est-ce qui est cassé cette fois ?

C'était un homme mince, au teint sombre, et il portait une montre avec un bracelet de métal qui laissait des marques sur sa peau. Il décapsula une bouteille de bière au-dessus de l'évier au cas où la mousse éclabousserait le comptoir.

— C'est la machine à laver, mais elle est encore sous garantie.

— Et le réparateur arrive en plein pendant l'heure du dîner ?

Son mari était facilement contrarié et Donna avait déjà remarqué qu'à ces moments-là, une veine de son cou se mettait à palpiter. On aurait dit les ailes d'un papillon de nuit.

— Est-ce qu'il n'aurait pas pu venir plus tôt ?

— J'ai téléphoné à huit heures ce matin, répondit Donna.

Robert prit un air rébarbatif et alla s'étendre sur le canapé que Donna avait recouvert d'un couvre-lit. Heureusement pour les enfants, Robert ne les empêchait jamais de regarder la télévision dans la mesure où ils regardaient les émissions qu'il aimait. Donna sortit les pâtes du four et pendant que le plat refroidissait, elle prit trois Hershey's Kisses au chocolat dans un bocal sur le comptoir et les mit dans sa bouche.

— Je crois que j'ai trouvé, cria le réparateur. C'est le cycle de rinçage.

Donna se dirigea vers l'entrée du sous-sol.

— Oh non, dit-elle et elle descendit dans la buanderie en se disant qu'elle aurait dû prendre cinq petits chocolats au lieu de trois. Le réparateur avait commencé sa journée à sept heures ce matin-là et il était fatigué. Il avait les yeux bleus et il était si grand qu'il devait se pencher pour ne pas se heurter aux tuyaux qui couraient le long du plafond.

— C'est la courroie d'entraînement qui était défaite, dit-il d'une voix excitée comme s'il venait de résoudre une équation d'importance majeure.

Il fit signe à Donna de s'approcher. La buanderie servait à entreposer des vêtements que Donna suspendait, bien à l'abri dans des sacs de plastique, à une tringle de métal. Il y avait aussi une grosse boîte de carton dans laquelle elle avait rangé les maillots de bain et les serviettes de plage et une, plus petite, où elle avait mis les vêtements de bébé, soigneusement lavés et pliés, dont elle n'avait pas le cœur de se séparer. Le réparateur lui montra ce qu'il avait dans la main : une des petites autos de Bobby.

Donna prenait toujours bien soin de vider les poches des vêtements avant de les mettre dans le lave-linge, mais la petite Corvette rouge devait lui avoir échappé et elle était restée coincée dans l'engrenage.

— Écoutez, si on faisait comme si je n'avais rien trouvé ? dit le réparateur.

Donna cligna des yeux à cause de la lumière crue diffusée par l'ampoule qui pendait au-dessus de l'évier. Le réparateur prit la main de Donna dans la sienne. Surprise, Donna fit un pas en arrière et ses petits pieds glissèrent de ses chaussures retenues au talon par une courroie. Le réparateur mit le jouet dans la paume de Donna puis referma les doigts de la jeune femme sur la petite voiture.

— Sinon, la machine ne sera plus sous garantie.

Donna hocha la tête et retint sa respiration.

— On voit bien que vous prenez soin de votre maison, poursuivit le réparateur, vous n'avez pas idée de l'état de certaines buanderies.

Il se dirigea vers la machine à laver mais Donna Durgin resta plantée là, immobile. La gentillesse de cet homme l'avait profondément blessée ; il aura suffi d'une parole gentille de la part d'un pur étranger pour que quelque chose se brise à l'intérieur de la jeune femme. Elle remonta au rez-de-chaussée et elle fut prise de vertiges, comme si ses poumons manquaient d'air. Les pâtes refroidissaient toujours sur la cuisinière, le son du téléviseur lui parvenait du salon et Melanie pleurnichait comme chaque fois qu'elle se réveillait d'une sieste de fin d'après-midi. Donna sortit de la maison sans même prendre le temps de passer un manteau. Elle resta près de la clôture, s'agrippant des deux mains au métal froid parce qu'il lui semblait que le ciel était sur le point de l'écraser. Elle avait déjeuné d'un reste de lasagnes et elle avait mangé deux ou trois Twinkies avec les enfants à leur retour de l'école mais elle avait l'estomac lourd comme si elle avait avalé des tonnes de cailloux blancs. Elle traversa la rue pour aller chez les Hennessy et contourna la maison jusqu'à la porte latérale. Elle frappa et Ellen ouvrit, surprise de la voir sur le palier. Les deux amies ne se rendaient jamais visite à l'heure du dîner. La cuisine embaumait les oignons, le steak et les pommes de terre en escalope.

— Est-ce que ça va ? demanda Ellen.

— Je ne sais pas, répondit Donna. Elle avait une voix très douce, la voix d'une personne mince, comme tout le monde s'accordait à le lui dire.

— As-tu besoin de quelque chose ? Du beurre ? Du lait ?

— Oh ! mon Dieu, fit Donna.

— Mais qu'est-ce que tu as ? demanda Ellen d'une voix inquiète.

Donna Durgin s'adossa à la porte-moustiquaire.

— J'étouffe.

— As-tu appelé un médecin ? Joe peut te conduire à l'hôpital si tu veux. Il n'a qu'à actionner sa sirène et tu seras là en cinq minutes.

— Non. Ce n'est pas ça.

Donna s'approcha d'Ellen.

— On dirait que j'ai avalé des cailloux, chuchota-t-elle.

Ellen sourit. Elle mourait d'envie de dire : Es-tu certaine que ce n'est pas plutôt des Milky Ways ?

— Veux-tu du Pepto-Bismol ? Joe est un fanatique du Pepto-Bismol ces temps-ci.

Donna regarda fixement son amie. Elle n'arrivait pas à se concentrer.

— Je vais rentrer chez moi, dit-elle finalement. Ça va mieux maintenant.

— Es-tu certaine ? demanda Ellen. Elle entendait les oignons grésiller dans le poêlon et elle jeta un coup d'œil par-dessus son épaule pour s'assurer qu'ils ne brûlaient pas.

— Oui, oui. Ça va, je t'assure.

Donna Durgin traversa la rue et s'attarda quelques instants dans le noir pendant que les cailloux s'entrechoquaient dans son estomac. Elle était mariée depuis huit ans. Le jour de leur mariage, il pleuvait à verse et, en sortant de l'église, Robert l'avait portée dans ses bras jusqu'à la limousine noire mais l'ourlet de sa robe s'était mouillé quand même. Quelques-unes des fausses perles qui ornaient le corsage et les manches de sa robe étaient tombées par terre et ses neveux et nièces s'étaient précipités pour les ramasser. Aujourd'hui, huit ans et trois enfants plus tard, Donna ne se rappelait même plus pourquoi elle avait épousé Robert, et elle n'avait pas la moindre idée qui il était vraiment. Elle regarda ses mains et elle vit des marques rouges sur ses doigts, à l'endroit où le réparateur l'avait touchée. Donna contempla un instant les décorations de Noël dont John McCarthy avait orné son garage le lendemain de la Thanksgiving. Est-ce qu'on avait seulement souri à Donna ces derniers temps ? S'était-on jamais préoccupé de savoir ce qu'elle pensait, ce qu'elle ressentait ? Avait-on jamais remarqué que les manchettes tachées d'encre de son mari redevenaient blanches après qu'elle eut soigneusement lavé, repassé, plié et rangé ses chemises dans le tiroir de la commode ?

Ce soir-là Donna servit les pâtes réchauffées mais elle-même n'en mangea pas. Le lendemain matin, elle prépara le déjeuner des garçons, les accompagna à l'école et se rendit ensuite au supermarché où elle acheta ses premières canettes de Metrecal. Elle attendit que Melanie fasse sa sieste de l'après-midi avant d'en ouvrir une. Quelques jours plus tard, elle confectionna des biscuits de Noël — des petits croissants recouverts de sucre-glace, des rennes et des lutins au gingembre — et des boules au chocolat et au beurre d'arachide mais elle ne goûta même pas à la pâte. Elle tapissa le fond de ses boîtes en fer blanc de papier paraffiné, les remplit de biscuits et les entreposa au-dessus du réfrigérateur.

Après quatorze jours de régime, Donna avait perdu six kilos et ses vêtements commençaient à être moins serrés à la taille. Lorsqu'elle se regardait dans le miroir, elle ne voyait toujours pas la vraie Donna, et de toute évidence, les gens autour d'elle ne la voyaient pas non plus car personne, même pas Ellen Hennessy, n'avait remarqué qu'elle avait maigri. Donna arrêta de se peser et continua de suivre son régime uniquement pour se prouver qu'elle en était capable. Et puis, un jour, alors qu'elle était en train de choisir un rôti pour le dîner de Noël, son pantalon lui tomba sur les chevilles en plein devant le comptoir des viandes du A&P. Elle le remit tranquillement en place mais, au fond d'elle-même, elle jubilait. Elle ne s'était pas rendu compte que l'élastique à la taille avait maintenant quelques centimètres en trop. Ce soir-là, elle prépara le rôti pour le lendemain, fit semblant de dîner, mit les enfants au lit et pendant que Robert regardait le journal télévisé, elle alla dans la cuisine, dévora trois gros pamplemousses roses et s'essuya les mains avec un torchon à carreaux rouges et blancs. Elle se sentait légère comme un nuage. Elle se dirigea vers l'évier dans lequel elle avait mis les couverts du dîner à tremper, écarta la mousse et vit son reflet dans l'eau savonneuse.

À Noël, toute la famille de Robert était invitée à dîner et Donna dut emprunter des chaises chez les Wineman et chez les McCarthy pour que tous les Durgin puissent s'asseoir autour de la table. Donna servit le rôti accompagné de petites pommes de terre rouges, de pois et d'oignons. Pour dessert, il y eut trois tartes différentes. Quand arriva l'heure du café et des bonbons à la menthe, les enfants étaient si énervés qu'ils brisèrent le nouveau punching-bag de Bobby et Melanie était tellement surexcitée qu'on dut la mettre au lit même si elle refusait de se séparer de son nouveau chat en peluche qui miaulait quand on le remuait. Donna reçut une boîte de nougats de la part des cousins Durgin, un mélangeur General Electric et un ensemble de plats Tupperware de son mari, et une veste de laine angora de ses beaux-parents. Sa belle-mère l'avait d'ailleurs achetée dans une boutique pour tailles fortes de Hempstead. Donna laissa les enfants s'empiffrer de nougats, mit le mélangeur sur le comptoir de la cuisine, rangea les plats Tupperware dans une armoire et la boîte contenant sa nouvelle veste sur l'étagère, en haut de son armoire.

Le lendemain de Noël, Donna ramassa les rubans et les papiers d'emballage éparpillés un peu partout dans la maison. Dans l'après-midi, elle invita Ellen et Lynne Wineman à venir prendre un chocolat chaud et des biscuits Oréo avec leurs enfants mais, après leur départ, elle se rendit compte qu'elle n'avait toujours rien dit à ses amies. Elle amena les enfants glisser sur Dead Man's Hill avec Ellen ; elle donna un coup de main à Lynne pour organiser la soirée prévue pour la veille du jour de l'an ; elle fit du porte à porte avec Bobby, les deux autres enfants à la remorque, pour vendre des billets de tombola pour amasser des fonds qui serviraient à acheter des uniformes aux joueurs de la Ligue mineure de base-ball. Rien n'y fit. Malgré tous ses efforts, elle n'avait le cœur à rien. Un soir qu'il neigeait abondamment, son alliance glissa de son doigt pendant qu'elle donnait le bain à Melanie. Elle l'avait fait agrandir lorsqu'elle s'était mise à engraisser mais elle devait maintenant l'entourer d'un ruban adhésif. Chaque soir, elle posait un nouveau morceau de ruban adhésif et remettait son alliance même si elle lui blessait le doigt.

Après que Donna eut perdu neuf kilos, Robert remarqua finalement que sa femme avait maigri mais au lieu d'en être fier, il se plaignit que le Metrecal coûtait cher. Il prit l'habitude de rapporter des Carvel, un dessert à la glace au chocolat et à la guimauve dont Donna raffolait. Il laissa traîner des chocolats Mounds sur le tableau de bord de la voiture, mais elle continua à suivre son régime. Il se mit alors à lui faire des reproches. La maison n'était plus aussi propre, ses chemises moins blanches et quand ils faisaient l'amour, eh bien ce n'était pas comme avant. Elle était tellement nerveuse qu'il s'attendait presque à la voir tomber en bas du lit. Donna Durgin continua à prendre son Metrecal et à manger ses pamplemousses, et elle mit une des vieilles ceintures de cuir de Robert pour retenir ses vêtements à la taille. Lorsqu'elle allait glisser avec les enfants, elle voyait parfois Nora Silk, vêtue d'un blouson vert en laine et d'un pantalon extensible noir, qui filait à toute allure vers l'autoroute sur un traîneau en bois, son fils aîné assis à l'arrière, les deux bras passés autour de sa taille, et le bébé assis devant, frappant des mains et criant de joie. Elle la voyait aussi au supermarché en train de lire une recette au dos d'une boîte de céréales pendant que son aîné piquait des bonbons dans un sac resté ouvert sur une étagère. Un soir que Donna était sortie dans le jardin pour récupérer un jouet, elle regarda à travers la clôture grillagée et elle vit Nora, couchée par terre, remuant les bras de bas en haut pour dessiner les ailes d'un ange dans la neige. Elle avait les pommettes rougies par le froid, les cheveux tout blancs et le bébé se promenait à quatre pattes autour d'elle, nu-tête, la bouche pleine de neige.

Donna resta dans le jardin à les regarder même si les autres mères de la rue Hemlock auraient vite fait de détourner les yeux. Lorsqu'elles avaient vu le bébé de Nora assis à l'avant du traîneau et qu'elles s'étaient aperçues que le manteau d'hiver de Billy était troué au coude, Ellen Hennessy et Lynne Wineman avaient claqué la langue en signe de désapprobation. D'après Ellen, qui le tenait de Stevie dont le pupitre était presque voisin de celui de Billy Silk, il était même arrivé que Billy vienne à l'école avec, pour tout déjeuner, un sandwich fait d'une tablette de chocolat entre deux tranches de pain Wonder Bread. Toujours d'après Stevie, Nora Silk interdisait à son fils de grimper aux cordages pendant les cours de gymnastique, et il était souvent malade. Il aurait même vomi dans un coin de la bibliothèque. Donna Durgin écoutait poliment mais ce qui l'intéressait vraiment, c'était le bracelet de Nora, son pantalon extensible et si ajusté qu'il fallait sûrement peser moins de cinquante kilos pour le porter sans avoir l'air grotesque, et la musique qu'elle entendait lorsqu'elle passait devant l'ancienne maison des Olivera en promenant Melanie.

Depuis quelque temps, Donna rêvait de vêtements, de ceintures élastiques, de robes en lamé et de manteaux en fourrure de lapin. Elle rêvait qu'elle était derrière un comptoir de chemisiers en soie et de déshabillés de dentelle ; quand elle s'éveillait, elle pouvait encore sentir la douceur des tissus et elle avait l'impression d'avoir trompé son mari. Elle évitait donc tout ce qui était en soie ou en chiffon. Elle continuait d'ailleurs de porter ses vieux vêtements retenus à la taille par la ceinture de Robert et par des épingles de nourrice. Le jour où elle rencontra Nora au A&P, elle était vêtue d'une blouse de maternité qu'elle avait achetée pendant sa première grossesse. C'étaient les vacances de Noël. Nora et Donna étaient toutes les deux accompagnées de leurs enfants et, si Donna n'avait pas été distraite par ses deux fils en train de se chamailler, elle n'aurait peut-être pas placé son chariot derrière celui de Nora Silk.

— Billy, lança Nora d'une voix sévère.

D'une main, elle mettait ses provisions sur le comptoir et de l'autre, elle tenait le bébé appuyé sur une hanche. Billy se tenait à côté du présentoir de bonbons et de gommes à mâcher et sa mère venait de le surprendre en train de mettre un paquet de Black Jack dans la poche de son manteau. Il leva calmement les yeux vers elle. Nora fit le tour de son chariot, fouilla dans sa poche, en sortit le paquet et le remit sur le présentoir. Elle donna une petite poussée à Billy mais quand elle vit Donna Durgin en train de les observer, elle se passa la main dans les cheveux et lui adressa un grand sourire.

— Ah ! les enfants, on dirait qu'ils le font exprès.

Donna hocha la tête et souleva Melanie du siège d'enfant installé à l'avant du chariot.

— Eh bien, vous avez vraiment maigri depuis l'été dernier !

Nora portait un manteau court, noir, sur une jupe droite, noire également, et elle avait enroulé un foulard de mousseline rouge autour de son cou.

— Avez-vous aimé vos plats Tupperware ? Pour être franche, j'aurais fait une crise si mon mari m'avait offert des Tupperware à Noël mais j'avais vraiment besoin de cette vente, et je ne pouvais tout simplement pas lui dire qu'une femme aimerait cent fois mieux recevoir un collier en or. Je l'ai au moins convaincu d'acheter le contenant de trois litres parce que le contenant de quatre litres ne sert à rien, à moins de cuisiner pour une armée.

Donna Durgin l'écoutait en souriant poliment mais Nora voyait bien que bientôt elle ne l'écouterait plus. Donna Durgin était la première femme de la rue Hemlock à être restée sans bouger assez longtemps pour lui permettre de placer quelques mots. Heureusement, la nouvelle caissière qui remplaçait Cathy Corrigan était si lente qu'elles étaient prises toutes les deux à attendre leur tour.

— Votre mari passait devant chez moi comme je sortais des boîtes de bols à mélanger de ma voiture. Il m'a dit que vous étiez très bonne cuisinière et, voyez-vous, j'ai toutes les difficultés du monde à trouver une bonne recette de macaronis au fromage. Vous me direz que c'est un plat facile à réussir mais, à mon avis, faire de bons macaronis au fromage demande beaucoup de talent.

Donna Durgin avait les yeux fixés sur la breloque en forme de cœur du bracelet de Nora. Elle ne vit même pas que Melanie et Scott étaient en train d'enlever toutes les tablettes de chocolat Almond Joy du présentoir.

— Est-ce que vous utilisez du cheddar ? demanda Nora.

— Non, du Velveeta.

— Ah bon ! Vous savez, mes enfants sont très capricieux. Ils ne mangent rien de ce que je leur prépare.

Donna Durgin ouvrit la bouche mais aucun son n'en sortit.

Nora prit un sac de croustilles dans son chariot et le mit sur le comptoir.

— Vous devriez venir au salon de coiffure. Je vous ferai une manucure à moitié prix et Armand ne s'en apercevra même pas. Il n'a aucun sens des affaires.

Deux grosses larmes coulèrent sur les joues de Donna.

— Oh, fit Nora lorsqu'elle vit que Donna pleurait. Elle remit la pomme de laitue Iceberg dans son chariot.

Donna Durgin n'avait toujours pas ouvert la bouche mais maintenant elle pleurait pour de bon. Ses larmes tombèrent sur le dessus d'un contenant de crème aigre et se répandirent ensuite sur le sol.

Nora appuya le bébé contre son épaule et fit signe à Billy.

— Continue de vider le chariot.

— Moi ?

— Oui, toi.

Elle passa un bras autour des épaules de Donna et l'entraîna à l'écart.

— Qu'est-ce qu'il y a ? Est-ce que c'est à cause des Tupperware ?

James s'agita dans ses bras et elle le laissa jouer avec son bracelet.

Donna fit non de la tête et continua de pleurer.

— Tout va mal alors ?

Donna Durgin hocha la tête et prit un mouchoir dans sa poche.

— Votre pantalon noir extensible, où l'avez-vous acheté ? demanda-t-elle après un moment.

— Chez Lord et Taylor. Oh, n'allez pas croire que je m'habille toujours là mais de temps en temps une petite folie ne fait pas de tort, et puis un vêtement de qualité dure plus longtemps.

Nora jeta un coup d'œil vers Billy et lui fit signe de se dépêcher un peu. Comme il prenait tout son temps, et la caissière aussi, la queue s'allongeait maintenant jusqu'au comptoir des viandes en passant devant les étagères de fruits et légumes.

— Je suis certaine que le noir vous irait bien, reprit Nora.

— Vous pensez vraiment ?

— Croyez-moi, le noir ne se démode jamais.

Donna se moucha le nez. Elle vit que ses enfants avaient presque complètement vidé le présentoir de bonbons.

— Ça va mieux maintenant.

— Êtes-vous certaine ? insista Nora.

— Oui, je vais beaucoup mieux. Merci.

Les deux femmes revinrent à la caisse. Nora régla la caissière et pendant qu'elle attendait la monnaie, elle fouilla dans les poches de Billy au cas où il aurait encore piqué de la gomme ou des bonbons.

— Maman ! protesta Billy.

— Monsieur fait l'innocent, dit Nora à Donna Durgin et elle installa James dans le chariot avec les sacs de provisions. Ce serait agréable de se revoir, poursuivit Nora.

Donna sourit d'un air absent.

— Oui, ce serait bien.

Dans le parking, Billy s'appuya sur le chariot et regarda sa mère mettre les sacs dans la voiture.

— Tu pourrais m'aider, ça te ferait des muscles, dit Nora.

Billy s'empara d'un des sacs bruns et le mit sur le siège avant.

— Je savais bien qu'on nous accepterait. Il faut leur donner le temps de nous connaître. Dans le fond, les gens sont timides et on doit s'arranger pour gagner leur confiance. C'est la même chose à l'école Billy. Tu devrais y réfléchir.

— Mme Durgin s'en va, dit Billy.

— Quoi !

Nora eut soudain peur que sa nouvelle amie ne lui fasse faux bond. Elle en oublia même de gronder Billy pour avoir lu dans les pensées de Donna. Elle le saisit par le col.

— Et où s'en va-t-elle ?

— Faire une promenade, répondit Billy.

— Ah bon ! fit Nora, rassurée.

Elle relâcha Billy et installa James sur la banquette arrière.

— Les promenades, c'est excellent pour la santé.

Donna Durgin partit le 29 décembre après avoir mis les enfants au lit, pendant que son mari dormait devant la télévision. Elle prit son manteau noir, elle pouvait le porter maintenant qu'elle avait perdu du poids, et se maquilla soigneusement les lèvres. Elle mit ses bottes et, avant de partir, elle prit le temps de faire le déjeuner des enfants pour le lendemain, des sandwiches au thon et des bâtonnets de carotte, qu'elle enveloppa dans du papier d'aluminium et qu'elle plaça sur la tablette du bas du réfrigérateur. Elle laissa ses clés d'auto sur la table de la cuisine et, un peu après vingt-trois heures, elle sortit. Une fine neige poudreuse avait recouvert la couche de glace et une lune rose brillait dans le ciel. Une fois qu'elle eut longé l'allée bordée de peupliers, ce fut facile de continuer. Et, lorsque Robert se réveilla le lendemain matin et qu'il se rendit compte que sa femme était partie, la neige avait eu le temps d'effacer toute trace de ses pas.

— Écoute, dit Joe Hennessy, les femmes font tout le temps des choses bizarres. Elles pensent différemment de nous. N'essaie pas de deviner à quoi elle pensait quand elle est partie, tu n'y arriveras pas et ça ne servirait à rien maintenant.

— Tu ne comprends pas, répondit Robert Durgin.

Les deux hommes étaient dans le salon pendant que Johnny Knight interrogeait les enfants dans la cuisine tout en mangeant des biscuits à l'avoine et en buvant un verre de lait. Hennessy aurait dû être celui qui interrogeait les enfants mais Robert était son voisin et il le connaissait bien. Et puis, Johnny Knight s'en tirait plutôt bien, malgré les craintes de Hennessy. Il avait posé des questions aux garçons sur leur mère : « Y avait-il un endroit où elle aimait aller, avait-elle de l'argent ou un carnet de chèques caché quelque part, dans un tiroir de commode ou dans la boîte à pain, par exemple ? » Il s'était ensuite assis à la table pour manger des biscuits et boire du lait avec autant de plaisir qu'eux. Agir comme les enfants avait parfois certains avantages, pensa Hennessy.

— Donna ne serait jamais partie comme ça, affirma Robert Durgin. Elle adore les enfants. Jamais elle ne les aurait abandonnés.

Il avait fumé sa cigarette jusqu'au filtre mais il la tenait toujours entre ses doigts. Hennessy, qui n'avait pas enlevé son manteau, s'assit soigneusement sur le couvre-lit qui recouvrait le canapé. Donna Durgin avait disparu depuis plus de vingt-quatre heures et, même s'il y avait des jouets qui traînaient ici et là, on voyait que c'était une maison bien tenue. Il n'y avait pas un grain de poussière sur les stores vénitiens et un napperon de dentelle avait été placé exactement au centre de la table basse.

— Que veux-tu dire ? demanda Hennessy.

— On l'a forcée.

— Tu étais couché sur le canapé. Tu as dormi ici toute la nuit. Tu aurais sûrement entendu si quelqu'un était entré.

— Ils sont entrés sans qu'on les entende. Ou bien, ils ont menacé les enfants plus tôt dans la journée et ils ont obligé Donna à les rejoindre dans leur voiture.

— Bon. Laisse-moi y réfléchir.

Les deux hommes restèrent silencieux quelques instants, essayant d'imaginer la présence de fous furieux dans leur quartier.

— Ça n'a aucun sens, dit Hennessy.

— Je t'assure, Joe. Jamais elle ne serait partie d'elle-même. Les choses ne se sont peut-être pas passées comme tu le penses.

Pour Hennessy, cela voulait dire qu'il devait tenir compte de l'homme assis à côté de lui. Robert avait peut-être une maîtresse, il avait peut-être contracté une assurance-vie au nom de Donna et, s'il fumait comme une cheminée, c'était peut-être parce qu'il craignait pour sa peau et non parce que sa femme s'était volatilisée.

— On envisagera toutes les possibilités, sois sans crainte, dit Hennessy.

Après avoir interrogé les enfants et le mari, Hennessy et Knight allèrent s'asseoir dans la voiture de Hennessy car il faisait trop froid pour parler dehors. Knight souffla dans ses mains pour les réchauffer et les frotta l'une contre l'autre.

— Les enfants ne savent rien, c'est évident. Et le mari ?

— Robert, dit Hennessy et il ouvrit la boîte à gants pour y prendre une bouteille de Pepto-Bismol.

— Oui, Robert, peu importe son nom. Penses-tu qu'il sait quelque chose ?

Hennessy prit une gorgée de Pepto-Bismol et remit le flacon dans la boîte à gants pour plus tard.

— Il travaille dans une imprimerie. Il n'a jamais cuisiné, il n'a jamais fait un lit de sa vie et il se retrouve seul avec trois enfants.

— Elle est partie et il est là, dit Knight en haussant les épaules.

— C'est de la merde, fit Hennessy.

— Tu peux le dire, répondit Knight.

Il n'y avait jamais eu de meurtre dans cette banlieue tranquille, une attaque à main armée étant bien la pire chose qui pouvait arriver, mais Hennessy dut mener une enquête comme s'il y avait eu meurtre. Robert n'avait jamais contracté d'assurance-vie au nom de Donna. Hennessy conduisit jusqu'à Queens pour interroger la mère et la sœur de Donna. Il se renseigna à la banque où le couple avait un compte d'épargne. Rien, pas d'amant, pas de mauvaise dette, rien du tout. Il continua son enquête jusque tard dans la nuit et, quand il arriva à la maison, Ellen l'attendait dans la cuisine.

— Rien, aucune piste, dit Hennessy.

Ellen avait préparé du thé et des biscuits. Elle portait une chemise de nuit en flanelle et elle avait les traits tirés.

— C'est comme si elle s'était envolée en fumée, dit Hennessy en haussant les épaules.

— Je n'arrive pas à y croire.

Pendant l'absence de son mari, Ellen avait fait le tour de la maison et elle avait verrouillé toutes les fenêtres. Elle avait même mis le loquet aux porte-moustiquaires.

— On se disait tout, Donna et moi. S'il y avait eu quelque chose de grave, je l'aurais su.

— Vraiment ? dit Hennessy en prenant un biscuit Graham qu'il brisa en deux.

— C'est certain, voyons. Donna était mon amie.

Ellen posa sa tasse sur la table.

— Mon Dieu, j'ai dit « était » mon amie.

Ellen et Joe se regardèrent en silence.

— Il n'y a rien qui nous prouve qu'elle soit morte, affirma Joe.

— Je ne veux même pas envisager cette éventualité, dit Ellen.

Elle prit un biscuit et le brisa en deux.

— Qu'est-ce que Robert a dit aux enfants ?

— Qu'elle était partie en vacances.

Ellen se leva et alla rincer les tasses dans l'évier. Elle les mit ensuite dans l'égouttoir.

— Elle ne se sentait pas très bien, dit Ellen.

— Qu'est-ce qui te fait dire ça ?

— Il y a quelques semaines, elle est venue ici pour me dire qu'elle avait avalé des cailloux ou quelque chose comme ça. J'ai pensé qu'elle faisait une indigestion.

— Qu'a-t-elle dit au juste ? demanda Hennessy brusquement.

— Joe ! Je ne suis pas un témoin. Ne me parle pas sur ce ton.

— D'accord, d'accord, répliqua Hennessy calmement comme il l'aurait fait avec un témoin récalcitrant. Réfléchis bien, poursuivit-il. Est-ce qu'elle a laissé entendre que quelque chose la tracassait ?

Ellen fit signe que non.

— Des cailloux... répéta Hennessy pensivement.

— Je vais me coucher, dit Ellen. Je ne peux plus supporter cet interrogatoire.

Hennessy la suivit dans la chambre. Il pensait toujours aux cailloux. Les avaler tout rond, c'était probablement la meilleure façon sinon on risquait de se casser les dents et de s'étouffer. Non, on devait plutôt les prendre dans sa main et les porter à sa bouche, un à un, fermer les yeux, avaler et accepter ensuite de vivre avec les conséquences de son geste.

Le chien dormait à côté du lit, sur une petite carpette bleue et, la nuit, il rêvait qu'il courait. Il courait dans l'herbe, sous la pluie et entre les étoiles accrochées au ciel noir.

— Tout doux, disait Ace pour le rassurer et il lui caressait la tête mais le chien ne se réveillait jamais et il continuait de rêver. Il gémissait, se tournait de côté et reprenait sa course. Quelqu'un avait déjà pris soin de lui ; il ne fut donc pas surpris lorsque Ace l'adopta et le garçon devint son seul et unique maître. Il suffisait qu'Ace bouge les lèvres, prêt à siffler, pour que le chien accoure avant même qu'il n'ait eu le temps d'émettre le moindre son. Le chien passait une bonne partie de la journée à attendre Ace dans la chambre — Marie aurait préféré qu'il attende dans le sous-sol ou mieux encore dans le jardin — ou dans la cour de l'école, près de la porte d'où Ace émergeait dès que la cloche sonnait, à deux heures quarante-cinq. Quelqu'un avait déjà pris soin de lui, de cela le chien était certain. Quelqu'un lui avait acheté un collier en cuir avec une plaque en argent sur laquelle on pouvait lire : *Je m'appelle Rudy. J'appartiens à Cathy et je demeure au 75 rue Hemlock.* Ace avait enlevé la plaque mais il n'avait pas eu le cœur de s'en débarrasser. Il la gardait dans la poche intérieure de son blouson de cuir et déjà la forme de la plaque avait laissé une empreinte dans le tissu.

— Rudy, chuchotait Ace pendant que le chien dormait à côté de son lit.

Allez, cours ! disait Ace en lançant un bout de bois à travers le terrain d'entraînement. Il s'était attendu à ce qu'on lui pose des tas de questions sur ce jeune berger allemand pure race qui le suivait partout, mais personne ne lui fit de remarque. Les premiers jours, il l'avait laissé dans sa chambre, le nourrissant en cachette et lui faisant faire ses besoins sur du papier journal étendu par terre. Il le laissa dormir avec lui dans le lit et Rudy se réfugiait sous les couvertures, épuisé par le traitement que lui avait infligé le père de Cathy Corrigan. Ses pattes portaient encore des traces d'engelures et il laissait des marques rougeâtres sur le parquet lorsqu'il marchait dans la chambre.

Marie finit par découvrir les coupures de papier journal imbibées d'urine dans les poubelles et elle comprit qu'il y avait un chien dans la maison.

C'était une ménagère d'une propreté méticuleuse et pour elle, un chien était une créature inutile. Ace, qui s'était attendu à se faire réprimander et à ce qu'on lui ordonne d'aller porter le chien à la fourrière, fut surpris par la réaction de sa mère. Marie se contenta de préciser qu'elle ne tolérerait pas que l'animal monte sur le canapé ou sur les fauteuils, qu'elle ne voulait pas le voir quémander sa nourriture pendant que l'on était à table et qu'elle s'attendait à ce qu'Ace le promène trois fois par jour.

— Va voir ce que ton fils a ramené à la maison, dit-elle à son mari ce soir-là.

Le Saint frappa à la porte de la chambre d'Ace et entra. Lorsqu'il vit le chien, il s'accroupit et frappa dans ses mains.

— Allez, viens mon chien.

Rudy eut peur et se réfugia sous le lit. Le Saint se redressa et siffla mais le chien resta où il était.

— Ce serait utile d'avoir un chien à la station-service, dit-il à Ace.

— Je suis désolé papa, mais Rudy n'aime pas être séparé de moi.

Un peu plus tard, alors que toute la famille était à table en train de dîner, le chien se mit à japper et à gratter à la porte pour qu'on le laisse sortir de la chambre.

— Est-ce que c'est ton chien qui fait ça ? demanda Jackie.

Ace regarda son assiette sans répondre. Il évitait Jackie le plus possible depuis l'accident. Il ne l'avait même pas accompagné dans sa nouvelle voiture, une Bel Air, celle-là même qu'Ace avait eu l'intention d'acheter avec ses économies.

— Oui.

— Eh bien, empêche-le de grogner et de japper la nuit, veux-tu ?

Ace regarda son frère. Avec son dentier et son menton refait, il avait l'air plus solide, plus sûr de lui. Pourtant, quand le chien aboyait, il devenait nerveux et Ace avait compris que Jackie savait très bien que Rudy était le chien de Cathy Corrigan. Ses parents le savaient aussi mais personne n'en parlait. Ace s'était inquiété de la réaction de M. Corrigan. Il s'était imaginé que le père de Cathy lui ferait une scène, le traiterait de voleur et dirait que c'était de famille, qu'il reprendrait le chien et appellerait la police. Ace avait imaginé pire encore : M. Corrigan le frappant violemment sans qu'il puisse se défendre, ce qui n'empêcherait pas le père de Cathy de continuer à lui donner des coups sur le côté de la tête et de l'abandonner, tout ensanglanté, sur la pelouse.

Mais le jour où leurs chemins se croisèrent, M. Corrigan fit comme si de rien n'était, comme s'il n'avait jamais vu ni Ace ni le chien auparavant. Les couvercles de ses poubelles en aluminium monopolisèrent tout à coup toute son attention. Mais Rudy reconnut le père de Cathy. Les poils de son cou se hérissèrent, il dressa les oreilles et son arrière-gorge émit un grondement sourd. Ace se figea, certain que M. Corrigan s'élancerait pour le frapper mais il se contenta de remettre ses poubelles en place sur le côté de sa maison.

À l'école, personne ne lui posa de questions sur son chien, et cela ne le surprit pas outre mesure. Lorsqu'il passait devant une bande de jeunes qui fumaient une cigarette au coin de la rue en attendant que la cloche sonne, ils reculaient tous en chœur à la vue de Rudy, mais personne ne disait un mot. Le chien suivait Ace partout où il allait. Il se couchait sur les carreaux de la salle de bains pendant qu'Ace se douchait ; il trottinait derrière son maître, jusqu'à la clôture qui longeait le Southern State, où Rickie Shapiro et Ace avaient rendez-vous, et il restait assis sagement pendant qu'ils s'embrassaient jusqu'à ce que la bouche leur fasse mal. Mais Rickie avait peur de Rudy. Même Danny Shapiro eut l'air mal à l'aise quand il se rendit compte que le chien les accompagnerait à la sortie de l'école tous les jours.

— Est-ce qu'il mord ?

— Voyons, ce n'est qu'un chiot, il a encore des dents de bébé, répondit Ace en lançant sa balle de tennis au-dessus de la pelouse couverte de neige des Wineman. Rudy s'élança pour la rattraper.

— Ouais, des crocs, tu veux dire, répondit Danny en regardant Rudy revenir vers eux en courant.

— Allez, mon chien, laisse tomber la balle par terre, dit Ace et le chien lui obéit.

— On dirait vraiment qu'il comprend ce que tu lui dis.

Ace s'agenouilla devant Rudy.

— Allez, parle Rudy, dit Ace et, sans que Danny s'en aperçoive, il ouvrit et referma la main devant le chien qui se mit docilement à japper comme Ace le lui avait appris.

Danny préféra descendre du trottoir.

— Ce chien est vraiment bizarre.

Ace resta un instant agenouillé. Rudy le regardait, la gueule ouverte.

— Tu es un bon chien, dit Ace et l'animal se pencha, renifla la main d'Ace et la lécha lentement. Ace lui caressa la tête et se remit debout. Il continua de marcher et ce n'est qu'arrivé en face de la maison des Durgin qu'il s'aperçut que Danny n'était plus avec lui.

— Qu'est-ce qu'il y a ? lui lança Ace.

Danny haussa les épaules. Ace revint sur ses pas, le chien sur les talons.

— Je n'aime pas beaucoup voir ce chien rôder autour de ma sœur.

— Ah non ?

— Pour être franc, je ne suis pas certain que j'aime te voir rôder autour de ma sœur.

— Ça va pas, non ?

— Elle n'a que seize ans.

— Et alors ?

— Alors, alors, elle passe son temps à me poser des questions à ton sujet. Je sais que vous vous voyez le soir. Écoute, mon vieux, tu n'as même pas le droit d'entrer chez nous depuis l'affaire de la Cadillac.

— Je n'ai rien eu à voir avec cette affaire. Et puis, ton père a une nouvelle Cadillac, non ?

— Ouais. Bien sûr.

— Ouais, Bien sûr... répéta Ace. Et si tu étais un con ?

— Ça se pourrait bien, répondit Danny.

Ace se retourna sans un mot et continua jusque chez lui, toujours suivi par Rudy. Danny se mit à lancer des boules de neige sur le peuplier qui ornait la pelouse des Wineman. Il visait juste mais il n'était pas vraiment bon lanceur. Il était un frappeur. Depuis des années, il s'exerçait avec Ace ; Ace n'était pas vraiment un bon frappeur mais il savait comment faire pour qu'on le devienne. L'été, en pleine canicule, il était le seul qui acceptait de passer des heures au terrain d'entraînement à lui lancer des balles et les deux amis ne s'arrêtaient qu'à la nuit tombée ou lorsque la mère de l'un ou de l'autre venait les chercher.

Mais, voilà, Ace et lui n'étaient plus des amis. Jamais Danny n'aurait cru cela possible. Peut-être était-ce de sa faute. Peut-être que quelque chose n'allait pas chez lui. Il devrait s'intéresser aux filles, se demander ce qu'il advenait des demandes d'admission qu'il avait envoyées à Cornell et à Columbia, penser au bal de fin d'année ou au fait que son meilleur ami venait de lui tourner le dos. Mais il ne pensait à rien de cela. Il pensait au base-ball, aux après-midi de juillet et à la vibration du bâton lorsqu'il frappait une balle courbe.

Quand il eut fini de lancer des boules de neige, il se résigna à rentrer chez lui. Il entra par la porte latérale pour ne pas laisser de traces sur le tapis du salon. Il embrassa sa mère ; il lui dit que les petits pains qu'elle venait de mettre au four sentaient divinement bon. Elle ne lui demanda pas s'il avait passé une bonne journée ou s'il avait des devoirs à faire. Danny passait toujours de bonnes journées et il faisait toujours ses devoirs. C'était un garçon fiable. Il serait certainement le porte-parole de sa classe à la remise des diplômes en juin et il serait sûrement admis à l'université grâce à ses travaux de recherche. Tous les samedis, il se rendait en autobus à l'université d'État où il assistait le professeur Merrick dans ses recherches sur les effets de la marijuana et de la vitamine C sur l'agressivité et sur la croissance. Il prenait encore l'autobus tous les samedis pour se rendre au laboratoire de biologie, mais il avait cessé de nourrir les hamsters avec de la marijuana. Il leur donnait plutôt de l'origan qu'il apportait de chez lui et il gardait la mari pour lui.

L'idée ne lui serait jamais venue de fumer de cette herbe, et il aurait continué d'en nourrir les hamsters, s'il n'avait pas surpris deux étudiants dire à la blague que certaines personnes auraient donné cher pour fumer ce qu'on donnait gratuitement à ces fichus hamsters. Danny leur vola une cigarette, s'enferma dans la salle de toilette attenante au laboratoire et fit rouler la cigarette entre ses doigts jusqu'à ce que tout le tabac en soit sorti. Avant de partir, il emplit la cigarette vide de marijuana et la fuma en attendant l'autobus au coin de la rue. Et depuis ce jour-là, les petits hamsters devaient se contenter d'origan.

Après avoir embrassé sa mère et rangé son manteau, Danny prit un sac de biscuits au chocolat et alla dans sa chambre. Il était à peu près certain que personne de la rue Hemlock ne connaissait l'existence de la marijuana, mais il entrouvrit sa fenêtre au cas où sa mère entrerait sans frapper ; elle pourrait penser qu'il fumait et il ne voulait pas lui causer de soucis.

Danny alluma un joint, s'étendit sur son lit et pensa au base-ball. Il avait l'esprit clair et alerte. Il écouta les bruits familiers de la maison, sa mère en train de préparer le repas, qu'ils mangeraient sans leur père car il arriverait tard, comme d'habitude, sa sœur en train de se laver les cheveux dans la salle de bains. Les gens pensaient qu'ils le connaissaient mais que savaient-ils de lui au juste ? Danny écrasa ce qui restait de sa cigarette et la mit dans un cendrier qu'il gardait caché dans son armoire. Il alluma son radio-réveil et regarda le cadran s'illuminer. Il se sentait différent des autres depuis quelque temps et il ne savait pas pourquoi. Il aimait Ace mais chaque fois que ce dernier lui adressait la parole, il avait envie de lui envoyer son poing à la figure.

La musique lui donnant mal à la tête, Danny éteignit la radio et écouta le bruit de l'autoroute. Il détestait l'idée que tous ces automobilistes passaient sans s'arrêter mais il ne pouvait s'empêcher d'écouter le grondement du Southern State. Il s'endormait et se réveillait au son de cette autoroute et bientôt ce bruit le rendrait complètement fou. Il se força à se lever et à mettre une chemise propre. Il alla ensuite dans la salle de bains pour se rafraîchir avant le dîner. Rickie était encore là, assise sur le bord de la baignoire en train de lire un magazine, la tête couverte d'un sac de plastique.

— Pouah !

— Je me fais un traitement pour revitaliser mes cheveux, est-ce que ça te dérange ? répliqua Rickie d'un air hautain.

Danny ne fit pas attention à sa sœur et il se lava les mains et le visage. L'eau froide lui piqua la peau, comme si des milliers de petites abeilles étaient cachées dans les gouttelettes.

— As-tu remarqué quelque chose de bizarre ces temps-ci ? demanda Danny à sa sœur.

— Comme quoi ?

Danny ferma la porte et se hissa sur le comptoir du lavabo.

— Comme le fait que papa n'est jamais à la maison.

— Il doit avoir beaucoup de travail au bureau.

Est-ce que sa sœur était vraiment idiote ou le faisait-elle exprès, se demanda Danny.

— Peut-être. Et si on parlait d'Ace McCarthy ?

Rickie enleva le sac de plastique et fit pénétrer le revitalisant dans ses cheveux. Elle se leva pour s'examiner plus attentivement dans le miroir. Sans ces fichues taches de rousseur, elle serait plutôt jolie. Parfois, elle pensait devenir folle à force d'essayer de cacher chacune de ces taches sous une couche de fond de teint, et son visage finissait par se brouiller dans le miroir.

— Que veux-tu dire ? demanda Rickie.

Rickie et Ace se voyaient maintenant tous les soirs. Elle était folle de lui même s'il ne pourrait jamais lui donner ce qu'elle attendait d'un garçon. Les silences d'Ace lui faisaient peur mais les battements désordonnés de son propre cœur lorsqu'elle était avec lui l'effrayaient encore plus. Et elle était terrorisée par le chien. Lorsqu'elle marchait aux côtés d'Ace le long de la clôture du Southern State, Rudy les suivait de si près qu'il lui mordillait les mollets ; il faisait de drôles de bruits avec sa gorge et elle ne savait jamais s'il grognait ou s'il essayait simplement d'attirer leur attention. Ace ne parlait jamais beaucoup mais lorsqu'ils s'étaient suffisamment éloignés de la rue Hemlock, il passait son bras autour de ses épaules et l'embrassait pendant si longtemps qu'elle avait l'impression que jamais ils ne s'arrêteraient. Ace était toujours celui qui les empêchaient d'aller trop loin. Il se détachait d'elle, sifflait son chien et, sur le chemin du retour, il marchait si vite qu'elle devait courir pour le rattraper.

— Je ne suis pas stupide. Je vous ai vus ensemble, dit Danny.

Rickie fit couler de l'eau dans le lavabo et prit son shampooing.

— Mêle-toi de tes affaires.

— D'accord, espèce d'idiote. Mais tu commets une grossière erreur. Ace n'est pas un garçon pour toi, c'est certain. Tu es plutôt du genre princesse et tu aurais intérêt à t'en souvenir.

— Le dîner est prêt, cria leur mère de la cuisine.

Rickie laissa couler l'eau du robinet et regarda son frère.

— Je pensais qu'Ace était ton meilleur ami.

— Était est bien le mot qui convient, répondit Danny à voix basse.

Avec sa chemise propre et son jean bien repassé, il ressemblait au jeune Danny de dix ans. Personne n'avait jamais eu à lui rappeler de sortir les poubelles. On pouvait lui faire entièrement confiance, mais ce n'était pas un garçon qui se livrait facilement. Si on insistait un tant soit peu, il se fermait comme une huître. Rickie mit sa tête sous le jet d'eau et se fit un shampooing. Elle ne demanda pas à son frère ce qui était arrivé entre lui et Ace. Elle ne voulait pas qu'il l'interroge sur sa relation avec Ace.

Danny était peut-être brillant mais il n'avait certainement pas la science infuse. Il ne savait pas que la nuit du 31 décembre, Rickie et Ace iraient beaucoup plus loin qu'un simple échange de baisers ; il ignorait que Rickie avait une fois de plus proposé de laisser sa fenêtre déverrouillée. Il était peut-être doué en calcul et en biologie mais il ne savait sûrement pas qu'elle avait déjà décidé de porter un pyjama de satin rose pour faire perdre la tête à Ace lorsqu'il entrerait dans sa chambre en passant par la fenêtre. Il ne se rendait pas compte qu'assis sur le comptoir de la salle de bains, il avait l'air si seul qu'on se demandait comment il faisait pour vivre ainsi. On se demandait surtout si cette solitude était contagieuse et si, malgré tout l'attachement que l'on avait pour son frère, il ne valait pas mieux se tenir loin de lui.

La soirée chez les Wineman eut lieu malgré la disparition de Donna Durgin. D'ailleurs Marie McCarthy avait déjà préparé deux tartes à la banane, Ellen Hennessy un gâteau au fromage et Lynne Wineman avait appris à faire des Sloe Gin Fizzes. Mais la fête eut lieu surtout parce que c'était la dernière journée de la décennie et qu'on ne revivrait plus jamais les premiers instants de 1960. Les femmes de la rue Hemlock voulaient avoir l'occasion de porter leurs souliers à talons hauts et leurs bijoux. Elles avaient besoin de voir leur mari habillé avec soin, de les trouver encore séduisants et de sentir leurs bras solides les enlacer pour danser un slow langoureux dans le sous-sol des Wineman.

Nora Silk avait décidé de fêter la veille du Nouvel An à sa manière. Elle avait mis une robe de soirée noire et elle avait fait des petites boulettes au fromage cheddar et des saucisses fumées enrobées de pâte qu'elle avait disposées avec soin dans un plat de service en argent. Elle servit un Shirley Temple à Billy et se prépara un Highball mais Billy ne put rester éveillé assez longtemps pour regarder l'émission de Guy Lombardo avec elle — Nora venait d'acheter un téléviseur — et, vers onze heures, il s'endormit sur le canapé, enroulé dans sa couverture. Nora alla dans la cuisine pour se verser un autre verre.

La nuit était froide et le ciel parsemé d'étoiles, la nuit idéale pour sortir sur le perron pendant que les enfants dormaient et écouter la musique qui venait d'une maison située presqu'au bout de la rue. Nora sirota son Highball en observant les étoiles. Dix ans plus tôt, le 31 décembre, elle et Roger étaient allés danser. Roger avait trop bu et il avait vomi en pleine Eighth Avenue. À cette époque, elle était follement amoureuse. Elle l'avait ramené à leur appartement et lui avait appliqué une compresse sur le front. Ensuite, elle lui avait fait boire un café si corsé qu'il avait failli s'étouffer et ils s'étaient finalement couchés sur le matelas posé par terre. Ils avaient fait l'amour jusqu'au matin. Peut-être Roger était-il meilleur magicien qu'elle ne voulait l'admettre parce que, pendant très longtemps, il avait réussi à la convaincre qu'ils n'avaient besoin de rien d'autre. Et elle continua de laver les couches dans l'évier de la cuisine et de monter les quatre étages à pied avec ses sacs de provisions. Mais tout cela était oublié lorsqu'il l'embrassait, qu'il lui offrait un bracelet à breloques, qu'il mettait son smoking et lissait soigneusement ses cheveux en arrière avec de l'eau. S'il n'y avait pas eu les enfants, ils seraient peut-être ensemble aujourd'hui à Las Vegas. La ville baignerait dans une lumière mauve et la veille du Jour de l'An serait une nuit pleine d'alcool et de sueur, comme il se devait.

Nora écouta la musique qui venait de chez les Wineman et elle eut mal, physiquement mal, comme si elle avait bu du lait suri et qu'elle souffrait de brûlures d'estomac. Mais qui étaient donc tous ces gens qui dansaient dans le noir et dont les enfants harcelaient Billy et lui lançaient des pierres ? Des gens très bien, à n'en pas douter, des gens qui bordaient leurs enfants le soir, qui leur préparaient des déjeuners avec amour, qui faisaient les mêmes sacrifices qu'elle, peut-être de plus gros même, pour qu'ils puissent jouer dans l'herbe, dormir en toute quiétude, marcher pour aller à l'école en se tenant par la main. Des enfants en sécurité sur le trottoir et dans la rue. Des enfants en sécurité dans la nuit. Et ce n'était pas de leur faute, ou de la faute de quiconque, si, ce soir, Nora se sentait seule au monde.

Il était vingt-trois heures quarante-cinq et, deux maisons plus loin, Rickie Shapiro aurait donné son âme pour être seule cette nuit-là. Elle venait tout juste de comprendre qu'elle était sur le point de commettre l'erreur de sa vie. Si elle n'était pas prudente, elle ne s'en remettrait jamais. Quelque chose d'aussi simple que cela pouvait tout gâcher. C'était la première fois qu'elle laissait un garçon aller aussi loin et Ace avait réussi à glisser sa main sous l'élastique de son pantalon de pyjama et maintenant il la caressait avec ses doigts. Elle avait les lèvres gonflées de s'être abandonnée à tous ses baisers et sa peau brûlait. Il y avait des marques sur ses seins comme si les doigts d'Ace y avaient laissé des brûlures. Si elle ne faisait pas attention, il lui enlèverait son pyjama et il serait trop tard, le mal serait fait. Mais personne ne pouvait la forcer à faire ce qu'elle ne voulait pas faire. Elle ne reconnaissait plus Ace tout à coup. Elle le voyait loin au-dessus d'elle, un être de feu, un étranger. Et qu'aurait-elle de lui en retour ? Qu'avait-il à lui offrir ? Rien. Sa mère aurait le cœur brisé, son père s'arracherait les cheveux, son frère lui dirait qu'elle était stupide et qu'elle n'aurait jamais dû faire ça. Il y avait douze belles vestes de laine rangées dans un tiroir de sa commode ; il y avait le *college* qui l'attendait après sa dernière année d'école secondaire ; il y avait des tas d'autres garçons qui voulaient sortir avec elle, des garçons qui faisaient partie à la fois du club de chimie et du club de football, des garçons qui n'oseraient pas mettre leur langue dans sa bouche lorsqu'ils l'embrasseraient.

Elle aurait des marques sur ses seins pendant des jours. Elle le savait. Elle ouvrirait sa blouse, dégraferait son soutien-gorge et passerait son doigt sur les brûlures et ses yeux se rempliraient de larmes. Mais les filles comme elle n'allaient jamais aussi loin et c'est pourquoi elle était en train de changer d'idée. Parce que si elle n'arrêtait pas Ace maintenant, jamais elle ne le ferait.

— Eh, attends. C'était ton idée, non ? dit Ace lorsqu'elle le repoussa.

Les parents de Rickie étaient allés dîner dans leur restaurant français préféré, à Freeport, et Danny s'était probablement réfugié derrière l'école pour fumer un joint en écoutant son transistor. Personne ne pouvait les surprendre mais Rickie savait qu'elle risquait de se faire prendre au piège.

— Je ne peux pas, dit-elle.

Une heure plus tôt, il était entré par sa fenêtre. Elle l'avait obligé à laisser son chien dehors, dans le jardin. Au début, ils avaient entendu un jappement sourd de temps en temps mais ils avaient continué de s'embrasser et ils avaient finalement perdu la tête. Maintenant, les aboiements de Rudy parvenaient clairement aux oreilles de Rickie. Elle pensa à Cathy Corrigan et aux filles comme elle, celles qui mettaient trop de laque dans leurs cheveux, celles qui se maquillaient trop les paupières et qui avaient l'air d'avoir les yeux pochés. Elle pensa aussi à celles qui disparaissaient soudainement quelques semaines avant la fin de l'année scolaire et que l'on envoyait vivre chez un oncle et une tante, loin de la rue Hemlock. Elles revenaient l'automne suivant, soumises et maussades, et on les fuyait comme la peste.

Rickie s'arracha des bras d'Ace. Elle se leva en tremblant.

— D'accord, dit Ace, calme-toi.

Il remit sa chemise et commença à la boutonner ; il sentit qu'il valait mieux ne pas s'approcher de Rickie car elle semblait prête à le frapper.

— Écoute Ace, c'était une erreur. Je ne pourrai jamais sortir avec toi.

Rickie se dirigea vers sa penderie et mit son peignoir. Elle prit une brosse sur sa commode, une brosse fabriquée en France avec un manche fait de véritables écailles de tortue, et elle se brossa les cheveux d'un mouvement vigoureux et régulier.

— Tu n'es même pas capable de faire tes propres devoirs.

Elle reposa sa brosse. Elle avait envie de pleurer. Ace la regarda sans broncher.

— Et tu ne te rends même pas compte quand on t'insulte, poursuivit Rickie.

Ace se leva, finit de boutonner sa chemise et prit son manteau sur le dossier de la chaise en osier.

— J'espère que tu ne parleras de cela à personne. Tu n'as pas le droit de me faire ça, dit Rickie.

Ace se dirigea vers la fenêtre et l'ouvrit. Il monta sur la chaise en osier.

— Je suis navrée, continua Rickie. Je ne voulais pas te blesser.

— Et qu'est-ce qui te fait dire que tu m'as blessé ?

Il ne lui ferait certainement pas ce plaisir. Lui laisser deviner son désarroi, voir au fond de son âme ? Jamais. Il passa par la fenêtre et se laissa tomber par terre. Le chien l'attendait dans le noir ; il se redressa et s'approcha de son maître.

— Tout beau, murmura Ace.

Il se sentait tellement vidé qu'il n'avait même pas la force de se demander pourquoi Rickie avait changé d'avis. Il avait toujours pensé qu'il ne méritait pas grand-chose dans la vie, mais maintenant, il savait qu'il méritait encore moins que ce qu'il s'était imaginé. L'air était vif et froid et ses poumons lui faisaient mal. Il traversa le jardin des Shapiro, le chien sur les talons. Il aurait pu pleurer mais il n'y avait plus rien en dedans de lui. Il s'arrêta un instant dans l'allée, prit une cigarette, mit sa main au-dessus de la flamme de l'allumette et quand le feu toucha sa peau, il ne sentit rien.

Il n'avait nul endroit où aller et peut-être n'en avait-il jamais eu mais, s'il restait ainsi sans bouger, il risquait de se transformer en statue. Il se remit à marcher. Il faisait de plus en plus froid. Quand il passa devant la maison des Wineman, il entendit la musique mais elle était assourdie par la brume épaisse et blanche qui se formait au-dessus des pelouses couvertes de neige. Il continua à marcher même s'il avait peur et que les poils de ses bras se hérissaient comme si l'intérieur de son corps était plein d'électricité statique. Mais c'était l'air qui était chargé d'électricité. L'écorce des pommiers sauvages et des peupliers se mit à crépiter et les branches prirent une teinte argentée. On aurait dit que le trottoir était pavé d'ossements et, au-dessus de lui, une constellation d'étoiles brillantes dessina la colonne vertébrale d'un dinosaure. L'air menaçant, il semblait s'arc-bouter sur les maisons de la rue Hemlock. Tout à coup, Ace s'arrêta. Au bout de la rue, le fantôme de Cathy Corrigan venait d'apparaître sur la pelouse, devant la maison de son père.

Elle se tenait entre les azalées et les arbustes et elle avait les pieds nus. Ace sut immédiatement qu'il s'agissait du fantôme de Cathy car elle était tout de blanc vêtue, elle avait des boucles d'oreille en forme de globes et des bagues à chaque doigt. Aucun autre fantôme n'aurait pu le plonger dans un tel désespoir ni mettre à nu une blessure qui n'existait même pas. Une étrange lueur bleutée l'enveloppait. On aurait dit une lune qui aurait été de la mauvaise couleur ou l'empreinte d'un regret. Ace et Rudy s'étaient arrêtés tous les deux sur le trottoir. Le chien inclina la tête sur le côté, silencieux, puis avança de quelques pas comme si on l'avait appelé. Ace le retint par le collier.

— Ne bouge pas.

Rudy n'alla pas plus loin mais il gémit doucement. Le fantôme de Cathy Corrigan se dissipa peu à peu et on aurait dit des centaines de lucioles qui s'éteignaient une à une. Bientôt il n'y eut plus qu'une forme lumineuse planant au-dessus du parterre. Elle s'enfonça dans la couche de glace, dans la pelouse, entre les brins d'herbe pour disparaître finalement dans le sol.

Ace McCarthy se mit à pleurer, complètement perdu, ne sachant pas si Cathy venait de le maudire ou de le bénir. Il ne pouvait pas rester là même si, maintenant plus que jamais, il ne savait où aller. Il se mit à courir aussi vite qu'il le pouvait, Rudy à ses côtés. Ils longèrent le trottoir, traversèrent les pelouses et on aurait dit qu'ils s'élançaient à travers les étoiles. Ils continuèrent à courir de toutes leurs forces, côte à côte, chaque respiration leur déchirant la poitrine et ils auraient pu continuer ainsi éternellement et se précipiter tête baissée dans la circulation du Southern State si Ace ne s'était pas retrouvé dans les bras de Nora Silk où il pleura longtemps avant qu'elle ne l'emmène chez elle.

1960

6

Le loup

L'air blanc de ce mois de janvier était rempli de chuchotements, comme si des fantômes avaient trouvé refuge dans les cheminées, sous les lits et dans les congélateurs, entre les Eskimos Pies et les cubes de glace. Ils surgissaient au crépuscule au-dessus des clôtures grillagées et les enfants, effrayés, arrêtaient de se lancer des boules de neige et couraient se réfugier à l'intérieur. Tard le soir, on entendait frapper aux fenêtres et ni la télévision ni la radio n'arrivait à camoufler toutes ces voix qui murmuraient des choses que les résidants de la rue Hemlock auraient préféré ne pas entendre. Ils auraient aimé voir un peu de couleur autour d'eux, la ligne rougeâtre d'un coucher de soleil au-dessus de l'autoroute, le bleu éclatant d'un ciel de printemps mais, jour après jour, il n'y avait que la grisaille d'un hiver brumeux et enneigé, et toute cette immobilité exacerbait leur désir, un désir qui rendait leurs doigts, leurs coudes et leurs orteils douloureux.

Ce désir, nourri de mille petites frustrations, les jeunes mères de la rue Hemlock le retrouvaient dans les gants de caoutchouc qu'elles enfilaient pour nettoyer l'évier de la cuisine ou dans les tranches de poire qu'elles servaient à leurs enfants. Les hommes le trouvaient dans le fond du plat

Tupperware contenant leur déjeuner, et les adolescents dans la manche de leur blouson de cuir qu'ils enfilaient dès que la cloche sonnait la fin de la classe. Le matin, lorsque le brouillard était très dense, les gens se regardaient d'une allée à l'autre en se demandant ce qu'ils faisaient là, dans cette rue pleine de fantômes qui les harcelaient. Il se mit à se passer des choses bizarres, des choses que l'on n'aurait jamais cru possibles, auxquelles l'on ne se serait jamais attendu et que l'on aurait surtout préféré ignorer. Des résidants de la rue Hemlock négligèrent de régler leur compte d'électricité et un beau soir, on put voir clignoter les lumières dans leur maison. Des mères servirent des plats surgelés à leurs enfants pour dîner et les laissèrent manger en regardant la télévision. Des adolescentes décidèrent qu'elles avaient mieux à faire le vendredi soir que de garder des enfants et il était pratiquement devenu impossible d'avoir une gardienne ce soir-là. Elles se débarrassèrent de leurs gaines et de leurs bas, et les plus audacieuses arrêtèrent même de porter des sous-vêtements. Et toute cette peau qu'ils pouvaient voir à travers le tissu des jeans ou des jupes à plis fit perdre la tête aux garçons. Le corps en feu, ils montèrent le volume de leur transistor à s'en rendre sourd. Autour d'eux, l'air grésillait et une odeur de soufre leur collait à la peau même quand ils sortaient de la douche, propres et dégoulinants d'eau.

Les gens étaient de plus en plus nerveux et les fantômes continuaient de chuchoter à leur oreille dans un charabia incompréhensible, mais qui semblait avoir un lien avec la façon dont ils menaient leur vie. Tout cela les rendait encore plus impatients lorsque le repas n'était pas servi à dix-huit heures précises ou lorsque leur fille se montrait insolente. Le mauvais temps, l'humidité, le cafard du mois de janvier, voilà l'explication se disaient les jeunes mères devant une pile de vêtements qu'elles n'avaient pas le cœur de laver. Voilà pourquoi les enfants tiraient les chats par la queue, pourquoi les chiens du voisinage fouillaient dans les poubelles et éparpillaient les ordures partout. Vers la mi-janvier, tout allait si mal que les gens se demandèrent si la disparition de Donna Durgin y était pour quelque chose. Ils se mirent à changer de trottoir lorsqu'ils croisaient Robert qui accompagnait ses deux fils à l'école, la petite Melanie courant derrière eux. Les trois enfants portaient des vêtements froissés et, de toute évidence, personne n'avait pris la peine de démêler les cheveux de la fillette et de les natter convenablement. Au supermarché, ils changeaient d'allée lorsqu'ils le voyaient en train d'acheter des céréales et de la mayonnaise pendant que ses enfants, entassés dans le chariot, s'agrippaient aux sacs de croustilles et aux bouteilles de Pepsi-Cola. Les voisines arrêtèrent de lui apporter des plats cuisinés et, après un certain temps, elles cessèrent même de se sentir coupables car il engagea une gardienne, une femme de Hempstead, pour prendre soin de Melanie pendant la journée et pour aller chercher les garçons après l'école. De loin, elle pouvait très bien passer pour leur grand-mère mais, lorsque les enfants jouaient dans la neige, elle ne remontait jamais leurs bas et ne rentrait pas leur pantalon dans leurs bottes. Mais tout continua d'aller de travers même si les gens évitaient Robert Durgin comme la peste. Ellen Hennessy remarqua que les nattes de Suzanne étaient toujours défaites et qu'elle avait tout le temps l'air négligé. Jusqu'à son fils Stevie qui refusait de lui obéir et qui lui répondait d'un ton qu'elle n'aurait jamais osé employer à son âge. Elle-même oubliait de faire décongeler les côtelettes ou les steaks pour le dîner et, soir après soir, sa famille devait se contenter de bâtonnets de poisson et de haricots ; Joe ne se plaignait jamais mais les enfants commençaient à rouspéter.

Elle avait toujours la casserole à double fond que Donna lui avait prêtée, et peut-être était-ce à cause de cela qu'elle n'avait pas le cœur de cuisiner. Parfois, elle manquait d'air et elle avait beau respirer lentement dans un sac de papier brun, cela ne la soulageait pas. Lorsqu'elle était seule avec son mari, elle se mettait à trembler de tous ses membres et Joe lui avait même demandé s'il y avait un autre homme dans sa vie. Elle avait éclaté de rire en lui disant qu'elle ne voyait vraiment pas qui cela pouvait être. Joe n'insista pas. Il n'était pas comme le mari de sa sœur Jeannie qui avait exigé qu'on enlève la photo de John Kennedy fixée au mur parce qu'il était trop beau. Ellen ne désirait pas un autre homme et, même si elle trouvait John Kennedy plutôt sexy, c'était Jacqueline Kennedy qui la fascinait. Elle lisait tout ce qu'elle pouvait trouver sur ses livres préférés, son couturier, sur tout ce qui l'aiderait à comprendre comment cette femme pouvait être si parfaite et si pleine de promesses. Jacqueline Kennedy représentait la femme de l'avenir et c'est ce qui amena Ellen à réfléchir à son propre avenir. Pendant que Stevie était à l'école et que Suzanne faisait la sieste, elle se tenait dans l'encadrement de la porte donnant sur le jardin et elle regardait la maison de Donna Durgin. Elle sentait monter en elle un sentiment vague et confus qu'elle ne comprenait pas et dont elle ne voulait pas. C'était le désir, et la pensée de toutes ces années pendant lesquelles elle n'avait jamais rien désiré la rendait furieuse. Elle se referma frileusement sur elle-même jusqu'à devenir un véritable glaçon, et Joe Hennessy ne pouvait même plus la toucher ni être dans la même pièce qu'elle.

Il aurait pleuré s'il avait pu. Il se serait frappé la tête contre le mur mais il préférait ingurgiter dix tasses de café noir par jour et une demi-bouteille de Pepto-Bismol. Il s'occupait encore du cas de Donna Durgin et c'était pour lui un véritable soulagement de se concentrer sur cette affaire plutôt que de pleurer sur son sort. Hennessy était le seul à rendre encore visite à Robert Durgin et il continuait à chercher des indices pouvant expliquer la disparition de Donna. Il fouillait dans son placard, dans ses livres de recettes au cas où elle y aurait noté des messages secrets. Il téléphonait à sa famille, dans Queens, au moins deux fois par semaine, au cas où elle aurait donné signe de vie. Robert ne parlait presque plus de sa femme mais Hennessy continuait à le presser de questions. Il insista tellement que Robert finit par lui donner le nom d'un restaurant, que le jeune couple fréquentait à l'époque où il demeurait près de Queens Boulevard, mais Hennessy découvrit que le restaurant avait été démoli pour laisser place à un nouvel immeuble. Et même quand il n'y eut plus d'indice à découvrir, Hennessy continua de rendre visite à Robert Durgin. Il faisait des courses pour lui ; il allait à la pharmacie pour y prendre les médicaments d'un des garçons. Il apportait de la pizza et, une fois les enfants au lit, les deux hommes regardaient le match de lutte à la télévision. Robert n'était pas vraiment un ami et ils ne se parlaient pas beaucoup ; ils pouvaient regarder la télévision pendant des heures sans échanger un seul mot sauf pour contester la mauvaise décision d'un arbitre. Mais tous les deux avaient l'impression d'avoir une chose en commun : pour une raison ou pour une autre, leurs femmes les avaient quittés même si, dans le cas de Hennessy, Ellen était juste de l'autre côté de la rue et qu'elle n'était partie nulle part. En fait, Hennessy allait chez les Durgin pour tenter d'oublier ce désir qui devenait de plus en plus pressant. Toutes les excuses étaient bonnes pour ne pas rentrer chez lui mais, lorsqu'il était trop tard pour aller chez Robert et qu'il n'avait plus rien à faire au poste, il devait bien se résigner à rentrer à la maison. Et, après des dizaines de cafés noirs et de bâtonnets de poisson, ce désir était devenu si obsédant qu'il aurait tout donné, sa maison, sa famille, son travail pour passer une nuit avec Nora Silk.

Il désirait cette femme à en devenir fou. Avant même de s'apercevoir de ce qu'il faisait, il avait ouvert un compte dans une banque de Floral Park, un endroit où il n'avait jamais mis les pieds et, chaque semaine, il y déposait un peu d'argent. Il cacha son livret d'épargne dans le garage. Pourquoi là et pas ailleurs, il ne le sut jamais. Il se mit à éplucher la section Immobilier des annonces classées à la recherche d'un appartement dans Long Island ou près d'Albany, plus au nord. Il s'informa des possibilités d'obtenir un poste ailleurs dans l'état de New York. Tous les prétextes étaient bons pour aller le plus souvent possible au palais de justice et, après un certain temps, tout le monde sut que Joe Hennessy s'intéressait aux affaires de divorce. Les avocats l'appelaient maintenant par son prénom et le midi, Chez Reggie, chacun avait sa petite histoire à lui raconter : une femme avait préféré mettre le feu à sa maison de Levittown plutôt que de partager le produit de la vente avec son mari ; un homme s'était tiré une balle dans le pied pour ne pas travailler et avoir à payer une pension à son ex-femme ; un chroniqueur sportif avait tiré sur une photo de sa femme dans les dunes de Jones Beach. Il avait raté sa cible, blessant un vieil ermite qui vivait là dans une cabane et l'homme avait porté plainte. Il avait récolté un quart de million de dollars.

Hennessy se délectait de toutes ces anecdotes. Il apprécia surtout celle du mari qui s'était enfui en Floride pour ne pas payer de pension alimentaire, et celle de la femme qui avait engagé un détective privé à vingt dollars l'heure pour avoir la preuve, sur photo, des infidélités de son mari. Toutes ces histoires alimentaient son désir et lui redonnaient espoir. Il était possible de divorcer et il ne serait pas le premier à le faire. Bien sûr, dans sa famille, dans son milieu, c'était impensable. On se mariait et c'était pour la vie. Mais il avait la preuve maintenant qu'il existait des couples qui se séparaient, des maris qui quittaient leur famille et qui allaient même jusqu'à se tirer un coup de fusil dans le pied. Pourtant, tous ces hommes n'avaient pas l'ombre d'une excuse aussi valable que la sienne. Il était amoureux. Le simple fait de voir Nora Silk lui arrachait le cœur. Si, après une tempête de neige, il la voyait dehors en train de pelleter, il restait chez lui. Il n'aurait pas résisté à l'envie de la prendre dans ses bras et de la porter jusqu'à sa voiture. Si elle tenait à emmener ses enfants, ils partiraient tous ensemble ; s'il ne pouvait pas obtenir un poste ailleurs et perdait sa retraite, on verrait bien. Et puis, il se fichait pas mal de savoir qui installerait les étagères dans la buanderie et ce que diraient ses enfants.

Chaque fois qu'il pensait à Nora Silk, Joe Hennessy croyait devenir fou et les poils de sa nuque se hérissaient à lui faire mal. Il se mit à surveiller sa maison avec de vieilles jumelles dénichées dans le sous-sol et qu'il avait soigneusement nettoyées. Nora ne baissait jamais complètement le store du salon et, à la tombée du jour, il pouvait voir les lumières s'allumer. Il la voyait dans sa salle de bains, assise sur le comptoir, en train de se maquiller les yeux et de se coiffer devant le miroir. À deux reprises, il l'avait vue danser avec le bébé dans les bras et un long frisson lui avait parcouru la colonne vertébrale. Mais lorsqu'il avait regardé de nouveau après s'être aspergé le visage d'eau froide, elle n'était plus là.

Aucun de ses collègues ne remarqua qu'il était encore plus taciturne que d'habitude. Fidel Castro venait d'entrer à La Havane et la menace communiste monopolisait toutes les conversations. Johnny Knight, qui était déjà allé à Cuba pour faire de la plongée sous-marine, était particulièrement inquiet. Il avait décidé de se bâtir un abri nucléaire dans son sous-sol. « Profitons de Miami cet hiver car d'ici un an, la Floride sera sûrement aux mains des communistes », disait-il à qui voulait l'entendre.

— J'ai l'impression que tu te fiches pas mal de Castro, lui avait reproché Johnny Knight un jour que les deux hommes se dirigeaient vers leur voiture.

Hennessy s'était tourné brusquement vers lui. Il avait les mains gelées.

— Comment peux-tu prétendre savoir ce que je pense vraiment ?

— Ça va, ça va. Calme-toi, avait répondu Knight, surpris.

Hennessy avait violemment claqué la portière de sa voiture. Il aurait donné n'importe quoi pour être à Cuba à cet instant précis, communistes ou pas. Et c'est à ce moment-là qu'il avait compris à quel point il était obsédé par Nora. Il décida de passer à l'action. Il attendit le samedi suivant car, ce jour-là, Ellen allait chez Jeannie avec les enfants. Il aurait dû se sentir coupable, mais ce n'était pas le cas. Pourquoi se serait-il senti coupable ? Ellen ne le désirait pas plus qu'il ne la désirait. Il se rasa de près, s'habilla et sortit. Lorsqu'il eut fini de déblayer le trottoir et une partie du parterre, Rickie Shapiro sortit de chez elle et se dirigea vers la maison de Nora Silk. Dix minutes plus tard, alors qu'il nettoyait le trottoir en face de chez les Wineman, Nora sortit à son tour et entreprit de gratter la couche de glace sur le pare-brise de sa Volkswagen. Il appuya sa pelle contre un pommier sauvage et traversa la rue, le cœur et la nuque en émoi. Nora avait mis des lunettes pour se protéger des reflets du soleil sur la neige et les breloques de son bracelet heurtaient le pare-brise. Elle s'arrêta et lui fit un signe de la main. Hennessy aurait aimé voir ses yeux.

— Armand déteste quand je suis en retard et je suis toujours en retard.

— Laissez-moi vous aider.

Hennessy s'empara du grattoir et se mit à enlever la couche de glace du côté du conducteur.

— C'est vraiment gentil de votre part.

Il regarda Nora. Elle était en train d'arranger son bracelet.

— Peut-être qu'un jour vous n'aurez plus à travailler, dit Hennessy.

Il se sentait sur le point de suffoquer. Il sentait sa gorge se rétrécir, s'obstruer comme si les mots qui sortaient de sa bouche étaient des objets dangereux et tranchants.

— Non, je ne crois pas. Je ne me fais pas d'illusions, vous savez.

— Si vous vous remariez, je veux dire, répondit Hennessy, étonné d'avoir le culot de dire une chose pareille.

— Même si je n'avais pas à gagner ma vie, je travaillerais quand même. J'ai eu ma leçon.

Hennessy fit le tour de la voiture pour gratter du côté passager. Nora fouilla dans son sac, se pencha vers le miroir latéral et se mit du rouge à lèvres. Hennessy enleva la glace collée à la lame du grattoir avec ses doigts.

— De toute façon, ce n'est pas comme si je pensais à me remarier bientôt.

Il devrait lui laisser du temps, songea Hennessy. Il finit de nettoyer le pare-brise et lui remit le grattoir.

— Eh bien, c'est vraiment dommage, dit Hennessy sans réfléchir.

— Eh oui, dit Nora en riant.

Hennessy se tenait tout près d'elle. Elle sentait le rouge à lèvres et le chèvrefeuille. Elle lui toucha le bras, l'espace d'un instant. Hennessy retint sa respiration.

— Vous êtes vraiment adorable, dit Nora.

Il la regarda s'installer derrière le volant de sa voiture et démarrer. Il économiserait, il attendrait qu'elle soit prête. Il s'occuperait de tout, peut-être même louerait-il un appartement. Nora passa la marche arrière et recula. Il n'avait plus mal à l'estomac. En fait il se sentait merveilleusement bien. Il était prêt à attendre le temps nécessaire et il continuerait à vivre normalement même si les choses ne seraient plus jamais comme avant. Ce soir-là, et les jours qui suivirent, il mangea ce qu'Ellen lui servait, comme s'il avait eu vraiment faim. Le lendemain, il écouta Johnny Knight fustiger Fidel Castro pendant que les deux hommes déjeunaient d'un hamburger au White Castle. Il emmena Suzanne à son premier cours de ballet et donna la fessée à Stevie pour le punir d'avoir été grossier avec son professeur. Il pouvait continuer à mener une vie normale parce qu'il savait que tout cela aurait une fin. Mais l'attente le rendait impatient et il n'arrivait plus à dormir. Il se couchait vers onze heures et lorsqu'il était certain qu'Ellen dormait, il se levait, allait dans la cuisine, se préparait un café et attendait. Parfois, le chat de Nora était sur le perron et la lumière était encore allumée dans sa cuisine même s'il était minuit et que la lune brillait dans le ciel. Elle oubliait souvent de baisser le store du salon et, avant de prendre ses jumelles, il essayait de deviner ce qu'il distinguait dans la pièce plongée dans l'obscurité : une couverture de bébé laissée sur le canapé, une pile de disques oubliés sur une chaise, les feuilles plissées aux pointes retroussées d'une plante dans un coin.

Et puis, une nuit, alors que dehors tout était calme sous un ciel éclairé par une lune argentée et que le froid était particulièrement intense, Hennessy vit quelque chose bouger dans un coin du salon de Nora. Ce n'était pas le chat, il le voyait sur le perron. Le bébé avait-il réussi à descendre de son lit ? Des vêtements venaient-ils de tomber d'une chaise ? Hennessy posa sa tasse de café et prit ses jumelles ; sa nuque était si raide qu'il avait de la difficulté à bouger la tête. La chose se leva lentement, fit quelques pas et c'est alors que Hennessy vit l'ombre sur le mur. C'était l'ombre d'un loup.

Il alla dans sa chambre, ouvrit le tiroir de sa table de nuit et prit son pistolet. Il inséra les balles dans le barillet d'une main tremblante. Il respirait bruyamment mais Ellen ne se réveilla pas, et elle continua de dormir pendant que son mari, l'arme à la main, le bruit de sa respiration sifflant à ses oreilles, se précipitait hors de la maison et traversait la rue noire. Lorsqu'il atteignit les arbustes qui entouraient le perron de la maison de Nora, il se força à ralentir. Il se pencha et s'approcha de la fenêtre sans faire de bruit. Le loup était couché sous la table de la salle à manger et, n'eût été ses oreilles dressées — il semblait à l'affût de quelque chose — Hennessy aurait facilement pu le croire endormi. C'était un signe du destin, un miracle. Peu importait comment ce loup était entré dans la maison et s'il lui mordait une jambe quand ils se retrouveraient face à face, Hennessy ne voyait qu'une chose : il était sur le point de sauver Nora et elle verrait alors qu'il était l'homme qu'elle attendait. Convaincu de l'heureux dénouement de l'histoire, il se releva brusquement et heurta la fenêtre. Le loup le regarda et Hennessy ne fut plus certain de rien.

La bête sortit de sous la table. Elle était immense, ses pattes aussi grosses que les poings d'un homme. Elle s'avança en reniflant l'air et Hennessy la vit clairement. Il était incapable de détacher son regard de celui de la bête. Elle l'avait hypnotisé comme s'il avait été un vulgaire lapin. Soudain, elle renversa la tête en arrière et poussa un tel hurlement, puissant et désespéré à la fois, que Hennessy faillit perdre pied. Il aurait dû tirer à ce moment-là mais Nora arriva en courant dans le salon. Il aurait dû tirer mais il n'en fit rien. Il resta là, immobile, pendant que Nora, pieds nus, vêtue d'une chemise de nuit blanche, s'approchait du loup, lui donnait une tape sur le museau puis se penchait pour lui passer les bras autour du cou. Elle lui gratta le ventre en lui chuchotant des mots doux à l'oreille. Hennessy se retint au rebord de la fenêtre pour ne pas tomber. Il avait les pieds enfoncés jusqu'aux chevilles dans les lierres qui couraient le long de la façade et le pistolet encore à la main lorsqu'il se rendit compte que c'était le chien d'Ace McCarthy qu'il voyait dans le salon de Nora Silk.

Il retourna chez lui. Il referma la porte, la verrouilla puis descendit au sous-sol. Il sortit tous les journaux où il avait encerclé les appartements à louer dans la section Immobilier. Il les emporta au rez-de-chaussée et les jeta à la poubelle, celle qui était dans le garage. Il alla ensuite se coucher tout habillé et, parce qu'il n'avait plus rien à espérer, il dormit d'un sommeil sans rêve. Le lendemain matin il conduisit jusqu'à Floral Park. Il se rendit à la banque retirer ses économies et il resta là pendant que la caissière déchirait son livret en deux.

La première fois que Nora l'avait accueilli dans son lit, ils n'avaient pas échangé une seule parole de peur de réveiller les enfants mais surtout parce que ce qu'ils s'apprêtaient à faire se passait de mots. Elle l'avait ramené chez elle, elle avait refermé la porte derrière lui et elle s'était coincé le doigt dans la porte-moustiquaire. Ce n'est que le lendemain matin, quand le bébé lui avait saisi le doigt en disant : « Bobo ? » qu'elle avait vu qu'elle s'était blessée. Elle avait pensé lui offrir un verre d'eau mais dès qu'il était entré dans la maison, elle avait compris que le verre d'eau attendrait. Il se tenait dans l'embrasure de la porte, tremblant de tous ses membres. Elle avait passé ses bras autour de son cou et l'avait embrassé, s'imaginant que ce serait un baiser doux et tendre. Elle s'était trompée.

Ils s'étaient dirigés vers sa chambre dans le noir et ils avaient laissé le chien entrer pour qu'il ne gratte pas à la porte. Rudy s'était couché dans un coin, sur une de ses chemises de nuit tombée d'un crochet, et ils pouvaient entendre sa respiration pendant qu'ils s'embrassaient. Ils ne pouvaient se détacher l'un de l'autre et finalement Nora n'eut pas le temps d'enlever tous ses vêtements. Ace l'aida à enlever sa petite culotte. Ils s'étendirent par terre, des oreillers leur servant de coussins, et ils s'agrippèrent aux montants métalliques du lit. Le chien continua de dormir dans son coin, d'un sommeil sans rêve, le bébé ne pleura pas pour avoir à boire et Billy ne se réveilla pas pour aller à la salle de bains. Ils firent l'amour toute la nuit, se couvrant mutuellement la bouche pour s'empêcher de crier. À cinq heures du matin, lorsque le ciel devint blanc, que les étoiles s'éteignirent une à une et que le drap dans lequel ils étaient enroulés fut complètement déchiré, ils songèrent tous les deux que c'était peut-être la fin de la nuit mais certainement pas la fin de leur histoire.

Depuis cette nuit-là, Ace se levait tôt, allait à l'école, répondait « présent » lorsqu'on appelait son nom et assistait aux cours toute la matinée mais, lorsque la cloche sonnait pour la pause de midi, il savait que Nora mettait le bébé au lit pour sa sieste et qu'elle l'attendait. Il courait le long de la rue Poplar, traversait le jardin des Amato en zigzaguant, sautait par-dessus la clôture entourant le terrain de Nora et entrait par la porte latérale qu'elle laissait ouverte. Il ne cherchait pas à comprendre ce qui lui arrivait. Tout ce qu'il savait, c'était que cela s'aggravait de jour en jour. Parfois ils ne pouvaient même pas attendre d'être dans la chambre, ils faisaient l'amour sur le canapé du salon et ne s'arrêtaient que lorsque le bébé se réveillait. Ace se rhabillait pendant que Nora préparait le biberon de James et il repartait par la porte latérale. Il courait jusqu'à l'école où il arrivait juste à temps pour le dernier cours.

Il détestait les fins de semaine parce qu'il ne pouvait pas la voir. Il travaillait à la station-service et s'occupait des clients pendant que Jackie et Le Saint réparaient les moteurs de voiture dans l'atelier. Lorsqu'il pensait à elle, il avait tellement chaud qu'il avait peur d'exploser. Les nuits étaient un véritable cauchemar. Nora acceptait parfois qu'il vienne chez elle mais, la plupart du temps, il se frappait le nez à une porte verrouillée. Billy devait faire des cauchemars ou le bébé devait percer des dents. Ace maigrissait à vue d'œil. Le midi, il mangeait à peine et le soir, il était incapable de dîner avec sa famille même quand Marie préparait son mets préféré. Les nuits où Nora refusait de le recevoir, il ne parvenait pas à dormir et il faisait de longues promenades avec Rudy. Il finissait toujours par se retrouver en face de la maison des Corrigan. Il s'arrêtait devant l'allée, hésitant à aller plus loin ; il se disait que seul un froussard se sauverait en courant et il se forçait à avancer, s'approchant de plus en plus près de la tache pâle qui formait un cercle sur la pelouse, à l'endroit où le fantôme de Cathy était apparu. Rudy refusait carrément de le suivre ; il s'assoyait sur ses pattes de derrière et poussait de petits gémissements aigus pendant qu'Ace traversait le parterre et s'arrêtait à quelques pas de la tache. Il n'osait pas s'approcher davantage. Une nuit, il tendit le bras et mit la main à l'intérieur du cercle mais, à l'instant où il sentit l'air chaud envelopper sa main, il entendit le klaxon d'une voiture. Il retira vivement le bras et quand il se retourna, il vit son frère au volant de sa nouvelle Bel Air. Jackie descendit la vitre et lui fit signe de s'approcher.

— Monte, et vite.

Ace ouvrit son poing et le referma. La peau de ses doigts était brûlante.

— Allez, monte, répéta Jackie en l'agrippant par son blouson.

Ace contourna la voiture, ouvrit la portière et monta dans la Bel Air.

— Bordel de merde, mais qu'est-ce que tu fous ici ? s'exclama Jackie.

Il avait travaillé tard et il sentait l'essence. Il transpirait aussi. De peur.

Ace voulut faire monter Rudy mais Jackie l'arrêta d'un geste.

— Je ne veux pas de ce chien dans mon auto, compris.

— Ouais, eh bien dans ce cas là, salut, répondit Ace.

Il posa la main sur la poignée mais Jackie le retint. Les deux frères ne se parlaient pas beaucoup depuis l'accident. Ils trouvaient même insupportable d'être ensemble dans la même pièce.

— Écoute Ace, ça ne sert à rien de venir ici. Tu ne fais qu'empirer les choses.

Ace se tourna vers Jackie.

— Que veux-tu dire au juste ?

— Laisse-la en paix. C'est mieux ainsi, crois-moi.

— Ah oui ?

— Ce qui est fait est fait. J'ai changé, je me sens différent. Je n'ai pas l'intention de payer pour cet accident jusqu'à la fin de mes jours. Tu veux garder son chien ? D'accord, mais laisse les choses comme elles sont.

— Qu'est-ce qu'il y a ? Aurais-tu peur des fantômes ?

Jackie prit son paquet de cigarettes sur le tableau de bord.

— Non, ce n'est pas ça.

Il prit son briquet d'une main tremblante et Ace comprit qu'il n'était pas le seul à avoir vu le fantôme de Cathy Corrigan.

— C'était bien un fantôme, dit Ace.

— Les fantômes, ça n'existe pas, affirma Jackie mais il avait l'air effrayé et il surveillait la maison des Corrigan du coin de l'œil.

— J'ai changé, tu sais. J'ai compris beaucoup de choses, même Le Saint s'en rend compte.

Ace ouvrit brusquement la portière, sortit et se pencha vers Jackie avant de la refermer.

— Tant mieux pour toi si tu es en paix avec toi-même.

Debout sur le trottoir, Ace regarda Jackie démarrer en direction de la maison. Le chien s'approcha et lui donna des petits coups sur la main avec son museau. Ace le flatta entre les deux oreilles. Ils marchèrent ensuite lentement le long de la rue Hemlock. Ils avançaient sans se presser car Ace savait maintenant, qu'aussi surprenant que cela paraisse, il était tout à fait possible de vivre dans la même maison que son frère et de n'avoir plus rien à lui dire. Et que Jackie ait changé ou non n'avait pas beaucoup d'importance.

Nora ne savait rien de lui et elle préférait cela. Il lui suffisait de savoir qu'elle le désirait ; elle n'avait qu'à penser à lui pour qu'une douce chaleur irradie son ventre et ses seins. Parfois, elle devait même passer une serviette humide sur ses bras et sur ses jambes, et de la vapeur se dégageait de sa peau brûlante. Il représentait un désir avec lequel elle devait composer entre deux lessives, lorsqu'elle faisait ses comptes ou qu'elle préparait le goûter de Billy. Elle avait cru qu'elle désirait Roger mais elle désirait surtout lui plaire et répondre à son désir à lui, du moins jusqu'à la naissance des enfants. Après, elle manqua de temps et d'énergie pour l'attendre lorsqu'il rentrait tard, pour faire ce qu'il aimait quand ils faisaient l'amour, pour suspendre soigneusement son smoking dans le placard après avoir passé une brosse pour enlever les longs poils blancs laissés par le lapin. Elle avait voulu prendre

Roger au piège et elle avait tout planifié avec soin. Sa relation avec Ace était différente. Elle ne voulait même pas y réfléchir. Si elle y avait réfléchi, elle n'aurait peut-être pas laissé sa porte ouverte et elle n'aurait pas surveillé son arrivée après avoir mis le bébé au lit. Elle aurait préféré qu'il parte aussitôt après avoir fait l'amour mais elle le laissait rester de plus en plus longtemps, et James s'habituait si bien à sa présence qu'il cherchait Ace du regard dès qu'il se réveillait de sa sieste. Certains après-midi, elle partait à la dernière minute pour aller chercher Billy à l'école et elle arrivait en retard. Quand elle voyait sa petite silhouette derrière les grandes portes vitrées, une bouffée d'émotion l'envahissait, comme lorsqu'elle était enceinte de lui et qu'il se retournait soudainement dans son ventre. Et voilà qu'elle laissait Ace prendre une douche dans sa salle de bains même s'il était déjà quatorze heures, qu'elle avait une démonstration de Tupperware à Elmont à seize heures et qu'elle devait préparer le dîner avant d'aller chercher Billy à l'école.

Nora lisait la recette de pain de viande au dos de la boîte de sauce à la tomate Hunt. Elle avait déjà fait mariner la viande hachée dans la sauce à la tomate, à laquelle elle avait ajouté du sel d'oignon et des petits champignons en conserve. Le chien se tenait tout près d'elle, le museau à la hauteur du comptoir.

— Je t'interdis de toucher à cela.

Le chien recula et baissa la tête, comme s'il avait honte, mais il continua de surveiller le plat de viande.

— Je vois très bien ton manège, dit Nora.

Pris au piège sur le comptoir à côté du grille-pain, M. Popper faisait le dos rond, prêt à cracher. Dès que Rudy regardait de son côté, il poussait un horrible feulement et ses poils se hérissaient.

— Tu es vraiment un gros chien, tu devrais être dehors, dit Nora.

Rudy baissa la tête et se mit à haleter. Ace sortit de la douche, une serviette jetée sur ses épaules, sa chemise et ses bottes à la main.

— Ton chien voudrait bien goûter à mon pain de viande, dit Nora lorsqu'elle entendit Ace entrer dans la cuisine.

Elle était devant l'évier en train de se nettoyer les mains et elle se tourna vers lui. Elle le regarda un instant pendant qu'il caressait le cou de Rudy et elle se sentit triste. Ce ne serait pas facile de se passer de lui.

— Voudrais-tu manger quelque chose ?

Ace leva les yeux vers Nora ; il ne parlait pas beaucoup sauf lorsqu'ils étaient au lit.

— Aimerais-tu un sandwich au beurre d'arachide et à la confiture ?

— Au beurre d'arachide !

— Oui, et après ?

— Je n'ai plus huit ans.

— Ça, c'est bien vrai, répondit Nora.

Elle s'approcha et appuya ses mains sur sa poitrine.

— Écoute, j'ai bien réfléchi, dit Ace.

— Oh la la ! s'exclama Nora d'un ton moqueur.

— Y a de fortes chances qu'on se fasse prendre tôt ou tard. Billy n'est pas idiot, il finira bien par se douter de quelque chose.

Ace s'éloigna de Nora. Il mit sa chemise et ses bottes. Nora releva la tête.

— On peut arrêter de se voir maintenant si tu veux, dit-elle pour voir si c'était cela qu'il voulait.

— Je veux simplement que tu te rendes compte que tôt ou tard, on risque de se faire prendre. Moi, ça ne me dérange pas du tout qu'on sache que je viens ici.

Ce qu'il voulait, et Nora le savait parfaitement, c'était qu'elle laisse sa porte déverrouillée la nuit. Elle s'approcha de lui et passa ses bras autour de sa taille.

— Tu parles comme si tu étais vieux et raisonnable, murmura-t-elle.

Le jean d'Ace était très ajusté mais elle réussit quand même à glisser sa main à l'intérieur sans avoir à descendre la fermeture éclair.

— Je ne suis pas vieux, dit Ace.

— Je sais.

Ace siffla son chien, sortit par la porte latérale et gagna rapidement le jardin. Il était habitué à se faufiler hors de la maison sans être vu et sans laisser de trace à part l'empreinte de ses pas. Il sauta par-dessus la clôture. Rudy le suivit et fila droit devant, confiant et heureux de courir aux côtés de son maître. Nora les regarda s'éloigner en se disant que jamais elle n'aurait pu sauter ainsi d'un seul bond avec ses souliers à talons hauts, croulant sous le poids des biberons, des casseroles, des disques et de ses vingt-trois flacons de vernis à ongles. De toute façon, elle était bien, là, à la fenêtre de sa cuisine, à les regarder disparaître entre les lilas et les azalées dénudés. Cela ne l'empêchait pas de voir que le ciel était violet, que l'écorce des lilas avait pris une teinte bleutée et que le garçon qui était dans son jardin, il y avait à peine quelques secondes, s'éloignait en courant aussi vite qu'il le pouvait.

Billy ne mangeait plus à la cafétéria le midi. Il se cachait dans les toilettes et passait les quarante-cinq minutes accroupi au-dessus de la cuvette, les deux pieds sur le siège. Quand la cloche sonnait et que les couloirs se remplissaient d'enfants, il prenait un paquet d'allumettes dans sa poche de pantalon, détachait une ou deux feuilles de son cartable, et allumait un petit feu. S'il était chanceux, la fumée déclenchait l'avertisseur d'incendie et il profitait de cette diversion pour sortir des toilettes et entrer dans la classe sans que personne ne le remarque.

Il avait presque maîtrisé l'art de devenir invisible. Il lisait tout ce qui lui tombait sous la main au sujet de Houdini et, après s'être exercé pendant des semaines, il était enfin parvenu à sortir les pieds de ses souliers sans défaire ses lacets et à enlever sa chemise sans la déboutonner. Pendant les cours de gymnastique, il se cachait dans une fente du mur, à côté des ballons de basket, une fente si étroite qu'il devait serrer ses bras autour de lui comme s'il portait une camisole de force. Lorsque le cours était fini et qu'il pouvait enfin sortir de sa cachette, il avait des fourmis dans les bras et dans les jambes et il avait toutes les peines du monde à marcher. Dans son bain, il parvenait à laisser sa tête sous l'eau pendant deux longues minutes et il faisait cent pompes matin et soir pour raffermir les muscles de son ventre.

— Allez, vas-y, donne-moi un coup de poing, chuchotait-il à James lorsqu'ils étaient seuls.

James se contentait de relever la chemise de son frère et de lui chatouiller le ventre, et Billy devait se donner des coups de poing lui-même après avoir pris soin de bien contracter ses muscles abdominaux.

— Bobo ! disait James et, silencieux, il observait son grand frère se faire mal.

Billy n'avait pas le choix. À l'école, la plupart des enfants le laissaient tranquille mais Stevie Hennessy et sa bande n'attendaient que l'occasion de lui sauter dessus. Il pouvait lire dans leurs pensées avant même qu'ils ne l'attaquent, toujours par derrière. Ils tiraient sur sa chemise jusqu'à ce que les coutures se déchirent ; ils lui crachaient sur la tête et sur les épaules. Ils devenaient de plus en plus audacieux, n'hésitant pas à jeter son cartable à la poubelle, à déchirer son cahier de devoirs en deux et à écrire « FRAPPEZ-MOI » à l'encre noire au dos de sa veste. Un jour ils lui versèrent du lait dans le dos par le col de sa chemise. Il dut rester assis dans une flaque de lait tiède tout l'après-midi et le professeur plissa le nez de dédain lorsqu'il passa près de lui.

Stevie et ses amis savaient que la mère de Billy venait le chercher après l'école et, l'après-midi, ils le laissaient tranquille. C'est pourquoi ce 15 janvier, date de la remise des bulletins, Billy était inquiet. Il avait des échecs dans tous ses cours, sauf en calligraphie, mais il était surtout inquiet parce qu'il venait d'apprendre que l'école finissait à midi. C'est donc le cœur serré qu'il attendit la fin de la classe, et, lorsqu'il se dirigea vers son casier pour y prendre son manteau et ses bottes, il lut dans les pensées de Stevie le traitement que la petite bande lui réservait. Il glissa son bulletin dans la ceinture élastique de son pantalon, enfila ses gants et enroula son écharpe autour de son cou en prenant tout son temps. Il espérait être le dernier à partir et que Stevie l'oublierait.

Les autobus scolaires démarrèrent, laissant échapper des traînées de fumée bleue. L'air était froid et transparent, et le souffle des enfants formait de petits nuages blancs. À l'exception d'un groupe de filles de première année qui marchaient en se tenant par la main trois par trois, les rues étaient désertes quand Billy sortit de l'école. Il traversa la rue Mimosa et, soudain, il capta des bribes de pensées. « *Je vais lui tenir les mains derrière le dos.* » Billy balaya la rue du regard mais il ne vit personne. Elle semblait abandonnée, pas un chat, pas un oiseau en vue. Il s'arrêta ensuite quelques instants au coin de la rue Hemlock, son cartable sous le bras, la tuque enfoncée jusqu'aux yeux. Il continua d'avancer parce qu'il ne pouvait faire autrement. Impossible de se rendre invisible dans cette rue déserte où il n'y avait que des arbustes dépouillés et des arbres noirs aux branches dénudées.

Ils étaient cachés derrière une boîte aux lettres. Stevie se montra en premier, suivi par deux garçons aussi grands que lui, Marty Leffert et Richie Mills. Ils ricanaient et tenaient des grosses pierres dans leurs mains. Billy s'arrêta, incapable de faire le moindre mouvement. Et, tout à coup, il fit l'impensable. Il se retourna et se mit à courir, laissant tomber son cartable par terre. Ce fut le signal que les autres attendaient.

La première pierre le frappa comme il tournait le coin de la rue Evergreen et la deuxième comme il enfilait l'allée d'une maison qu'il n'avait jamais vue auparavant. Il monta les marches du perron et martela la porte de ses petits poings.

— Ouvrez, vite ! s'entendit-il crier.

Il eut beau frapper et frapper, personne ne répondit. La troisième pierre l'atteignit à la nuque et il sentit le sang couler dans son cou. Il contourna la maison vide, escalada la clôture grillagée et se retrouva dans le jardin des Hennessy. Lorsqu'il s'aperçut qu'il était en terrain ennemi, il repartit en courant encore plus vite. Il traversa la rue et s'arrêta, à bout de souffle sur le parterre en face de chez lui. Il enleva son manteau, le roula en boule et l'enfouit sous un hortensia. Il essuya le sang sur sa nuque et sur ses mains et c'est alors qu'il les entendit arriver dans le jardin de Stevie Hennessy. Il n'avait pas le choix. Il ne lui restait plus qu'à se réfugier chez lui, et il entra par la porte latérale.

Il s'arrêta dans le petit couloir qui menait de la cuisine au garage. Sa respiration était rauque et saccadée. Il pensait filer au sous-sol avant que sa mère ne l'aperçoive mais quand il risqua un coup d'œil dans la cuisine, il vit Ace McCarthy assis, ses deux pieds chaussés de bottes sur la table, en train de siroter un Coca-Cola.

Ils se regardèrent, surpris tous les deux.

— Merde ! s'exclama finalement Ace. Il se redressa et posa son Coca-Cola sur la table. Qu'est-ce qui t'est arrivé ?

Billy ne répondit pas. Jamais il n'aurait imaginé que c'était Ace que sa mère invitait de temps à autre à la maison. Parfois la nuit, il entendait chuchoter dans la chambre de Nora et il avait remarqué que, depuis quelque temps, il y avait plus de serviettes que d'habitude dans le panier à linge. Il se réveillait parfois en sursaut d'un sommeil profond, la tête encore pleine des pensées d'un homme. Il ne savait pas ce que cet homme et sa mère faisaient mais il sentait qu'il ne devait pas les déranger. S'il avait envie de faire pipi, il urinait dans une bouteille de jus d'orange vide qu'il gardait sous son lit.

Ace examina Billy de plus près.

— Eh ben, mon vieux. Ils ne t'ont pas raté.

Ace se dirigea vers l'évier, ouvrit le robinet et fit signe à Billy de s'approcher.

Billy se lava les mains et le visage. Son front lui faisait mal et il n'osait pas regarder Ace en face.

— Où est-ce que ta mère range le Bactine ?

— Dans le placard de l'entrée.

— J'aurais dû m'en douter. C'est là que ma mère le range elle aussi.

Ace alla chercher le Bactine et de la ouate. Billy fit la grimace et recula quand Ace nettoya la coupure. Il ne comprenait toujours pas ce que sa mère et Ace pouvaient bien faire ensemble.

— Ils étaient deux ? demanda Ace.

— Trois.

— C'est vraiment dégueulasse.

— Et alors ? lança Billy, le regard furieux. Je m'en fous.

— Ouais, eh bien, tu as tort.

Ace prit le bulletin qui dépassait de la ceinture de Billy et y jeta un coup d'œil.

— Tu es dans un état épouvantable. Tu peux toujours dire à ta mère que tu t'es blessé en grimpant aux cordages pendant le cours de gymnastique. Mais, à ta place, je n'essaierais même pas de falsifier ton bulletin. Et puis, comment ça se fait que tu sois ici ? Tu as fini l'école plus tôt et ta mère n'était pas au courant ?

Ace remit le bulletin à Billy.

— Ce n'est pas de tes affaires. Où elle est ma mère ?

Ace eut la gorge serrée tout à coup.

— Elle est sous la douche. Je garde ton petit frère.

— Ah oui ?

Billy s'adossa au comptoir et il avait l'air si petit et si défait qu'Ace ne put supporter de le voir ainsi.

— Ces trois garçons, ce sont tes amis ?

— Non.

— Est-ce que tu as des amis à l'école ?

— Qu'est-ce que ça peut bien te faire ?

— Mais si tu n'as pas d'amis, avec qui vas-tu jouer au base-ball ?

— Je ne joue pas au base-ball.

— Est-ce que j'ai bien entendu ? Tu ne joues pas au base-ball ?

Ace enfila son blouson.

— Tu es vraiment un drôle de gars, est-ce qu'on te l'a déjà dit ?

— Et puis après ? lança Billy.

Ils se dévisagèrent un moment.

— Va chercher une balle et une batte, dit Ace qui venait de décider de laisser tomber son dernier cours.

Billy ne bougea pas.

— Tu as bien une batte de base-ball, non ?

Billy alla dans sa chambre et en revint avec une balle et la batte que Nora lui avait offertes.

— C'est pas vrai ! s'exclama Ace lorsqu'il vit que la batte était encore dans son emballage.

— Allez, mets un manteau et allons-y.

Ils marchèrent jusqu'à l'école secondaire en silence. Le terrain d'entraînement n'était qu'un vaste bourbier gelé.

— Je te lance des balles et tu les frappes. Vu ? dit Ace.

Billy hocha la tête. Il rata les cinq premières. Ace traversa le terrain et s'approcha de lui.

— Écoute, je suis un très bon lanceur. Tout ce que tu as à faire, c'est de te détendre un peu.

Billy le regarda en fronçant les sourcils.

— Tu penses trop, lui dit Ace.

En fin d'après-midi, Billy ne ratait plus que deux balles sur cinq. Il était temps de rentrer à la maison.

— Je croyais que je n'y arriverais jamais, dit Billy. Il était hors d'haleine car il devait courir pour rattraper Ace.

— Tu n'y es pas encore vraiment, mais ça viendra.

Pendant le trajet, Ace essaya, en vain, de savoir si Billy se doutait de quelque chose au sujet de lui et de Nora.

— Je reviendrai demain, après l'école, dit Ace lorsqu'ils arrivèrent devant la maison.

— Tu seras déjà ici, non ? dit Billy.

Ça ne servait à rien de mentir à ce gamin, songea Ace.

— Non, à cette heure-là, je serai parti.

— Tu sais, tu n'es pas obligé de jouer au base-ball avec moi. Je ne le dirai à personne au sujet de ma mère et de toi.

— Personne ne m'oblige à faire quoi que ce soit.

— On est tous obligés de faire certaines choses, rétorqua Billy d'un ton sentencieux.

— Est-ce que quelqu'un m'a obligé à jouer au base-ball avec toi cet après-midi ?

Billy dut avouer que non. Il balança sa batte sur son épaule et regarda Ace traverser le parterre.

Nora était en train de préparer le dîner quand Billy rentra chez lui.

— Où étais-tu ?

— Je jouais au base-ball avec Ace McCarthy.

Billy prit du lait dans le réfrigérateur, s'en servit un verre et remplit le biberon de James.

— Veux lait, cria James.

— Je pensais que tu ne jouais pas au base-ball, dit Nora en servant la purée de pommes de terre. Elle tenait à la cuillère comme de la véritable colle.

Billy regarda sa mère. Elle avait les pommettes rouges mais ne semblait pas fâchée.

— Je meurs de faim, s'exclama-t-il.

Nora apporta la bouteille de Ketchup sur la table et s'assit. Ses cheveux étaient coiffés en queue de cheval et elle n'était pas maquillée.

— Y a-t-il quelque chose dont tu voudrais me parler ? dit-elle pendant qu'elle séparait le steak haché de James en petites bouchées.

Billy leva les yeux. Il avait des coupures sur le front et sur la nuque, son manteau était caché sous un hortensia, son bulletin était encore dans la ceinture de son pantalon et il savait quelque chose à propos de sa mère et d'Ace qu'il ne devait pas savoir.

— Non.

— Est-ce que ton steak est bon ?

Nora venait d'en prendre une bouchée et il était tellement sec qu'elle faillit s'étouffer.

— C'est délicieux, répliqua Billy.

Nora regarda son fils noyer sa boulette de steak haché sous une tonne de Ketchup et elle se dit qu'il était très doué pour le mensonge. Plus que son père. Quand Roger mentait, il souriait toujours trop et il s'arrangeait pour toucher la personne à qui il mentait, comme s'il voulait la forcer à croire en lui.

Pour dessert, Nora servit des Junket qu'elle avait décorés de cerises confites.

— Tu sais que tu peux me demander tout ce que tu veux. Tu peux tout me dire, dit-elle à Billy tout en donnant des cuillerées de Junket au bébé.

Billy continua à manger son dessert et marmonna un « ouais » plus ou moins convaincant.

— Billy, je te parle.

Billy leva les yeux. Il lut le mot « mensonge » dans les pensées de sa mère. Il était cuit.

— Je veux la vérité, poursuivit Nora tout en priant le ciel que Billy n'ait pas surpris Ace tout nu dans la maison.

Billy posa sa cuillère, prit son bulletin et le mit sur la table. Nora regarda le bulletin tout froissé puis l'ouvrit. Elle vit les « E » encerclés au crayon rouge.

— Oh, fit-elle.

— Ce n'est pas de ma faute.

Nora prit un stylo et signa le bulletin. Elle embrassa Billy sur le dessus de la tête et lorsqu'elle lui demanda s'il voulait encore des Junket, Billy fit comme s'il avait encore faim.

— Oh oui ! S'il te plaît.

7

Grâce !

Allongée sur son lit, le chat couché en boule à ses pieds, Nora Silk écoutait la glace dégoutter du toit de sa maison. Les rideaux entrouverts laissaient voir une parcelle de ciel bleu. C'était le premier jour du mois de mars et il faisait doux, la journée idéale pour étendre les vêtements sur la corde à linge. À cette même date l'année dernière, elle était dans une laverie automatique d'Eighth Avenue, un endroit terriblement déprimant où les clients attendaient, prostrés et silencieux, pendant que leurs sous-vêtements passaient en tourbillonnant devant la fenêtre de la sécheuse. Elle amenait toujours les deux enfants avec elle et ils attendaient sur place, retenus en otage par la lessive. La seule et unique fois où ils étaient sortis quelques minutes pour acheter un chocolat chaud, un voleur s'était emparé de tous leurs vêtements encore imbibés d'eau et de savon, et il était parti en laissant le couvercle ouvert. Il y avait un an aujourd'hui, Nora avait laissé Billy s'empiffrer de sucreries juste pour qu'il se tienne tranquille pendant que, d'une main elle tenait le bébé assis sur un des appareils, et que de l'autre, elle entassait les vêtements dans la machine à laver. Après avoir mis sa pièce de vingt-cinq cents dans la fente, elle avait levé les yeux vers

Billy. Il était recroquevillé sur une des chaises de plastique orange et il tapait du pied en mangeant des Milk Duds. On voyait des plaques de son cuir chevelu aux endroits où il s'était arraché les cheveux. Le cœur serré, elle s'était dit que rien ne pouvait être pire que cela, mais après six mois passés rue Hemlock, elle n'en était plus aussi certaine.

Elle attendait toujours que l'une de ses voisines lui offre un gâteau en signe de bienvenue ou l'invite à prendre un café pendant que leurs enfants s'amuseraient ensemble. Mais elles continuaient à faire comme si Nora n'existait pas, même quand elles se retrouvaient face à face avec elle au supermarché.

Tous les premiers lundis du mois, Rickie Shapiro gardait les enfants pendant qu'elle assistait à la réunion du comité de parents dans la cafétéria de l'école. Elle avait renoncé aux talons aiguilles et portait des souliers plats mais on continuait à l'ignorer et, lorsqu'elle levait la main pour prendre la parole, les responsables du comité ne lui prêtaient aucune attention. Plus tard, quand elle s'approchait de la table des rafraîchissements pour y déposer un gâteau des anges ou des muffins qu'elle avait préparés, les conversations s'arrêtaient sur son passage.

Elle avait observé les autres femmes pendant ces réunions et elle s'était rendu compte qu'elles ne se parlaient pas vraiment. Leur bouche s'agitait mais elles ne se parlaient pas. Elles mentaient. À propos de tout et de rien, des résultats scolaires de leurs enfants, de leur relation avec leur mère, de ce que leur mari leur avait chuchoté à l'oreille, comme si dire la vérité, c'était admettre quelque chose de terrible. Une rougeur diffuse envahissait leur cou et elles se passaient continuellement la langue sur les lèvres. Et quand Nora, après avoir mis du sucre dans son thé, se joignait à un groupe de parents et s'exclamait : « Merde que je suis fatiguée ! », après une journée où elle avait vendu quatre douzaines de plats

Tupperware, préparé le repas des enfants, mis les vêtements à sécher sur la corde à linge, fait des courses au supermarché, aidé Billy à faire ses devoirs, changé la couche du bébé neuf fois et rafraîchi son rouge à lèvres trois fois, les autres femmes baissaient pudiquement les yeux comme si elle venait de dire quelque chose d'affreusement vulgaire. De temps en temps, une jeune mère de quatre enfants s'exclamait « Moi aussi ! », mais elle prenait vite un air coupable, rougissait, et évitait ensuite Nora comme la peste.

Les jours où les clôtures grillagées prenaient des allures de barreaux de prison, où elle avait envie d'aller danser, les nuits où elle aurait aimé sentir la présence d'Ace auprès d'elle, Nora pensait aux vêtements qui séchaient au grand air, à James jouant dans le jardin, aux chants des cigales, aux lilas et au base-ball. Elle resterait rue Hemlock encore un mois, deux mois, six mois, deux ans tout au plus, pour que ses enfants ne grandissent pas isolés comme elle l'avait été, si avide de rencontrer des gens qu'elle s'était enfuie à Manhattan dès qu'elle avait eu dix-huit ans et qu'elle avait épousé le premier homme venu. Elle avait rencontré Roger dans une boutique de farces et attrapes de Lexington Avenue, le Joke Store, où il était entré pour acheter six cigares explosifs. Comme il le lui avait expliqué, ce n'était pas pour un de ses numéros mais pour un dîner entre amis où ce genre de farce avait toujours beaucoup de succès. Plus tard, il lui avait avoué que ce qui l'avait attiré le plus chez elle, c'était son air de parfait bonheur, là, derrière ce comptoir encombré d'attrapes de mauvais goût et d'objets de pacotille. Et pourquoi n'aurait-elle pas été parfaitement heureuse à cette époque-là ? Le fait de vivre ailleurs qu'au New Jersey lui avait alors paru extraordinaire et terriblement excitant. Elle avait été élevée par son grand-père Eli dans une maison délabrée, entourée de poulaillers et située de l'autre côté des marais, à une vingtaine de kilomètres d'Atlantic City. C'était un électricien, un très bon électricien. Il aurait pu s'établir n'importe où mais il méprisait les gens ou il s'en méfiait, à tout le moins. On aurait pu croire qu'un électricien ferait confiance à la science et au progrès, mais son grand-père s'entêtait à cracher par-dessus son épaule pour déjouer le mauvais sort et, s'il voyait un merle survoler une maison, il refusait d'y entrer. Lorsque Nora se coupait, il enveloppait sa blessure de toiles d'araignée ; pour soigner une bronchite, il lui faisait boire un mélange de romarin, d'ortie et d'écorce de cerisier, et pas une fois il ne l'amena voir un médecin. Lui-même ingurgitait chaque jour une tasse d'un élixir de sa composition, à base de thym, de reines de bois et de ballotes et il vécut jusqu'à l'âge de 93 ans, ne prenant congé qu'à Noël, à Pâques et le 4 juillet. Il ne prenait jamais d'alcool et il était convaincu que le tabac laissait des taches de nicotine sur les poumons. Il ne frappa jamais un autre homme sous le coup de la colère. Il avait une façon bien à lui de se faire justice lorsqu'on le trompait, et peut-être était-ce pour cette raison qu'il aimait vivre dans cet endroit isolé, là où les hautes herbes prennent une teinte argentée au clair de lune et où personne ne se plaint si vous élevez quelques poules autour de votre maison.

Lorsqu'on refusait de le payer, ou lorsqu'il se faisait insulter par un homme plus fort que lui, il ne bronchait pas. La nuit suivante, il façonnait de petites figurines avec de la cire d'abeille et du colorant alimentaire, et il les taillait à l'aide d'un petit couteau. Le lendemain matin, le problème était réglé. Lorsqu'elle était petite, Nora le suppliait parfois de lui donner une de ces petites figurines pour jouer. Son grand-père lui aurait donné mer et monde, son monde du moins, et il conduisait vingt kilomètres chaque dimanche pour lui acheter des brioches à la confiture mais il n'hésitait pas à l'arrêter d'une petite tape sur la main si elle avait le malheur de tendre le bras vers l'une d'elles. Plus tard, lorsque Nora eut atteint l'âge de passer par la fenêtre de sa chambre pour rejoindre son petit ami et filer vers Atlantic City, elle vit dans ces petites figurines un passe-temps, une forme d'artisanat auquel son grand-père s'adonnait en toute innocence.

Eli mourut dans son lit, pendant un orage. Il lui légua tous ses biens même s'il avait rencontré Roger à deux reprises et qu'il l'avait tout de suite méprisé ; en fait, personne, à part Nora, ne trouva jamais grâce à ses yeux. Elle était enceinte de Billy et elle dut se rendre seule à la maison, Roger ayant besoin d'au moins quatorze heures de sommeil les jours où il donnait un spectacle. Elle pleura un peu dans la cuisine ; elle enleva ensuite son bracelet à breloques et rangea les effets personnels de son grand-père dans de grosses boîtes destinées à une œuvre de charité, ne gardant pour elle que l'alliance et la montre d'Eli. Avant de partir, elle déterra deux lys orangés qui poussaient sur le côté de la maison mais ils se fanèrent dès son arrivée à Manhattan et finirent par mourir sur l'appui de sa fenêtre. Elle mit la maison en vente mais deux années passèrent avant qu'elle ne soit vendue à un éleveur de poulets. Après avoir payé les comptes en souffrance et les taxes, il lui resta trois mille dollars qu'elle cacha dans une boîte à cigares. Elle ne parla jamais de son héritage à Roger ; elle voulait lui faire une surprise, lui offrir un voyage en Europe ou lui acheter deux nouveaux smokings et une bague en or, mais une partie de cette somme servit à défrayer les frais d'hôpital à la naissance de ses deux fils et le reste à acheter la maison de la rue Hemlock.

D'une certaine façon, la maison qu'elle habitait maintenant, était un peu celle de son grand-père quoiqu'il aurait sûrement détesté le voisinage. Il se serait cru obligé de cracher par-dessus son épaule jour et nuit. Bien avant que Nora ne trouve le manteau taché de sang de Billy sous l'hortensia, Eli aurait su que quelque chose n'allait pas. Elle avait lavé le manteau et l'avait mis à sécher dans le sous-sol. Elle l'avait suspendu dans le placard, sans dire un mot, et elle s'était croisé les doigts. Elle avait attendu en s'efforçant de voir le bon côté des choses ; elle avait essayé toutes sortes de nouvelles recettes en espérant que ce serait suffisant, mais Stevie Hennessy continua de harceler Billy. Les autres gamins commencèrent à se lasser de ce petit jeu mais pas Stevie Hennessy, et son acharnement n'avait pas de limite. La couverture de Billy était maintenant réduite à un carré de tissu, pas plus grand qu'une débarbouillette, qu'il gardait dans une de ses poches et qu'il caressait de temps à autre pour se réconforter. Il l'oublia un jour dans son pupitre et Stevie mit la main dessus. Il eut le temps de la découper en petits morceaux avant que Billy ne se lève pour tenter de la lui reprendre. Mais le professeur lui ordonna de se rasseoir et Stevie finit de découper ce qu'il restait de la couverture pendant que Billy pleurait, la tête penchée sur son pupitre pour qu'on ne voie pas ses larmes. Cette journée aurait normalement dû être une bonne journée — il devait jouer au base-ball avec Ace en fin d'après-midi — mais Stevie Hennessy avait tout gâché. Lorsque la cloche sonna, les yeux lui brûlaient tellement qu'il dut baisser le regard en passant devant Stevie.

— Bébé-la-la, se moqua Stevie en frottant les deux derniers morceaux de tissu entre ses doigts. Petit morveux !

Billy sortit de la classe sans s'arrêter.

— Retourne d'où tu viens, face de rat, lança Stevie. Ta mère est une putain.

Billy se retourna et il fut si surpris de se retrouver face à face avec son pire ennemi qu'il faillit trébucher.

— Retire ce que tu viens de dire, dit-il tout en pensant qu'il fallait être devenu fou pour parler sur ce ton à Stevie Hennessy.

Stevie perdit l'équilibre un instant mais il se redressa et s'approcha de Billy. Il était aussi grand qu'un élève de cinquième année et il baissa les yeux vers Billy en ricanant.

— Qu'est-ce que tu viens de dire ?

— Tu as parfaitement entendu. Face de rat, répliqua Billy.

Stevie lui donna une poussée et Billy le poussa à son tour ; le regard mauvais, Stevie lui donna ensuite un coup de poing, l'atteignant au visage. Billy laissa échapper une plainte, bien malgré lui, et Stevie le poussa contre le mur. Il le frappa de nouveau, sur la bouche cette fois.

— Alors, c'est qui la face de rat ? lança Stevie avant de s'éloigner laissant Billy à bout de souffle, étourdi, un goût de fer rouillé dans la bouche.

Il resta là un moment avant de reboutonner son manteau et de se diriger vers la sortie. La Volkswagen était déjà garée devant les autobus scolaires. Billy vit Stevie de l'autre côté de la rue. Il n'avait pas le choix. Il se dirigea vers la voiture et monta.

— Tu aurais pu choisir une autre journée pour être en retard. Je dois aller à Freeport cet après-midi, dit Nora.

Billy mit sa tête entre ses jambes et préféra se taire de peur que sa mère ne devine ce qui s'était passé. Il sortirait de la voiture aussitôt arrivé à la maison et il lui dirait au revoir le dos tourné.

— Je ne serai pas de retour avant dix-huit heures. Alors lorsque tu reviendras à la maison après ton entraînement de base-ball, voudrais-tu mettre les pommes de terre au four, à 200° ? dit Nora en passant en première vitesse.

« Teddy Bear » jouait à la radio et Nora monta le volume, l'air rêveur comme à chaque fois qu'elle écoutait les chansons d'Elvis Presley. James, installé sur la banquette arrière, jouait avec un sac de bretzels. Billy demeurait immobile sur son siège.

— Merde, dit Nora.

Billy crut un moment qu'il y avait un problème avec la voiture car elle se cabrait comme l'aurait fait un cheval. Il pria pour que ce ne soit pas grave parce qu'il ne savait pas s'il serait capable de parler. Sa bouche le brûlait et il ne pouvait pas bouger sa langue.

— Nom de Dieu, s'exclama Nora et elle coupa le moteur.

Billy détourna le regard du plancher de la voiture et vit qu'il y avait une flaque de sang sur ses genoux. Avant qu'il n'ait eu le temps de réagir, Nora l'avait pris par le menton et l'avait forcé à la regarder.

— Que t'est-il arrivé ?

Les doigts de Nora étaient de glace, mais peut-être était-ce parce que sa bouche lui semblait en feu.

— Ouvre la bouche.

Billy se dégagea d'un mouvement brusque, se tourna vers la fenêtre et se mit à pleurer. Nora le força à se retourner, lui prit le menton, lui renversa la tête en arrière et une de ses dents de devant tomba dans sa main.

— Qui t'a fait cela ?

Billy baissa les yeux et se passa une main sur la bouche ; ses cheveux avaient repoussé par touffes aux endroits où il les avait arrachés.

— Ça n'a pas d'importance.

Nora regarda de l'autre côté de la rue. Elle vit Stevie Hennessy.

— Ce petit salaud, dit Nora.

— Pourquoi est-ce qu'on s'en prend à moi ? demanda Billy.

C'était un enfant frêle et mince, aux longues mains délicates. Ses chemises étaient toujours trop petites pour lui et les manches s'arrêtaient plusieurs centimètres au-dessus de ses poignets. Nora prit son fils sur ses genoux.

— J'ai mal à la tête, dit Billy en se détournant.

— Je veux que chaque jour, lorsque tu te réveilles, tu te dises que tu vaux autant que tous les autres. Je veux que tu le dises trois fois de suite. Compris ?

Billy hocha la tête et passa un de ses bras minces autour du cou de Nora pendant que James sautait sur le siège arrière et faisait vibrer la voiture.

— Alors, qui est mon petit garçon préféré ? chuchota Nora en se penchant vers lui.

Billy haussa les épaules et appuya sa joue brûlante sur celle de sa mère.

— Alors, c'est qui ?

— C'est moi, murmura Billy d'une toute petite voix.

Nora le conduisit chez un dentiste qui prit une empreinte de sa mâchoire. Pendant ce temps, elle courut jusqu'à la cabine téléphonique au coin de la rue et annula sa démonstration de Tupperware à Freeport en disant qu'il y avait un décès dans la famille et qu'elle devait prendre immédiatement l'avion pour Las Vegas ; elle téléphona ensuite à Marie McCarthy et lui demanda d'avertir Ace que Billy était malade et ne pourrait pas jouer au base-ball. Il faisait nuit quand ils arrivèrent à la maison et James pleurnichait car il avait faim. Il était trop tard pour faire des pommes de terre au four. Nora servit un plat surgelé et du Kool Aid, et elle et Billy se couchèrent tard pour ne pas manquer Les Incorruptibles à la télévision. Elle le borda ensuite dans son lit, ce qu'elle n'avait pas fait depuis longtemps et Billy aima sentir le poids de sa mère à ses côtés. Il aima son odeur — un mélange de Kool Aid et d'Ambush. Il s'endormit en lui tenant la main et Nora resta longtemps assise près de lui. Elle alla ensuite dans la cuisine, fit la vaisselle, massa ses mains avec du *cold-cream* pour prévenir les rides. Elle prit quatre bougies blanches dans le tiroir à côté du réfrigérateur, en mit deux dans leur bougeoir, les alluma et éteignit la lumière. Elle tint les deux autres bougies au-dessus de la flamme pour les faire ramollir. Elle ne s'arrêta que le temps de se faire une tasse de Sanka et elle continua jusqu'à ce que la cire ait pris la forme d'un petit garçon. Elle prit une lampe de poche et sortit dans le jardin à la recherche d'un caillou qui pourrait facilement tenir dans la main de la figurine. Son Sanka était maintenant froid mais elle le but quand même ; son grand-père faisait cela aussi, il buvait une tasse de café froid et mangeait un beignet à la confiture tout rassis avant de nettoyer son couteau collé de cire. Le chat s'approcha, se roula en boule à ses pieds et se mit à ronronner doucement. Elle ne voulait pas allumer la lumière tout de suite et elle fuma une cigarette à la lueur des chandelles, tournant la figurine de cire dans la main. Et, avant d'aller se brosser les dents et d'enduire son visage de *cold-cream,* elle tint la figurine au-dessus de la flamme d'une des chandelles jusqu'à ce que la cire fonde et forme une petite flaque blanche sur la table de la cuisine.

Le lendemain matin, Stevie dut rouler le bord de son pantalon trois fois mais il n'y prêta pas attention. Lorsqu'il entra dans la cuisine pour prendre son petit déjeuner, sa mère lui demanda s'il se sentait bien et elle posa un instant ses lèvres sur son front. « Je me sens en pleine forme », répondit-il mais il avait de la difficulté à garder l'équilibre comme s'il avait une grosse poignée de billes dans une des poches de son pantalon. Il se força à avaler un bol de Kix et à boire un petit verre de jus d'orange.

— On dirait qu'il couve quelque chose, dit sa mère lorsque son père entra dans la cuisine.

Joe Hennessy mit son manteau et toucha le front de Stevie.

— Ça me semble tout à fait normal.

— Tu vois bien, dit Stevie à l'intention de sa mère.

Il se sentait encore un peu bizarre lorsqu'il arriva à l'école. Il se dépêcha d'aller suspendre son manteau dans son casier car il voulait avoir le temps de fabriquer une bonne provision de boulettes pleines de salive avant le cours de gymnastique. La veille, il avait eu très peur que Billy aille tout raconter à sa mère et que Mme Silk téléphone pour se plaindre. Il n'aurait plus eu qu'à espérer que son père ne soit pas trop dur avec lui. Mais quand ce fut l'heure de mettre son pyjama, elle n'avait toujours pas téléphoné et il s'était senti rassuré.

Il finit de confectionner ses boulettes en ricanant et, lorsque la cloche sonna, il se mit en rang juste derrière Billy.

— Bébé-la-la, chuchota-t-il.

Billy se retourna et Stevie fit un pas en arrière. On aurait dit que ce petit morveux de Billy avait grandi pendant la nuit même s'il était toujours de la même taille qu'Abbey McDonnel qui se tenait devant lui dans le rang. Stevie Hennessy, qui avait toujours été le plus grand de sa classe, refusait de voir que si Billy n'avait pas grandi, c'était que lui-même avait rapetissé. Il ne voulait peut-être pas le voir mais il devait bien admettre que s'il voulait frapper Billy Silk sur la bouche comme il l'avait fait la veille, il devrait trouver le courage d'envoyer son poing vers le haut.

Billy jouait maintenant au base-ball avec Ace tous les après-midi, après l'école ; il remettait ses devoirs à temps et ne recevait plus de coups de poing à la figure. Mais il « entendait » plein de choses, des choses qu'il aurait mieux fait de ne pas entendre ; un bourdonnement incessant lui emplissait la tête et il ne parvenait pas à s'en débarrasser. Un jour qu'il était au Louie's Candy Store, il avait entendu Louie se plaindre de sa femme quand, tout ce qu'il voulait, c'était d'acheter un paquet de Black Jack. Une autre fois, il avait surpris sa mère en train de faire et refaire des calculs pendant que Rickie Shapiro s'inquiétait de la forme de ses sourcils et un soir, il était très tard, il avait entendu un hurlement de douleur, un cri silencieux et si terrifiant qu'il s'était réveillé en sursaut. Il s'était approché de la fenêtre, il avait levé le store et le silence de la nuit lui avait renvoyé l'écho de pensées si troublantes qu'il avait eu du mal à se rendormir.

Il s'éveilla à l'aube et il était déjà dans la cuisine en train de manger un bol de Frosted Flakes quand Nora se leva à son tour. Il mangea ses céréales et attendit que sa mère mette l'eau à chauffer et ouvre un paquet de cigarettes avant de lui dire qu'il avait vu Donna Durgin devant sa maison. Elle portait un manteau noir et elle pleurait.

— As-tu vu son visage ?

Billy fit non de la tête et Nora répliqua que cette femme aurait pu être n'importe qui.

— C'était bien Mme Durgin. Je l'ai très bien entendue.

— Combien de fois devrais-je te répéter de ne pas écouter les pensées des autres, dit Nora en écrasant son mégot de cigarette.

Elle se leva pour arrêter la bouilloire. Elle devait aller au salon de coiffure ce matin et, depuis quelque temps, elle n'aimait pas beaucoup demander à Rickie Shapiro de garder les enfants ; elle la soupçonnait de fouiner un peu partout dans la maison, d'essayer ses robes et de mettre ses bracelets.

— Cela va te rendre fou, dit-elle à Billy.

— Bon, bon, mais je sais où est Mme Durgin.

Nora réfléchit à ce que Billy lui avait dit tout en buvant son café. Elle continua d'y penser en s'habillant et en se maquillant. Elle y pensait encore quand elle quitta la maison, pendant que Rickie tripotait le bouton de la radio et que Billy empêchait James, qui pleurait à chaudes larmes, les bras tendus vers elle, de la suivre jusqu'à la voiture. Nora fit démarrer la Volkswagen et pendant que le moteur chauffait, elle se décida. Ce ne serait pas trahir Donna Durgin que d'en parler à une personne, une seulement. Elle sortit de sa voiture, laissant le moteur en marche, et traversa la rue. Elle était en train de vérifier si elle avait ses allumettes et de la monnaie dans son sac quand Stevie Hennessy ouvrit la porte intérieure. Il était encore en pyjama, les cheveux hirsutes d'avoir dormi toute la nuit la tête enfouie dans son oreiller. Il resta bouche bée à la vue de Nora. Surprise elle aussi, Nora le regarda fixement. Elle n'avait pas beaucoup pensé à lui depuis qu'il avait cessé de harceler Billy mais elle remarqua qu'il semblait beaucoup plus petit que son fils.

— Je voudrais voir ton père.

— Qui est à la porte ? cria Ellen Hennessy de la cuisine.

Stevie Hennessy continua de dévisager Nora à travers la porte-moustiquaire.

— Ton père, répéta Nora lentement comme si elle parlait à un sourd, est-il à la maison ?

Ellen apparut derrière Stevie. Elle s'arrêta net quand elle vit Nora sur le perron.

— Bonjour, dit Nora. Je sais qu'il est tôt mais il faut absolument que je voie votre mari.

— Mon mari ?

— Oui, Joe. Je dois être au salon de coiffure à neuf heures sinon je prends du retard et les clientes se plaignent, dit Nora en ouvrant la porte-moustiquaire.

Elle entra dans la maison. Ellen Hennessy posa les mains sur les épaules de son fils.

— Je pourrais vous faire une manucure. Vous n'avez qu'à passer au salon un samedi.

— Je voudrais bien mais vous savez, je manque de temps, dit Ellen le regard fixé sur les ongles rouges de Nora et sur ses longs doigts sans alliance.

— Eh bien, vous devriez prendre le temps, rétorqua Nora.

Si ça vous arrange, je pourrais venir ici. Vos cuticules en auraient bien besoin.

Ellen examinait ses ongles au moment où Hennessy sortit de la salle de bains, douché et rasé, prêt à accompagner Ellen et les enfants à Rockville Centre. Lorsqu'il vit Nora en train de parler à sa femme dans son salon, il s'arrêta et dut s'appuyer d'une main sur le mur.

— Joe ! s'exclama Nora. J'ai vraiment besoin de vous.

Hennessy leva les yeux vers sa femme et leurs regards se croisèrent.

— Je vais faire du café. Un Sanka ? dit Ellen.

— Je ne peux vraiment pas rester longtemps. Je dois parler à votre mari d'une affaire personnelle, d'une affaire qui concerne la police.

— Oh, fit Ellen.

Elle jeta un regard à son mari et poussa Stevie vers la cuisine.

— Je suis désolée d'arriver comme ça sans prévenir.

— Mais vous ne me dérangez pas, répondit Hennessy.

— Je voudrais vous parler de Donna Durgin.

Hennessy regardait fixement la chaîne en or que Nora portait au cou. Il imaginait souvent Ace et Nora en train de faire l'amour et cela le rendait fou. Il savait que le cou de Nora portait les marques des caresses de son amant et qu'Ace lui faisait l'amour des nuits entières. À dix-sept ans, Hennessy sortait avec Ellen et c'était tout juste s'il avait réussi à l'embrasser.

— Billy sait où est Donna et j'ai pensé que ce serait une bonne chose de vous en parler.

— Écoutez Nora, personne ne sait où se trouve Donna Durgin.

— Eh bien, Billy, lui, le sait. Elle travaille chez Lord et Taylor.

— Chez Lord et Taylor, le magasin à rayons ?

Nora et Hennessy se regardèrent un instant avant d'éclater de rire.

— Ce n'est pas aussi romantique que de s'enfuir en France, dit Nora.

— En tout cas, Robert ne l'a pas coupée en petits morceaux et n'a pas caché son corps dans le sous-sol.

Nora dut se retenir d'une main à la porte-moustiquaire. Elle riait tellement qu'elle en avait mal aux côtes.

— J'espère que j'ai bien fait de vous en parler.

— Vous avez bien fait. Je vais m'en occuper.

— Si j'avais eu un mari comme vous je serais encore mariée, c'est certain.

— Mais moi, je ne vous aurais jamais laissée partir, répondit Hennessy.

Nora faillit se remettre à rire mais elle regarda Hennessy et crut bon de s'abstenir.

— Je suis contente de vous en avoir parlé, dit-elle avant de partir. J'espère seulement que Donna le sera aussi.

Hennessy la regarda traverser la rue, s'asseoir derrière le volant de la Volkswagen et faire brusquement marche arrière dans l'allée.

Il sentit tout à coup la présence de sa femme derrière lui.

— Je dois m'occuper d'une affaire.

Il passa devant Ellen et entra dans la chambre pour prendre son manteau et son pistolet. Quand il se retourna pour ajuster son étui, il vit qu'Ellen l'avait suivi.

— Je te rejoins chez ta sœur dès que possible.

— Laisse tomber.

— Je serai là pour le dîner, promis.

— Comme tu voudras.

En route pour Garden City, Hennessy s'arrêta pour acheter un café et un journal. Comme il approchait de la ville, il remarqua que les maisons étaient plus grandes, avec de belles pelouses en pente et des massifs de rhododendrons hauts et luisants. Il gara sa voiture sur le parking vide de Lord et Taylor de façon à bien voir l'entrée du magasin. Il finit son café et prit son flacon de Pepto-Bismol dans la boîte à gants. Il connaissait bien les enfants de Robert et de Donna maintenant ; Melanie courait spontanément à sa rencontre et il avait toujours une provision de bonbons dans ses poches pour elle. La dernière fois qu'il était allé chez Robert, il avait apporté des vieux vêtements de Suzanne, de jolies robes aux cols de dentelle, des pantalons de velours côtelé, et il les avait donnés à Melanie. Il resta assis dans sa voiture à lire le journal jusqu'à ce que le parking commence à se remplir, un peu avant dix heures. Les vendeuses arrivèrent en premier ; elles garaient leur voiture dans la dernière rangée ou bien elles marchaient depuis l'arrêt d'autobus, un foulard noué sous le menton pour protéger leur mise en plis, les jambes gainées de bas transparents, les pieds chaussés de souliers à hauts talons. Elles étaient habillées avec soin et elles n'avaient probablement pas le choix. Si Donna Durgin avait été l'une d'elles, il l'aurait sûrement vue. Elle aurait été aussi visible qu'un nez dans la figure, avec son manteau de drap informe et sa démarche chaloupée de femme obèse. Les clients commencèrent à arriver un peu après dix heures et Hennessy fut soulagé qu'Ellen ne fut pas là pour voir leurs vêtements luxueux et leur belle voiture. Ces gens-là magasinaient pour le plaisir et, d'après ce qu'il voyait, ils ne semblaient pas avoir besoin de quoi que ce soit, surtout ceux qui sortaient de leur Cadillac ou de leur Lincoln et qui boutonnaient leur manteau en poil de chameau pour se protéger du vent.

Il resta dans sa voiture jusqu'à onze heures ; Billy Silk, avec ses cheveux en bataille et cette manie qu'il avait de s'asseoir sur le perron et de craquer des allumettes pendant que sa mère ne le voyait pas, son petit frère assis à côté de lui, beaucoup trop près de la flamme, n'était certainement pas le meilleur témoin qui soit. Hennessy connaissait bien ce genre de gamin, celui que l'on choisissait toujours en dernier pour les jeux d'équipe, et encore uniquement parce que le professeur de gymnastique insistait pour que tout le monde ait la chance de jouer. En fait, Stevie était en train de devenir un peu comme ça. Auparavant, il avait une bande d'amis avec qui il semblait bien s'amuser mais maintenant il revenait à la maison aussitôt après l'école et Ellen se plaignait qu'il passait son temps à regarder la télévision. Hennessy avait d'ailleurs l'impression que son fils était de plus en plus amorphe, comme s'il était sans ressort.

Lorsqu'il avait été sur le point de partir pour Garden City, persuadé qu'Ellen ne lui adresserait plus la parole le reste de la journée même s'il arrivait à temps pour le dîner chez sa sœur, il avait tout à coup ressenti une drôle de sensation le long de sa nuque. Il avait su, sans l'ombre d'un doute, que quelque chose se préparait.

Lorsqu'il entra, il eut l'impression d'être le seul homme dans tout le magasin. Il se sentait comme un ours se frayant un chemin à travers les étalages de sacs à main, ses grosses pattes foulant l'épais tapis. Il fit le tour du rez-de-chaussée, s'arrêtant un moment pour soulever une robe du soir parsemée de paillettes, et il imagina Nora Silk dans cette tenue, pieds nus dans l'obscurité, les cheveux tirés en arrière, sa chaîne en or se soulevant légèrement à chacune de ses respirations. La sensation le long de sa nuque s'amplifia. Il monta à l'étage et se dirigea vers le service à la clientèle ; il remplit une demande de carte de crédit qu'il remit ensuite au commis.

— C'est votre femme qui sera contente, dit le commis.

— Ça, vous pouvez le dire. Votre choix de vêtements est

fantastique. Et les vendeuses sont épatantes. Ma femme me parlait justement de l'une d'elles, Donna Durgin, je crois.

— Donna ? C'est une très bonne vendeuse. Elle travaille au rayon de la lingerie. Pourriez-vous indiquer le nom de votre employeur.

Hennessy donna le nom et l'adresse d'un cabinet d'avocats spécialisés en divorce.

— Vous pourrez poster la carte directement à mon cabinet, dit-il avant de retourner au rez-de-chaussée. Il commença à avoir mal à la tête dès qu'il entra dans le rayon de la lingerie. Il prit une chemise de nuit de satin noir dont il caressa le tissu. Il devait bien y avoir un rayon pour tailles fortes, un peu à l'écart probablement, où d'imposants sous-vêtements blancs étaient rangés à l'abri des regards, où des soutiens-gorge sans grâce, aux agrafes de métal, étaient gardés dans des boîtes fermées. Il apporta la chemise de nuit de satin au comptoir-caisse et attendit pendant qu'une cliente payait les trois culottes de dentelle qu'elle venait de choisir. Hennessy faillit défaillir lorsqu'il entendit que la facture s'élevait à vingt-quatre dollars. La vendeuse qui s'occupa finalement de lui était une grande rousse au parfum capiteux.

— C'est pour un cadeau d'anniversaire ?

— Oui.

Hennessy prit son portefeuille en faisant attention de ne pas laisser voir son étui à revolver. Il paya dix-huit dollars et vingt-cinq sous pour la chemise de nuit, taxes comprises, plus que ce qu'Ellen payait pour la plupart de ses robes. Mais cette dépense n'aura pas été inutile car pendant que la vendeuse emballait la robe de nuit dans du papier de soie, Hennessy entendit la voix de Donna Durgin. Aucun doute, c'était bien elle qui demandait de sa voix de petite fille si les peignoirs en soie devaient être mis sur des cintres. Il se retourna et vit un groupe de vendeuses en train de sortir des peignoirs en soie mandarine, rose, et d'un bleu chatoyant, comme la couleur des œufs d'un rouge-gorge, d'une grosse boîte de carton. Et, tout à coup, il vit Donna émerger de cet amoncellement de tissus soyeux. Il reconnut ses yeux, sa bouche, ses cheveux, coiffés en chignon français, mais s'il ne l'avait pas entendue parler, jamais, au grand jamais, il ne l'aurait retrouvée. C'était maintenant une très belle femme, mince, qui plaisantait avec les autres vendeuses en posant avec un des peignoirs de soie mandarine qui faisait ressortir la blancheur de son teint.

Hennessy prit son paquet et sortit. La tête lui tournait tellement qu'il dut s'appuyer sur le mur de brique. Il attendit jusqu'à l'heure du déjeuner. À midi et demi, il vit Donna sortir du magasin ; elle portait un imperméable anglais de bonne qualité sur une petite robe noire. Elle était avec quatre autres vendeuses et quand elles passèrent devant lui, il baissa la tête et respira les effluves de leur parfum.

Il les suivit jusqu'au Village Grill en pensant à la poussière accumulée sous les meubles chez les Durgin, au regard entendu des garçons lorsque Robert leur demandait de rentrer dîner. Il s'arrêta devant le distributeur de cigarettes ; il pouvait entendre les cinq femmes parler de leurs clientes, de leurs projets de fin de semaine. Donna demanda une salade et un thé glacé mais elle semblait plus intéressée à bavarder avec ses amies qu'à manger. Hennessy aurait bien voulu prendre un café mais il pensa à la jeune femme battue par son mari, celle qui vivait maintenant au New Jersey, celle qu'il avait abandonnée à son sort, trop content de pouvoir fuir cette maison, et il se rendit compte qu'il serait incapable d'avaler quoi que ce soit. Il se dirigea vers la table où était Donna.

— Bonjour Donna.

La fourchette à la main, elle écoutait la femme assise en

face d'elle se plaindre de sa mère ; elle leva les yeux et son sourire se figea.

— J'aimerais te parler, dit Hennessy.

Donna resta immobile mais ses boucles d'oreille tintèrent légèrement.

— Est-ce que ça va ? lui demanda une des femmes d'une voix inquiète.

— Si on prenait un café ? continua Hennessy.

— Donna ? Ça va ? demanda la femme assise à sa droite tout en examinant Hennessy.

— Oui, oui, ça va, répondit Donna et elle prit son sac et se leva.

Elle se dirigea vers l'arrière du restaurant, suivie par Hennessy. Elle prit place à une des petites tables pour deux personnes et observa Hennessy avec attention pendant qu'il s'assoyait en face d'elle.

— Heureusement que le café existe, pas vrai ? dit Hennessy.

Il prit le sucrier et se mit à le tapoter du doigt. Donna attendait, silencieuse.

— Tu as vraiment changé. Tu es resplendissante, dit-il finalement.

Donna continua de l'observer en silence ; on ne pouvait pas dire qu'elle faisait de son mieux pour le mettre à l'aise.

— On s'est inquiété de toi, tu sais. Mais qu'est-ce qui t'a pris de partir comme ça, bordel de merde ?

— C'est difficile à expliquer.

— Une femme ne se réveille pas un beau matin en décidant de partir sans avertir personne, et au diable son mari, ses enfants et sa maison. Tu savais parfaitement ce que tu faisais. Personne ne t'a obligée à partir, ou est-ce que je me trompe ?

— Tu ne comprendrais pas.

— Qu'est-ce que tu en sais ?

Donna baissa les yeux en se mordillant la lèvre ; Hennessy comprit qu'il était sur le point de gagner sa confiance.

— Tu pourrais au moins essayer de m'expliquer, poursuivit Hennessy en sortant la chemise de nuit de satin noir du sac de Lord et Taylor. Après tout, je viens de dépenser dix-huit dollars et vingt-cinq sous pour un bout de satin !

Donna éclata de rire. La serveuse s'approcha et Hennessy demanda un café noir. Il se tourna vers Donna et remarqua qu'elle avait peint ses ongles en rose et qu'elle portait un bracelet en argent.

— Tu ne portes plus ton alliance.

— Tu ne pourrais pas comprendre. C'était comme si j'étais morte.

— Et les enfants ? Tu ne m'as même pas demandé de leurs nouvelles.

— Qu'est-ce que cela leur donnait d'avoir une mère qui n'existait plus. Est-ce que c'est une vie ça ?

Hennessy la regarda sans comprendre.

— Est-ce que c'est une vie ça ? reprit Donna.

— Eh bien, je crois bien, oui. La vie c'est la vie.

— Eh bien, pas pour moi, plus maintenant.

La serveuse apporta le café de Hennessy et après son départ, il se pencha vers Donna.

— Qu'arriverait-il si tout le monde faisait comme toi ? Si je décidais un beau matin de partir, de laisser Ellen et les enfants, de ne plus payer l'hypothèque ?

— Je ne sais pas. Et toi, est-ce que tu le sais ?

— Si tu savais combien j'aimerais le savoir.

Ils se fixèrent du regard un moment.

— Je prendrais bien un café, dit finalement Donna.

— Tant mieux, je déteste boire ce foutu poison tout seul.

Hennessy demanda à la serveuse d'apporter un autre café pendant que Donna allait avertir ses amies qu'elle les rejoindrait au magasin plus tard. Il pouvait voir que les autres femmes semblaient tout excitées ; elles pensaient sans doute qu'il était un amoureux potentiel.

— Elles te trouvent plutôt sympathique, lui dit Donna en se rasseyant. Tu sais, je retourne parfois rue Hemlock. Je regarde la maison et c'est comme si je n'avais jamais vécu là.

— Alors qu'est-ce qu'on fait ?

Donna sortit deux comprimés de Saccharin de son sac et les mit dans son café.

— Je ne sais pas. Ça dépend de toi.

— Hier, j'ai laissé une boîte pleine de vêtements pour Melanie. Robert ne sait vraiment pas comment habiller une fille. Il lui fait porter les vieux jeans des garçons.

— Oh non !

— Et des souliers de course qui montent à la cheville, deux fois trop grands pour elle.

Donna se mit à pleurer doucement. Hennessy la regarda. Il ne ressentait rien.

— Tu t'attendais à quoi au juste ?

— Tu es un beau salaud Joe Hennessy.

— Je sais.

Ils repoussèrent tous les deux leur café.

— Alors, dis-moi, est-ce que tu aimerais les voir ?

Donna Durgin le regarda droit dans les yeux et Hennessy dut baisser le regard.

— Plus que tout au monde, répondit-elle.

Après avoir convenu d'une rencontre le dimanche suivant à Policeman's Field, un vaste espace venteux situé aux limites de la ville où se tenaient les parties de base-ball pendant l'été, ils se levèrent et Hennessy paya la facture. Il attendrait avec les enfants dans le terrain de jeux, situé à côté de Policeman's Field ; Donna emprunterait la voiture d'une amie, et elle pourrait les observer de l'auto garée de l'autre côté de la rue.

Ni lui ni Donna ne sut jamais pourquoi Hennessy ne la dénonça pas. En fait, il ne s'en sentait tout simplement pas le courage. Il n'alla pas chez la sœur d'Ellen à Rockville Centre ce soir-là. Il rentra directement à la maison, se fit un sandwich, regarda une partie de base-ball à la télévision et s'enferma ensuite dans la salle de bains pour pleurer. Quand il se sentit mieux, il sortit prendre le sac de Lord et Taylor dans la voiture, revint dans la maison et mit la chemise de nuit de satin sur le lit de sa femme, sous l'oreiller.

Donna habitait un petit appartement à Hempstead. Il était à peine meublé, il n'y avait même pas de tapis, et elle avait suspendu des plantes devant chaque fenêtre et mis des cactus sur la tablette au-dessus de l'évier de la cuisine. Elle était partie sans rien emporter et elle avait jeté tous les vêtements qu'elle portait le jour de son départ à la poubelle. Elle ne possédait qu'un canapé qui se transformait en lit, une vieille table basse qu'elle avait peinte en blanc et une penderie remplie de vêtements de bonne coupe. Chaque soir, au dîner, elle se contentait de thon sans mayonnaise, d'une salade de laitue Iceberg et de tomates même si elle avait maintenant atteint son poids idéal.

Le dimanche où elle devait voir ses enfants, Donna mit un fuseau noir et un gros chandail de laine rouge sous son imperméable anglais. Elle emprunta la voiture de son amie Ilene et, avant de partir pour Policeman's Field, elle mit des lunettes de soleil et cacha ses cheveux sous un foulard. Elle ne se sentait pas trop nerveuse mais quand elle arriva en vue du terrain de jeux, son cœur lui martelait les côtes et elle eut peur d'avoir un arrêt cardiaque. Ce n'était pas comme si elle ne pensait jamais à eux mais elle avait fait comme si ses enfants étaient avec elle. Pendant la pause du déjeuner, elle allait souvent au rayon des vêtements pour enfants ; elle regardait les robes de velours, les pantalons, les vestes de laine et elle planifiait ses achats. Lorsqu'elle dénichait une belle plante, elle imaginait le regard émerveillé des enfants dans sa cuisine ensoleillée et remplie de verdure.

Donna gara la voiture de l'autre côté de la rue qui longeait le terrain boueux. Elle baissa la vitre pour laisser l'air frisquet du mois de mars lui fouetter le visage. Elle vit Hennessy, assis sur le banc, près du bac de sable. Il n'avait pas eu beaucoup de difficultés à convaincre Robert de lui laisser les enfants pendant quelques heures. Donna l'observa un instant. Il regardait Melanie jouer dans le sable. Elle portait un chandail bleu que Donna n'avait jamais vu et un pantalon de velours côtelé rose qui avait appartenu à Suzanne Hennessy. Les garçons s'amusaient dans la cage à grimper. Ils n'étaient vêtus que d'un jean et d'un T-shirt tout froissé qui laissait voir le haut de leurs fesses quand ils se balançaient aux barres parallèles.

Donna regretta d'être venue. Elle avait imaginé que ses enfants n'auraient pas changé, qu'ils resteraient tels qu'ils étaient le jour de son départ jusqu'à ce qu'elle revienne les chercher. Mais ils avaient changé ; ils avaient grandi sans elle. Elle ne vit pas Hennessy s'approcher de la voiture.

— Ce sont des enfants formidables, dit Hennessy.

Donna Durgin hocha la tête.

— Tu viens leur dire bonjour ?

— Quoi ?

— Écoute, j'ai réfléchi. Tu pourrais avoir un droit de visite. Si Robert fait des difficultés, tu pourrais toujours obtenir un arrêt de la cour. Même si tu divorces, tu as des droits.

— Tu me sembles pas mal au courant, dit Donna.

Hennessy ouvrit la portière. Donna lui lança un regard bref et sortit de la voiture. Hennessy la regarda se diriger vers le terrain de jeux et songea qu'à part sa voix, tout chez elle était différent. Les enfants la reconnurent immédiatement ; ils se précipitèrent vers elle et s'accrochèrent à son imperméable, la faisant presque tomber à la renverse dans le vent.

Ce même soir, un peu après onze heures, on frappa violemment à la porte, chez les Hennessy ; tout le monde dormait mais pas Hennessy ; il attendait en contemplant le ciel par la fenêtre.

Ellen s'assit dans le lit en agrippant sa couverture.

— Qu'est-ce que c'est ?

— Ne bouge pas, répondit Hennessy.

Ellen se tourna vers son mari. La chambre était éclairée par la lune. À la porte, les coups redoublèrent de violence.

— Joe ?

Ellen avait peur maintenant et Hennessy tenta de la rassurer.

— Il va finir par s'en aller.

— Qui ?

Hennessy écouta le martèlement des coups.

— Robert Durgin.

Ellen regarda son mari un instant puis elle se leva et enfila son peignoir. Hennessy resta couché ; il entendit Robert crier et Ellen chuchoter ; il se leva à son tour et s'habilla rapidement. Il pensa un moment à prendre son pistolet mais décida que ce ne serait pas nécessaire.

— Salaud, lui cria Robert Durgin lorsqu'il le vit entrer dans le salon.

— Si on parlait de tout ça demain matin ?

— Est-ce que les enfants vont bien ? demanda Ellen.

Robert ne répondit pas et la repoussa brusquement. Le souffle coupé, Ellen le regarda comme si elle ne le reconnaissait pas.

— Calme-toi Robert, dit Hennessy.

— Enfant de salaud.

Suzanne sortit de sa chambre en serrant sa poupée contre elle.

— Maman ?

— Je vais la remettre au lit, dit Ellen mais elle attendit un signe de son mari avant de se diriger vers la chambre de Suzanne.

— Tu sais où est ma femme, dit Robert quand Ellen eut quitté le salon. Melanie a fait un cauchemar et elle m'a dit qu'elle pleurait parce qu'elle savait que c'était mal de mentir mais que sa maman et M. Hennessy lui avaient dit que ce serait mieux ainsi. Et moi qui te croyais mon ami.

— Je ne prends le parti de personne dans cette affaire.

— Alors, dis-moi où elle se cache.

— Ce n'est pas possible.

— Peux-tu au moins me dire pourquoi elle est partie ?

— Je ne sais pas pourquoi elle est partie, répondit Hennessy parce qu'il n'avait tout simplement pas le courage de dire la vérité à Robert. Écoute, je pourrais emmener les enfants voir Donna les dimanches jusqu'à ce que tu entames les procédures de divorce.

— Va te faire foutre.

— Elle est prête à assumer tous les torts à la condition qu'elle puisse continuer de voir les enfants.

Robert se laissa tomber lourdement sur le canapé.

— Robert, je pense que ce serait préférable que tu la laisses tranquille.

Ellen les observait depuis le couloir. Elle s'était habillée et avait coiffé ses cheveux. Elle entra dans le salon et s'assit à côté de Robert.

— Voudrais-tu un café ? Un sandwich ?

Robert hocha la tête. Ils burent du café et mangèrent des sandwiches au jambon et au fromage qu'Ellen avait posés sur la table basse, face à la fenêtre. De cette façon, ils pouvaient surveiller la maison où les enfants de Donna et de Robert dormaient paisiblement.

Après le départ de Robert, Ellen desservit en silence et lorsqu'ils se retrouvèrent dans leur chambre, elle se tourna vers son mari et lui dit d'un ton amer :

— Pourquoi toi et pas moi ? Pourquoi Donna ne m'a-t-elle pas téléphoné, à moi ?

— Elle ne m'a pas téléphoné, je l'ai retrouvée.

— Oui, mais elle aurait pu m'appeler, dit Ellen en pleurant. Elle était mon amie.

Joe Hennessy regarda sa femme pleurer un moment et s'assit à côté d'elle sur le lit.

— Je ne savais même pas que quelque chose n'allait pas, dit Ellen. Elle regarda son mari. « Et maintenant, je le sais. »

8

De bons garçons

À la fin du mois de mars, [illegible] dans sa Cadillac et partit vivre à Manhattan. Il eut la délicatesse [illegible] de son départ. [illegible] chez Best & Co, [illegible] Avenue et il avait emporté ce qu'il possédait de plus précieux dans quatre [illegible] d'une séparation temporaire [illegible] était sérieuse lorsque Gloria se mit à [illegible] en dépendait. Elle essaya toutes sortes de [illegible] des brownies au chocolat et [illegible] à l'orange et elle acheta [illegible] qu'elle remplissait [illegible] et qu'elle rangeait [illegible] famille à quiconque [illegible] que leur père était en voyage d'affaires, [illegible] était vrai, et que leur mère [illegible] non pas parce que [illegible] mais [illegible]

À l'école, Pablo Simpto se [illegible] Dans les

8

De bons garçons

À la fin du mois de mars, Phil Shapiro mit ses bagages dans sa Cadillac et partit vivre à Manhattan. Il eut la délicatesse d'attendre qu'il fasse nuit et aucun des voisins ne fut témoin de son départ. Un nouvel emploi l'attendait chez Best & Co, il avait loué un appartement tout près de Lexington Avenue et il avait emporté ce qu'il possédait de plus précieux dans douze boîtes de carton brun. Il s'agissait apparemment d'une séparation temporaire mais il devint évident que l'affaire était sérieuse lorsque Gloria se mit à cuisiner comme si sa vie en dépendait. Elle essaya toutes sortes de nouvelles recettes, des brownies au chocolat et au cognac, du poulet à l'orange, et elle acheta un ensemble complet de plats Tupperware qu'elle remplissait inlassablement de toutes ses préparations et qu'elle rangeait ensuite dans le congélateur déjà plein à ras bord. Elle défendit à ses enfants de parler de cette crise familiale à quiconque ; si on les interrogeait, ils devaient dire que leur père était en voyage d'affaires, ce qui dans un sens était vrai, et que leur mère marchait jusqu'au supermarché, non pas parce que Phil ne pouvait pas la conduire en voiture, mais parce qu'elle avait simplement besoin d'exercice.

À l'école, Rickie Shapiro se réfugiait souvent dans les

toilettes du deuxième étage pour pleurer. À vrai dire, elle pleurait beaucoup ces derniers temps. Elle avait les nerfs à fleur de peau surtout depuis qu'elle sortait avec Doug Linkhauser, le capitaine de l'équipe de football, celui-là même dont le père venait de lui offrir une Corvair flambant neuve, blanche avec un intérieur rouge écarlate. Doug était fou d'elle et elle était folle de lui, mais elle se sentait quand même comme si tout s'écroulait autour d'elle. Comment ses parents en étaient-ils arrivés là ? Nora Silk était la seule personne divorcée qu'elle connaissait et, de toute évidence, elle le méritait. Rickie voyait bien qu'elle avait un homme dans sa vie ; un jour qu'elle fouillait dans le coffre à bijoux de Nora, elle avait vu des mégots de cigarette, d'une autre marque que celle utilisée par Nora, dans le cendrier sur la table de chevet. Elle avait pris un des oreillers sur le lit et il sentait tellement le tabac et la sueur qu'elle l'avait laissé tomber par terre de dégoût. Garder James et Billy Silk était devenu une corvée. Parfois, le samedi matin, elle téléphonait à Nora en disant qu'elle était malade et Nora devait avertir Armand qu'elle ne pourrait pas aller au salon. Rickie avait même décidé de ne plus suivre ses conseils ; elle bouclait ses cheveux avec de gros rouleaux métalliques et, si elle en croyait Doug Linkhauser, le rose lui allait à merveille.

Elle ne comprenait pas ce qui était arrivé à ses parents ; elle ne se souvenait même pas de les avoir entendus se disputer. Comment pouvaient-ils l'humilier ainsi et lui défendre de parler de leur séparation, même à Joan Campo, sa meilleure amie. Danny ne lui était d'aucune aide et elle n'en pouvait tout simplement plus de toute cette affaire. Sa mère passait son temps à cuisiner, et il faisait si chaud dans la cuisine qu'on se sentait défaillir dès qu'on y mettait les pieds. Le dimanche, son père les amenait, elle et Danny, dîner au Tito's Steakhouse de l'autre côté du Southern State et elle ne pouvait pas sortir avec Doug ce soir-là. Ils commandaient des steaks avec des frites et des rondelles d'oignon mais personne ne mangeait et Rickie devait faire la conversation parce que Danny refusait d'ouvrir la bouche. Phil les laissait ensuite rue Hemlock où Gloria les attendait. Rickie avait pris l'habitude de noter ce qu'ils avaient mangé et comment son père était habillé simplement pour avoir quelque chose à raconter à sa mère. Le vendredi et le samedi, pendant qu'elle s'habillait pour sortir avec Doug, elle entendait Gloria dans le jardin en train de tailler les arbustes et de nettoyer les plates-bandes. Cela faisait un bruit horrible, on aurait dit un animal sauvage creusant la terre en grognant, mais sa mère ne s'arrêtait que lorsqu'il y avait un tas de plantes déracinées à côté de la terrasse.

— Tu es tellement belle, murmurait Doug en l'embrassant dans la Corvair garée à l'arrière de Policeman's Field, et elle avait envie de lui donner un coup sur la tête. Elle était follement amoureuse de Doug. Pourquoi ne le serait-elle pas ? Toutes les filles voulaient sortir avec lui, mais lorsqu'il l'embrassait, elle pensait à Ace.

La vie n'était pas facile, Rickie le comprenait bien maintenant. Sa meilleure amie ne s'était-elle pas exclamée : « Mais c'est épouvantable ! Tu n'as plus de famille » lorsque Rickie lui avait enfin avoué la séparation de ses parents. Elle aurait voulu frapper Joan Campo mais elle ne voulait pas laisser voir qu'elle était blessée. Elle n'était plus sûre de rien comme si elle avançait sur un terrain vaseux, des sables mouvants plutôt, qui risquaient de l'engloutir. On lui avait appris à respecter les règles établies, peu importait le prix et même au risque de perdre un garçon comme Ace. Elle avait maintenant l'impression qu'on l'avait trompée. Des parents comme les siens ne se séparaient tout simplement pas ; un garçon aussi brillant et aussi séduisant que Danny devrait avoir des tas d'amis au lieu de passer ses soirées enfermé dans sa chambre ; même Joan Campo, sa meilleure amie depuis six ans, l'avait déçue. Une règle tacite voulait que les filles laissent les garçons les embrasser et leur toucher les seins, par-dessus leur soutien-gorge bien sûr, mais Joan lui avait avoué qu'elle et Ed Laundry avaient presque fait l'amour et qu'elle n'hésiterait pas à recommencer. Devant son air offusqué, Joan avait éclaté de rire. Que croyait-elle que tout le monde faisait à Policeman's Field ? lui avait-elle demandé. Rickie avait été trop gênée pour lui répondre qu'elle croyait que toutes les filles agissaient comme elle, en fille respectable, et que si elle n'avait pas pensé cela, elle serait dans les bras d'Ace McCarthy au lieu de se retrouver coincée sur la banquette arrière d'une Corvair, laissant Doug Linkhauser l'embrasser avec sa langue.

Son monde avait éclaté. Au début, elle avait espéré que tout redeviendrait comme avant et qu'elle saurait ce qu'on attendait d'elle mais après un certain temps, elle s'était mise à en douter. Gloria avait maintenant abandonné la cuisine et le jardin et passait son temps à fumer en regardant la télévision, deux choses qu'elle avait toujours désapprouvées. Elle ne sortait que les après-midi où elle avait ses leçons de conduite. Elle n'avait jamais appris à conduire parce que Phil l'accompagnait partout ; le fait qu'elle prenait des leçons et qu'elle marchandait le prix des Ford ne pouvait signifier qu'une chose : la séparation était définitive. Lorsque sa mère obtint enfin son permis, Rickie perdit tout espoir d'un retour à une vie normale.

En fait, on aurait dit que tout le voisinage avait perdu la tête, les mères surtout. Marie McCarthy, qui s'était toujours consacrée à sa famille et à l'entretien de sa maison, était maintenant gardienne d'enfants. Une fois par mois, elle allait Chez Armand se faire teindre et couper les cheveux et elle faisait habituellement comme si Nora n'existait pas. Mais à son dernier rendez-vous, alors qu'elle était assise près du lavabo, la tête recouverte d'un bonnet de caoutchouc, elle vit que Nora avait installé le parc du bébé dans un petit placard à l'arrière du salon. Armand s'en était aperçu lui aussi et il suivit Nora lorsqu'elle s'éclipsa discrètement pour donner une brioche au bébé. Marie entendit Armand dire à Nora qu'il se fichait bien si elle ne pouvait pas compter sur sa gardienne ; il avait besoin d'elle deux autres jours par semaine et si elle n'était pas disponible, il faudrait qu'il la remplace. Armand retourna à ses clientes et Nora resta quelques instants dans l'encadrement de la porte du placard, son bébé dans les bras, à grignoter une moitié de brioche. Son regard croisa celui de Marie avant que celle-ci n'ait eu le temps de détourner les yeux.

— Bonjour Mme McCarthy, lança Nora en venant s'asseoir à côté de Marie. Le monde n'est pas fait pour les femmes qui travaillent, vous ne trouvez pas ?

Le bébé se pencha, saisit le bracelet en argent de Marie et réussit à se glisser sur ses genoux.

— Allô ! dit-il à Marie.

— Qu'est-ce que je dois faire ? Faire comme si mes enfants n'existaient pas ?

— Je pourrais m'en occuper si vous voulez, dit Marie sans réfléchir.

Et l'affaire fut conclue. Marie n'avait eu qu'à ouvrir la bouche et Nora put enfin renvoyer Rickie. Marie prendrait soin de James le mercredi et le vendredi, et le samedi matin, elle garderait Billy également. Elle se retrouva donc avec deux petits garçons, comme lorsqu'elle était jeune mère de famille, mais cette fois, elle était payée et elle devait bien avouer qu'elle y prenait beaucoup plus de plaisir. Elle acheta une chaise haute d'occasion pour James ; elle lui montra comment tenir une cuillère et une fourchette, comment dire « Au revoir » et comment compter jusqu'à trois. Elle l'emmena chez Lynne Wineman et chez Ellen Hennessy. Elle était fière de lui et même Lynne et Ellen durent admettre qu'il était très attachant. « Marie », dit James en s'éveillant de sa sieste un après-midi et elle s'empressa d'affirmer qu'il était non seulement un enfant adorable mais surtout très intelligent.

John McCarthy et Jackie ne voyaient pas d'un très bon œil que Marie garde un bébé à la maison ; ils avaient peur qu'elle se fatigue. Ace, par contre, s'accommoda très bien de cette nouvelle présence et s'occupait volontiers de Billy. Il l'emmenait jouer au base-ball et l'invitait à aller promener Rudy avec lui. Marie dut faire de nombreux efforts pour gagner la confiance de Billy mais elle finit par le séduire à coup de plats de spaghettis, de parties de cartes — elle lui montra à jouer au gin et au mah-jong — et de leçons sur l'art d'ouvrir une pistache avec les dents.

Marie ne s'en rendait pas compte mais lorsqu'elle rendait visite à Lynne et à Ellen avec James, ce n'était pas tant le bébé qui intéressait ses amies que Nora elle-même. Lynne voulait savoir où elle achetait ses vêtements et si elle avait un amoureux. Ellen Hennessy voulait savoir comment elle se débrouillait pour élever deux enfants et travailler en même temps. Tous les matins, sauf pendant les week-ends, Ellen laissait Suzanne chez Lynne Wineman, accompagnait Stevie à l'école, faisait quelques courses et allait à sa leçon de dactylo. Elle s'était inscrite à un cours de cinq semaines et comme elle aurait bientôt terminé, elle avait commencé à se chercher un emploi. Un poste de réceptionniste offert chez un orthodontiste du voisinage l'intéressait tout particulièrement et le jour de son entrevue, elle se rendit chez Nora, avec Suzanne, pour se faire faire une manucure. Nora était encore en robe de chambre mais elle sourit et l'invita à entrer. Ellen n'avait jamais vu une maison dans un tel désordre. Nora mit de la peinture à doigts et du papier sur le plancher de la cuisine pour que James et Suzanne puissent s'amuser et elle débarrassa la table des boîtes de céréales et de la pâte à modeler qui l'encombraient.

— Je suis folle de votre mari, dit Nora pendant que les doigts d'Ellen trempaient dans de l'eau savonneuse.

— Oh, fit Ellen et elle jeta un coup d'œil à Suzanne qui avait déjà le front tout barbouillé de traces de peinture.

— Mon ex-mari ne savait rien faire de ses dix doigts. Il ne savait même pas remonter un réveille-matin.

— Avez-vous du rose très pâle ? demanda Ellen quand Nora sortit ses flacons de vernis.

— Le rose fuchsia vous irait beaucoup mieux.

— Je vais peut-être travailler, vous savez. Il y a un poste qui m'intéresse beaucoup dans un cabinet d'orthodontiste, tout près d'ici.

— Ce serait formidable. Il vous ferait sûrement un prix intéressant si jamais vos enfants ont besoin de soins.

— C'est vrai ! Je n'avais pas pensé à ça.

Ellen enleva ses doigts du liquide dans lequel ils trempaient et observa Nora repousser ses cuticules.

— Mais ce qui m'inquiète, ce sont les enfants.

— Vous savez, de toute façon on s'inquiète toujours pour ses enfants. Aimeriez-vous entendre un peu de musique ?

Nora alla dans le salon, mit un disque, revint dans la cuisine, alluma une cigarette, la posa dans un cendrier et déboucha le flacon de vernis à ongle rose fuchsia.

— Est-ce que vous vous inquiétez d'eux quand vous êtes au travail ? demanda Ellen.

Nora prit des biscuits dans un contenant Tupperware et les donna aux enfants sans prendre la peine de leur laver les mains.

— Bien sûr que je m'inquiète. Je me fais tout le temps du souci pour eux.

Lorsque Ellen décrocha le poste, Nora fut la première personne à qui elle téléphona.

— C'est fantastique ! s'exclama Nora. Mais je sens que vous hésitez.

James était en train de se faufiler dans l'armoire où étaient rangées les casseroles et Nora le laissa faire. Ace buvait un Coca-Cola assis à la table de la cuisine et bientôt il sauterait par-dessus la clôture et retournerait à l'école, à temps pour le dernier cours.

— Comment vais-je annoncer ça à Joe ?

— Vous savez, ce n'est pas tant comment mais où.

Ace mit sa bouteille vide sur le comptoir et s'approcha de Nora. Il lui passa les bras autour de la taille.

— Dites-le lui sur l'oreiller.

Ace embrassa Nora dans le cou et se dirigea vers l'armoire. Il se pencha pour embrasser James.

— Allez, salut vieux.

Nora se tourna vers lui et lui fit signe de parler moins fort. Ace se redressa, fit une fausse révérence, siffla son chien et sortit. Dans sa cuisine de l'autre côté de la rue, Ellen s'assit à la table, perplexe.

— Que voulez-vous dire ? dit-elle et l'espace d'un instant elle se demanda ce qui lui avait pris de téléphoner à Nora et de se confier à cette femme.

— Vous savez parfaitement ce que je veux dire.

— Nora !

— Vous voyez bien que vous savez ce que je veux dire. Arrangez-vous pour qu'il ait autre chose à penser que le fait que sa femme ait décidé d'accepter un poste de réceptionniste.

Joe Hennessy en avait plein le dos. Depuis le début de la

semaine il était assigné à la surveillance d'une quincaillerie qui venait d'être dévalisée trois fois en un seul mois. C'était le genre de travail qu'il détestait. Il devait passer des soirées entières dans une voiture garée en face du magasin. Les premiers jours, rien ne se produisit. Mais le soir où il avait décidé d'aller au restaurant manger un sandwich chaud à la dinde, un voleur en avait profité pour fracasser la baie vitrée de la quincaillerie et pour voler cinq radios transistors. Un jeune, sans doute, en mal de sensations fortes, qui se calmerait en vieillissant à moins qu'on ne l'envoie en prison. Et là... Naturellement, depuis cet incident, Joe Hennessy était la risée de tous ses collègues.

Et puis un soir, vingt minutes environ avant que Johnny Knight ne vienne le remplacer, Hennessy reçut un appel-radio et il sut que ce serait une sale affaire avant même d'apprendre qu'il s'agissait d'un meurtre survenu dans une maison de la rue Mimosa. Il actionna sa sirène et, comme il démarrait en direction de Harvey's Turnpike, le ciel, qui était d'un bleu très foncé, devint presque noir. Lorsqu'il arriva au 445 rue Mimosa, il vit que trois autres enquêteurs étaient déjà sur les lieux, dont Johnny Knight. Celui-ci vint à sa rencontre.

— Suis mon conseil, dit Johnny Knight en lui offrant une cigarette. Remonte dans ta voiture et retourne à la quincaillerie.

Les deux hommes marchèrent jusqu'au perron en fumant leur cigarette dans le noir.

— C'est si terrible que ça ?

— Ce n'est pas beau à voir.

Hennessy connaissait la famille qui vivait dans cette maison, du moins assez bien pour saluer Roy Niles au Dairy Queen, dont celui-ci était propriétaire, et où Hennessy emmenait souvent les enfants manger des glaces pendant l'été. Si ses souvenirs étaient exacts, la femme de Niles s'appelait Mary et ils avaient deux enfants, une fille qui venait de commencer ses études secondaires et un garçon qui travaillait au Dairy Queen pendant les vacances d'été. Hennessy entendit les cris de la femme dès qu'il mit le pied dans la maison. Ce n'était donc pas elle la victime.

— On vient tout juste d'avoir un appel. Roy Niles est mort à son arrivée à l'hôpital, dit Johnny Knight.

Hennessy essuya ses chaussures couvertes de boue sur le paillasson du vestibule.

— On voudrait que tu parles à Raymond, le fils de Roy.

— Comment Roy a-t-il été tué ?

— Onze coups de couteau.

— Est-ce qu'il y a des suspects ?

— C'est le fils qui a fait le coup. Sa mère et sa sœur sont dans une des chambres, en pleine crise d'hystérie. Il l'a tué dans le sous-sol. Savais-tu que Niles y a aménagé un abri nucléaire avec des provisions pour au moins six mois ? Il a tout prévu, de l'eau, un radio émetteur. Tout.

— Est-ce que c'est là que c'est arrivé ?

— Non, dans la buanderie. Il y a du sang partout.

Le garçon était dans la cuisine, assis à la table, la tête entre les jambes. Hennessy salua les deux autres enquêteurs ainsi que le pathologiste qu'on avait fait venir de Hempstead.

— Le gamin est complètement sonné, dit Ted FIynn, un des enquêteurs. Si tu veux lui parler, je n'y vois pas d'objection mais on doit l'emmener au poste et ensuite au Pilgrim State.

Raymond Niles venait tout juste d'avoir dix-sept ans ; il fréquentait la même école que Rickie mais elle ne savait même pas qu'il existait. Il était maigre et ses cheveux crépus, coupés en brosse, laissaient voir son cuir chevelu. Il avait le teint très pâle mais ce soir-là, il était carrément blême. Il portait une chemise brune, un pantalon brun, des chaussures de sport blanches et il avait l'air de quelqu'un sur le point de vomir. Hennessy le regarda en se demandant pourquoi c'était lui qui écopait de cette affaire. Il demanda à être seul avec Raymond pendant une dizaine de minutes et après le départ des autres enquêteurs, il ouvrit le réfrigérateur et prit deux Coca-Cola. Il s'assit en face de Raymond, ouvrit les deux bouteilles et en tendit une au garçon.

— Allez, bois. Ça va te remettre l'estomac d'aplomb.

Le garçon leva les yeux vers Hennessy et sa gorge se serra. Il regarda la bouteille de Coca-Cola comme s'il mourait de soif. Hennessy la posa sur la table et Raymond la saisit ; il en but la moitié d'un coup.

— Les autres pensent que tu es fou et que tu n'as rien à leur dire de toute façon. Pour eux, ce n'est qu'une question de formalité avant qu'on t'envoie en prison.

Le garçon haussa les épaules et baissa les yeux mais Hennessy savait qu'il écoutait.

— Peut-être que c'est un cas de légitime défense. Peut-être que c'est un accident. Peut-être que ce n'est même pas toi qui l'as tué et que tout ce que veulent ces imbéciles, c'est de trouver un coupable.

— C'est moi qui l'ai tué, dit Raymond.

Hennessy prit une gorgée de Coke.

— Voudrais-tu des biscuits ?

Raymond fit signe que non ; Hennessy se leva et prit deux biscuits dans une boîte en métal sur le comptoir. Il avait des nausées mais il se força à en manger un quand même.

— Ce sont ta mère et ta sœur qu'on entend pleurer dans la chambre.

— Laissez-moi tranquille. Tout ce que je veux c'est qu'on m'emmène loin d'ici.

— Onze coups de couteau...

— Qu'est-ce que vous voulez au juste ?

Hennessy l'observa quelques instants. Ce n'était qu'un

enfant, un adolescent malingre qui passait probablement toujours inaperçu.

— Je veux que tu me dises ce qui c'est passé. Je veux entendre ta version des faits.

La version de Raymond commençait dans la buanderie, l'endroit préféré de son père quand il voulait le battre. Roy Niles faisait mijoter son fils une journée ou deux, puis il lui flanquait une volée. Mais Raymond avait décidé qu'il en avait assez ; il s'était imaginé que le fait de menacer son père avec un couteau suffirait à le calmer mais Roy était devenu comme fou et quand Raymond avait donné le premier coup de couteau, il s'était aperçu qu'il ne pouvait plus s'arrêter et il avait cru qu'il était devenu fou lui aussi. Et maintenant, il voulait partir n'importe où, pourvu qu'il n'entende plus sa mère pleurer.

— Bois ton Coca-Cola, dit Hennessy lorsque le garçon eut fini de parler.

— Personne ne me croira. Ma mère tournait toujours le volume de la radio lorsqu'il me battait.

— Moi, je te crois, dit Hennessy.

Il laissa Raymond dans la cuisine et alla rejoindre les autres dans le salon.

— Son père le battait.

— Ah oui ? Et c'est pourquoi il lui a donné onze coups de couteau ? dit Johnny Knight.

— Ce n'était pas prémédité. C'est arrivé sans qu'il l'ait vraiment voulu.

— Ne me dis pas que tu le crois. Et le couteau ? C'était un hasard s'il avait un couteau sur lui ? demanda Ted Flynn.

Certains crurent à la version de Raymond, surtout les garçons du cours de gymnastique qui avaient souvent vu les marques sur ses jambes et dans son dos quand Raymond se déshabillait, et d'autres ne la crurent pas. Mais en fin de compte, cela ne fit aucune différence car il n'y avait pas de preuve et personne ne se porta à la défense de l'adolescent, sauf Joe Hennessy. Raymond fut conduit au pénitencier. La nouvelle se répandit comme une traînée de poudre et, cette nuit-là, les pères eurent de la difficulté à s'endormir et les mères examinèrent longuement le visage de leurs jeunes fils. Comment une telle chose avait-elle pu se produire ? Les parents et les enfants devinrent excessivement polis les uns envers les autres comme s'ils craignaient que quelqu'un d'autre ne perde la tête et qu'ils voulaient s'assurer que ce ne serait pas quelqu'un de leur famille, et surtout pas eux-mêmes. On chuchotait beaucoup mais personne ne parlait ouvertement du drame. Joe Hennessy consacra trois jours entiers à interroger les professeurs et les gens de la famille avant de se rendre compte que tout cela ne donnait rien. On annulait les rendez-vous à la dernière minute ou bien on lui répondait par monosyllabes. Même ses collègues ne voulaient plus entendre parler de cette affaire ; en fait, on le fuyait. Lorsque Hennessy remit enfin son rapport, un rapport qui ne comportait même pas l'ombre d'un blâme envers Roy Niles, Johnny Knight l'invita à une partie de poker. Les autres enquêteurs le reçurent avec de grandes tapes dans le dos, lui offrirent une cigarette, soulagés qu'il ait enfin laissé tomber l'affaire et heureux de pouvoir l'accueillir de nouveau parmi eux.

Il gagna quatorze dollars et il était minuit passé lorsqu'il rentra chez lui. Il se faisait habituellement un sandwich lorsqu'il rentrait tard mais, ce soir-là, Ellen lui avait préparé des côtelettes d'agneau, des petites carottes au beurre et une pomme de terre au four avec de la crème aigre.

— J'avais envie de cuisiner, dit-elle, un peu brusquement lorsque Joe jeta un regard surpris sur la table.

— Ça sent bon.

Ellen s'assit en face de son mari et le regarda manger.

— Est-ce que tu aimerais en parler ?

Hennessy donna des petits coups de fourchette sur sa pomme de terre et fit signe que non.

— Ça te ferait peut-être du bien, insista Ellen.

Hennessy leva les yeux vers sa femme et vit qu'elle était sincère.

— Je préfère ne pas en parler, pas maintenant.

Ellen avait, elle aussi, espéré que son mari laisserait tomber l'enquête. Hennessy prit une bière dans le réfrigérateur et se dirigea vers le salon. Ellen alla dans la chambre et se déshabilla, les mains tremblantes. Elle éteignit les trois lumières de la lampe sur pied et mit la chemise de nuit de satin noir. Cela faisait maintenant trois mois qu'elle n'avait pas fait l'amour avec son mari et, la dernière fois, elle ne pouvait pas dire qu'elle y avait mis tout son cœur. Elle se brossa les cheveux dans le noir, devant sa commode, prit le flacon d'huile de jasmin que Nora lui avait donné et en aspergea quelques gouttes sur son oreiller.

Hennessy finit sa bière et éteignit les lumières. Depuis la disparition de Donna Durgin, Ellen insistait pour qu'il verrouille toutes les portes le soir et, même si c'était devenu une habitude, son estomac se nouait chaque fois qu'il fermait une porte à clé. Il entra dans la chambre de Suzanne, puis dans celle de Stevie, et il remit leur couverture en place. Il revit Raymond en train de boire son Coca-Cola, assoiffé, le teint blême et les mains tremblantes. Il pensa à la jeune femme qu'il avait laissé tomber, celle qui faisait cuire du steak haché après avoir été battue par son mari ; il songea au regard de Donna Durgin lorsqu'elle voyait ses enfants sortir de la voiture de Hennessy et se précipiter à sa rencontre. Demain, il devrait reprendre sa surveillance de la quincaillerie mais, cette fois, il ne se plaindrait pas. Il lirait tranquillement son journal en buvant un café, assis derrière son volant, et si le jeune voleur osait revenir, il appuierait sur le klaxon pour le faire fuir.

Lorsqu'il entra dans la chambre, l'odeur du jasmin lui monta à la tête et, pendant un instant il se demanda s'il était bien chez lui. Ellen avait allumé la veilleuse sur une des tables de chevet et elle était couchée dos à lui ; une des bretelles de la chemise de nuit de satin noir avait glissé de son épaule blanche. Hennessy commença à se déshabiller.

— Joe ? Si tu venais me rejoindre, dit Ellen.

Il s'assit à côté d'elle sur le lit et comme elle semblait attendre un geste de sa part, il caressa le tissu soyeux de la chemise de nuit. Il hésitait à l'embrasser car la dernière fois qu'il avait voulu faire l'amour, elle avait refusé. Mais Ellen prit son visage entre ses mains ; elle l'attira vers elle et lorsqu'elle l'embrassa, ses craintes s'envolèrent. Il lui fit l'amour comme si elle n'était pas sa femme et lorsqu'elle se pencha pour le caresser là où elle n'avait jamais voulu le caresser — il le lui avait souvent demandé pourtant, il l'avait même suppliée — il crut qu'il allait exploser. Et lorsqu'elle se coucha sur lui, il lui fit l'amour comme jamais il n'avait osé le faire. Mais il savait qu'elle ne voulait pas qu'il arrête car elle avait passé ses bras autour de son cou et elle l'embrassait.

Ils s'endormirent dans le même lit pendant que la lune se levait dans le ciel et, le lendemain, ils se réveillèrent tôt. Ils s'habillèrent en silence, encore abasourdis par ce qui venait de se passer entre eux après toutes ces années de mariage. Ellen trouva la chemise de nuit entortillée dans les draps, la plia soigneusement et la rangea dans le premier tiroir de sa commode. Et lorsqu'elle lui annonça, après le petit déjeuner, qu'elle avait accepté un poste de réceptionniste, Hennessy était encore trop désorienté pour comprendre ce qu'elle lui disait. Il mit du sucre dans son café et la regarda, bouche bée, pendant un si long moment qu'Ellen s'appuya sur l'évier et éclata de rire. Les enfants venaient de se réveiller et réclamaient leurs vêtements, et c'était bien dommage car elle aurait volontiers entraîné son mari dans leur chambre.

Le 1er avril, il y eut un examen d'algèbre pour les élèves inscrits en mathématiques renforcées. Pour ces futurs diplômés, la réussite de cet examen était plus une question d'honneur qu'autre chose car, de toute façon, ils recevraient leur admission au *college* de leur choix d'ici à quelques semaines. Voilà pourquoi l'absence de Danny Shapiro fut particulièrement remarquée. M. Bower, le professeur de mathématiques, attendit dix minutes après que la cloche eut sonné, dans l'espoir que Danny arriverait, mais il dut finalement se résoudre à distribuer le questionnaire d'examen. Danny n'aurait eu aucun problème à passer cet examen. Il serait probablement arrivé le premier mais, au moment où M. Bower distribuait les crayons à mine, Danny Shapiro était déjà en route pour New York.

Il ne serait probablement pas parti s'il avait pris le temps de réfléchir. Ce samedi-là il avait fumé un joint sur son lit en écoutant la radio qui jouait dans la chambre de sa sœur pendant qu'elle se préparait à sortir avec Doug Linkhauser. Il n'avait pas été surpris outre mesure que Rickie laisse tomber Ace McCarthy et il la plaignait de ne pas avoir le courage de faire autre chose que ce qu'on attendait d'elle. Il plaignait sa mère aussi ; elle était tellement bizarre ces derniers temps. Si on avait le malheur de parler du divorce de Lucy et de Desi, les personnages de son téléroman préféré, elle se mettait à fustiger Desi avec des mots que jamais Danny n'aurait pu imaginer dans la bouche de sa propre mère. Elle détestait les automobiles et les vendeurs d'automobiles. Elle avait obligé Danny à l'accompagner faire l'essai d'une Ford Falcon et, lorsqu'elle s'était mise à engueuler le vendeur en l'accusant de vouloir la rouler, Danny avait dû l'entraîner à l'écart pour la supplier de se calmer.

Mais ce qui avait profondément troublé Danny, ce n'était pas tant le départ de son père que le fait que celui-ci s'était empressé de lui mettre toutes sortes de responsabilités sur les épaules. Au cours de leur premier dîner chez Tito, Phil avait attendu que Rickie aille se laver les mains pour lui annoncer, le plus sérieusement du monde, que c'était dorénavant Danny l'homme de la maison. Et lui, lui avait-on seulement demandé son avis ? Son père se comportait comme s'il était de descendance royale et que Danny était son héritier. Que cela fasse l'affaire de Danny ou non, c'était lui qui devait maintenant s'assurer que Rickie ne rentrait pas trop tard le vendredi soir. C'était lui qui remplacerait les fusibles de la cuisinière. Au début, il avait été tout excité par la nouvelle que son père allait vivre à Manhattan, où se trouvait justement l'Université Columbia. Danny avait toujours rêvé d'aller vivre à New York et, s'il demeurait chez son père, il pourrait économiser. Comme un idiot, il avait aidé Phil à transporter ses bagages jusqu'à sa voiture et, pendant que son père plaçait ses valises dans le coffre de sa Cadillac, il lui avait demandé s'il pourrait emménager avec lui à la fin de l'année scolaire. Mais Phil s'était empressé de lui expliquer que ce ne serait pas une bonne idée. Danny n'aurait pas la chance de connaître la vie en résidence sur un campus, et puis l'appartement n'était pas très grand. Danny avait compris que son père ne cherchait pas uniquement à échapper à un mariage malheureux mais qu'il cherchait aussi à les fuir, lui, Rickie et Gloria.

C'était pourquoi il plaignait sa mère et sa sœur. Elles continuaient à espérer, à se conformer, et tout cela ne les menait nulle part. Après le dîner, il les regardait frotter la vaisselle blanche à bordure dorée jusqu'à ce qu'elle brille tout en bavardant de tout et de rien, de rien surtout ; on aurait dit deux oiseaux qui battaient des ailes et s'arrachaient les plumes. Danny se mit à les mépriser. Quand Raymond Niles poignarda son père et que le quartier au grand complet fit comme si de rien n'était, comme si les Niles n'existaient tout simplement pas, il prit sa décision.

Il étouffait, il devait partir loin de la rue Hemlock et lorsqu'il vit le bracelet d'identité de Doug Linkhauser au bras de Rickie, il eut envie de casser le poignet de sa sœur. Il la revoyait marchant avec Ace le long de l'autoroute, ses longs cheveux roux flottant derrière elle comme une traînée de feu. Elle paraissait plus petite depuis qu'elle sortait avec Doug. Elle semblait prisonnière de ses crinolines, de ce bracelet d'identité et, quand Doug marchait à côté d'elle en la tenant par la taille, il parvenait à l'éclipser complètement.

La veille de son départ, Danny attendit Linkhauser dans le parking réservé aux étudiants, debout à côté de la Corvair. Il fulminait tellement que même Doug put sentir sa colère lorsqu'il s'approcha de la voiture.

— Salut Danny. Ça va ?

Danny avait laissé ses livres dans son casier et il tenait sa batte de base-ball à la main.

— Tu sors avec ma sœur.

— Euh, oui, répondit Doug.

Tout le monde savait qu'il sortait avec Rickie Shapiro.

— Et alors ? ajouta Danny.

— Et alors, quoi ?

— Et alors, que comptes-tu faire ?

— Ce que je compte faire ?

Doug s'appuya sur sa Corvair pour réfléchir. Il s'inscrirait probablement au State College, à Farmingdale. Il demeurerait donc chez ses parents pendant ses études, ce qui voulait dire qu'il pourrait continuer à sortir avec Rickie.

— Eh bien je demanderai Rickie en mariage quand j'aurai fini mes études.

Doug regarda Danny en souriant, persuadé d'avoir donné la bonne réponse. Son père était propriétaire d'une chaîne de magasins de tapis et Doug n'avait jamais réfléchi à ce qu'il ferait plus tard, tenant pour acquis qu'il travaillerait avec son père. Il se sentait comme s'il venait de passer un examen et qu'il avait assez bien réussi. Après tout, il y avait des choses pires dans la vie que d'épouser Rickie Shapiro.

— Merde ! s'exclama Danny.

— Qu'est-ce qu'il y a ? demanda Doug, inquiet.

— Et si tu devenais coureur de course automobile ?

Doug regarda fixement Danny.

— Et si tu entrais au Département d'Etat et que Rickie refusait de voyager en Italie ou en Syrie ? Est-ce que tu y as pensé ?

— Tu es fou ou quoi ?

Danny s'appuya sur la Corvair.

— Ouais, peut-être que je suis fou.

Danny regarda le ciel bleu et, tout à coup, il ressentit une vive douleur au côté gauche. Elle irradiait jusque dans son épaule et dans son bras. Il aurait voulu avoir douze ans et aller s'entraîner au base-ball avec Ace ; il aurait voulu oublier toutes ces émotions qui lui chaviraient le cœur mais c'était impossible. En se rendant à l'école, le lendemain matin, il arrêta à la Chemical Bank, à côté du supermarché, et retira toutes ses économies. Il ne prit même pas la peine de retourner chez lui pour y prendre ses affaires.

Le ciel lui sembla plus éclatant et l'horizon plus vaste lorsque l'autocar eut traversé le New Jersey. Le ciel devint de plus en plus bleu au fur et à mesure que l'autocar filait vers le sud. À Washington, les azalées avaient commencé à fleurir. Danny disposa de deux sièges pour lui seul jusqu'à l'arrêt de

Richmond où un homme dans la vingtaine monta et prit le siège libre à côté du sien. L'homme alluma une cigarette et sortit un jeu de cartes.

— Une partie de poker ?

Danny fit non de la tête.

— Une partie de vingt-et-un alors ?

— Je ne joue pas aux cartes.

— Ah non ?

L'homme avait un accent très prononcé et Danny devait prêter l'oreille pour bien saisir ce qu'il disait.

— A quoi sais-tu jouer ?

— Au base-ball.

— Au base-ball ! Mais c'est un jeu de cartes pour enfants !

— Pas où je vais.

— Et où vas-tu ?

L'homme mit sa cigarette dans le cendrier entre les deux sièges et la fumée monta en spirale vers le visage de Danny.

— Au camp d'entraînement des Yankees.

— Sans blague ! Et tu voyages par autocar Greyhound ?

— Pourquoi pas ? Ça me permet de voir du pays.

Pour l'instant, le pays se résumait à un bout d'autoroute et à une série de bicoques derrière une clôture de métal.

L'homme s'appelait Willie et il allait à Clearwater, en Floride, rendre visite à sa mère qu'il n'avait pas vue depuis sept ans.

— Elle ne me reconnaîtra pas. Je n'étais qu'un bébé quand je suis parti. J'étais plus jeune que toi.

Ils dormirent un peu et le lendemain matin ils descendirent ensemble à l'arrêt de Greensboro pour prendre un petit déjeuner. Danny faillit crier de joie devant cet horizon sans fin. Il se sentait prêt à affronter les grands espaces, loin de cette banlieue peinarde, loin du campus pour enfants gâtés de l'Université Cornell, son deuxième choix. Dès son arrivée à

St-Petersburg, il s'achèterait de nouveaux vêtements et même des bottes de cow-boy, comme celles de Willie. Mais pour le moment, il n'aspirait qu'à se payer le plus gros petit déjeuner qu'il ait jamais mangé : des crêpes, des œufs et deux grands verres de jus d'orange.

— On ferait mieux d'aller se rafraîchir un peu, dit Willie. Sinon, les serveuses refuseront de nous servir.

Danny éclata de rire et se dirigea vers les toilettes situées à l'extérieur pendant que les autres passagers entraient dans le restaurant.

— Eh Danny, pas par là, lui cria Willie.

Il le rejoignit.

— On peut dire que tu es un vrai gars du Nord, un vrai Yankee ! Cette toilette est pour les nègres, voyons.

Un Noir sortit de la toilette et regarda Danny droit dans les yeux. Danny aurait voulu lui expliquer qu'il n'avait rien à voir avec cet idiot aux bottes de cow-boy mais il n'en fit rien. Il suivit Willie dans le restaurant et alla aux toilettes, à l'arrière du comptoir. Il se lava le visage, urina, et se recoiffa. Il avait la nausée. Willie avait déjà passé la commande pour Danny mais il fut incapable de manger et, lorsqu'ils reprirent l'autocar, il n'avait plus envie de parler. Il faisait de plus en plus chaud. Willie trouva un siège où il put s'étendre et piquer un petit somme ; un peu plus tard, il trouva quelqu'un d'autre avec qui jouer au poker, au grand soulagement de Danny. Ce gars ne connaissait rien au base-ball, il ne connaissait rien à rien en fait, et tout ce que voulait Danny, c'était arriver en Floride au plus tôt.

Il regrettait presque d'être parti de chez lui sans réfléchir davantage. Il regarda par la fenêtre et il se sentit comme s'il était projeté dans l'espace sans parachute. Lorsqu'ils entrèrent en Floride, les passagers applaudirent et le chauffeur klaxonna mais Danny se sentait de plus en plus mal. Il était souvent venu en Floride, en vacances avec ses parents, mais la Floride qu'il découvrait maintenant ne ressemblait pas à celle de ses souvenirs. Les feuilles des palmiers étaient brunes au lieu d'être vertes et la terre avait la couleur de la poussière. Comme il n'avait pas de bagage, il partit à la recherche d'un motel aussitôt descendu de l'autocar et il en trouva un à deux coins de rues de la gare. Il commençait à avoir faim. Après s'être lavé, il se rendit dans une petite épicerie et acheta des Scooter Pies et un Coca-Cola ; affamé, il mangea nerveusement ses petits gâteaux et but son Coke sur le trottoir, regrettant de ne pas avoir de lunettes de soleil pour se protéger des rayons aveuglants. L'air était chaud et humide sous un soleil de plomb et les gens autour de lui transpiraient abondamment même quand ils restaient immobiles. Il retourna au motel ; il y faisait aussi chaud que dehors. Il ne put fermer l'œil de la nuit et ne prit même pas la peine d'essayer.

La première journée, il se contenta de regarder les joueurs à travers la clôture. Il s'était acheté trois T-shirts et des lunettes de soleil et, après avoir observé les recrues, il était tellement excité qu'il fit trois cents pompes avant de se coucher ; toute la nuit, il vit des balles et des battes derrière ses paupières closes comme il avait continué de voir la lumière des phares lorsqu'il s'était endormi dans l'autocar. Le lendemain, il fit de nouveaux trois cents pompes, pour se détendre cette fois, et il retourna au camp d'entraînement tôt le matin, avant que la chaleur ne soit trop oppressante. Il n'était pas le seul à attendre l'ouverture du bureau de recrutement. Un groupe d'hommes plus âgés et des jeunes de son âge attendaient près de la clôture. Certains avaient apporté leur propre batte. Danny Shapiro sentit qu'il devait faire preuve d'initiative. Il souffrait d'un coup de soleil sur le nez et, s'il restait là encore longtemps, ses cheveux risquaient de devenir carrément blond platine. Il voulut se diriger vers le bureau dès qu'on y fit de la lumière mais un gardien l'arrêta avant qu'il ne franchisse la barrière. C'était un Noir d'une cinquantaine d'années, vêtu d'un uniforme bleu.

— J'ai rendez-vous pour une entrevue, dit Danny.

— Allez, mon gars, penses-tu vraiment que je vais croire ça ?

— Je suis comptable agréé.

— Il me faudrait une preuve.

— Comme quoi ? Que je vous aide à remplir votre déclaration de revenus ?

Le garde éclata de rire et laissa entrer Danny. Il l'accompagna jusqu'au bureau et lui demanda de patienter quelques instants.

Danny attendit. Une fine poussière rouge, qui venait du terrain d'entraînement, lui emplissait les narines. Ses mains étaient moites et il les essuya sur son jean sale. Il regarda le ciel et essaya de respirer lentement. Le garde revint en compagnie d'un homme plus âgé, vêtu d'un complet de lainage noir, beaucoup trop chaud pour le climat de la Floride.

— C'est lui le comptable ?

— C'est bien lui, répondit le garde.

— Comment t'appelles-tu ?

— Danny Shapiro.

Dans ce foutu pays, le soleil pouvait vous aveugler même si vous portiez des lunettes de soleil, pensa Danny.

— Shapiro... C'est un nom juif ça, non ?

— Écoutez, je suis venu ici pour jouer au base-ball.

— J'avais deviné. Tout le monde vient ici pour jouer au base-ball.

— Oui, mais moi, je joue très bien.

— Qui t'a dit ça ? Ton entraîneur à l'école ?

Danny, la gorge serrée, essuya ses mains sur son pantalon.

— Comptable agréé ! C'est la meilleure !

L'homme hocha la tête et Danny mit un certain temps à

comprendre qu'il venait de lui faire signe de le suivre. Trois recrues étaient assises sur un banc, tout près du rectangle du frappeur, adossées à une clôture de bois. L'homme fit un signe et une des recrues, il n'avait pas plus de dix-neuf ans, se leva d'un bond. Il avait de très longs bras.

— J'aimerais que tu fasses un essai avec mon comptable que voici, dit l'homme.

— D'accord, M. Reardon.

À la façon dont le garçon salua l'homme, Danny comprit que M. Reardon était probablement un des entraîneurs. Le garçon ne jeta qu'un rapide coup d'œil à Danny comme si celui-ci n'avait aucune importance.

Danny enleva ses lunettes et les rangea dans la poche de son jean. Il prit une batte et se dirigea vers le rectangle du frappeur. Le ciel était blanc et semblait à portée de main. Dans l'avant-champ, le lanceur étira ses longs bras nerveux. Danny ferma les yeux. Ace était devant lui ; il entendit le chant des criquets et le grognement sourd de son ami lorsqu'il lançait enfin la balle de toutes ses forces. Danny rata les deux premières. Il pensa aux poubelles soigneusement alignées le long de la rue Hemlock, aux pelouses qui verdissaient au début du printemps. Il frappa la troisième balle aussi fort qu'il en était capable et il eut l'impression que son cœur partait avec elle. Il continua à frapper de toutes ses forces et la dernière balle attrapa un moineau en plein vol ; l'oiseau s'écrasa sur le deuxième but avec un bruit mat. Danny retourna au banc des joueurs et remit sa batte à M. Reardon. Il tremblait tellement qu'il aurait été incapable de courir vers les buts sans tomber face contre terre.

M. Reardon alluma une Pall Mall et contempla le terrain d'entraînement.

— Tu es un bon frappeur mais j'en vois des douzaines aussi bons que toi chaque semaine.

— Oui, mais vous ne m'avez vu faire qu'une seule fois.

— Écoute mon gars, tu es déjà chanceux d'avoir pu entrer ici. Tu ferais mieux de t'en aller maintenant.

Danny partit en courant. Après avoir passé devant le garde, il dut se plier en deux pour reprendre son souffle. Il se réfugia ensuite à l'ombre d'un gumbo-limbo. Il vit, à travers la clôture, que la recrue lançait maintenant des balles à un autre frappeur, un comique qui s'amusait à tirer la langue. Lorsqu'il lança une balle incurvée, Danny se rendit compte qu'on l'avait vraiment épargné. La balle se dirigeait vers le frappeur à une vitesse inimaginable et lorsqu'il la frappa, elle s'élança dans les airs à une hauteur que Danny n'aurait jamais pu atteindre, même s'il s'était exercé le reste de sa vie. Le jeune frappeur n'était probablement pas si doué que cela. Il ne serait peut-être même pas choisi pour le camp d'entraînement, mais Danny avait compris qu'il n'avait aucune chance d'être engagé. Ni aujourd'hui ni jamais.

Avec le restant de ses économies, il acheta un aller simple pour La Guardia et une caisse d'oranges pour sa mère. Il ne lui restait pas assez d'argent pour s'offrir des bottes de cow-boy et il laissa ses lunettes sur la tablette au-dessus du lavabo de sa chambre. Il prit un taxi de l'aéroport à la rue Hemlock et dit à sa mère qu'il avait eu besoin de s'éloigner quelque temps, que tout allait bien. Il répéta la même chose à Joe Hennessy qui vint à la maison pour lui parler car Gloria Shapiro avait rapporté la disparition de son fils à la police. Il était bel et bien revenu, dit-il à Hennessy assis en face de lui sur le canapé du salon. Hennessy rassura Gloria Shapiro en lui disant que tous les adolescents faisaient une fugue à un moment ou à un autre, et qu'il valait mieux que Danny se défoule ainsi plutôt que de se transformer en Raymond Niles. Les Shapiro burent du jus d'orange fraîchement pressé pendant tout le mois d'avril et lorsque Danny sortait les poubelles, sans qu'on ait eu à le lui demander, et qu'il les alignait soigneusement le long du trottoir, il écoutait le bruit de la circulation sur le Southern State. Quand il reçut l'offre d'admission de Columbia et celle de Cornell, il choisit Cornell sans hésiter.

9

Le temps des lilas

Jackie McCarthy avait laissé tomber son ancienne bande d'amis. Il travaillait à la station-service avec son père, il se tenait loin des salles de bowling et des cinémas et il avait renoncé aux folles virées en voiture avec les copains. Tous les samedis matin, il lavait le plancher de la cuisine et le soir, il regardait la télévision. Il lui arrivait même de s'endormir sur le canapé du salon. Le divorce de Lucy et de Desi le bouleversa.

— Maman ! s'écria-t-il lorsqu'on annonça la nouvelle au journal télévisé de dix-huit heures.

Marie sortit de la cuisine en courant, une cuillère de bois à la main, certaine que son fils s'était fait mal en tombant du canapé. Jackie envoya un cadeau à Little Ricky, le fils de Lucy et de Desi, qu'il fit parvenir au studio de télévision, à Hollywood. C'était un modèle réduit d'une auto de course qu'il avait assemblé et peint lui-même. Marie aurait voulu qu'il sorte plus souvent, qu'il aille au cinéma, qu'il invite une amie, mais Jackie lui répondait en souriant qu'il avait mieux à faire. La vérité c'était qu'il avait peur dans le noir. Tant de choses l'effrayaient maintenant, des choses dont jamais il n'aurait pensé qu'elles puissent lui faire peur. Rudy, le chien de son frère, une énorme bête qui devait bien peser soixante kilos, le terrifiait. Lorsque Jackie était seul avec lui dans la maison, le chien montrait les dents et il grognait comme s'il avait eu une scie à chaîne dans la gorge. S'il y avait quelqu'un d'autre avec eux, il se couchait, le museau appuyé sur ses pattes, mais les poils de son cou se hérissaient et il ne quittait pas Jackie des yeux. Parfois, en fin de soirée, Jackie croyait entendre quelqu'un frapper à la fenêtre.

— Ce n'est rien, murmurait-il pour s'encourager mais du coin de l'œil il surveillait Rudy. Le chien avait les yeux rivés sur la fenêtre et les oreilles dressées.

Jackie s'était mis dans la tête de devenir un modèle de vertu. Lorsqu'un client laissait sa voiture à l'atelier, il le conduisait à son bureau, allait le chercher le soir et lui rendait son automobile propre comme un sou neuf, le cendrier vidé, le pare-brise et la vitre arrière nettoyés. La première semaine de mai, quand les bourgeons des érables se colorent de jaune puis de vert sous le soleil printanier, Jackie rangea son blouson de cuir noir, se rendit chez Robert Hall's et s'acheta un complet bleu, la réplique exacte de celui que son père portait toujours à la messe de Pâques. Il alla ensuite chez le barbier et Le Saint approuva de la tête, surpris et heureux, lorsque Jackie revint à la maison les cheveux coupés court. Pendant qu'ils travaillaient ensemble à la station-service, le père et le fils ne se parlaient pas beaucoup. Ils n'en éprouvaient tout simplement pas le besoin. Le matin, Jackie faisait du café dans le percolateur d'aluminium et le soir, après la fermeture, il balayait le sol de l'atelier et celui du bureau. Le samedi, la présence d'Ace venait briser cette routine mais, la plupart du temps, il servait de l'essence et n'entrait dans le bureau que pour se procurer de la monnaie. Mais, s'il avait le malheur d'entrer dans l'atelier, Jackie était incapable de poursuivre son travail. Il sentait le regard de son frère lui transpercer le dos.

Il se mettait à penser aux fantômes. Il devenait maladroit et il se mettait à jurer, ce qui n'était vraiment plus dans ses habitudes.

Un samedi du mois de mai, les glycines étaient en fleur et, dans les jardins, les lilas bourgeonnaient, Jackie en eut assez. Il sentit le regard brûlant de son frère et il se releva de la plate-forme sur laquelle il était assis pour travailler.

— Fiche-moi la paix, s'écria-t-il.

Ace continua à le dévisager. Jackie s'approcha de lui et le poussa contre le mur.

— Cesse de me regarder comme ça.

Ace souriait comme si Jackie venait de lui prouver que ce qu'il pensait de lui était juste. Il ne cherchait pas à se défendre mais le chien, caché jusque-là dans l'ombre des pompes à essence, se précipita dans l'atelier, le poil hérissé, et s'arrêta devant Jackie. Il se mit à aboyer furieusement. On aurait dit un chien sorti tout droit de l'enfer.

— Fous le camp d'ici, dit Jackie mais Rudy continua à tourner autour des deux frères en se rapprochant de plus en plus. Jackie lâcha Ace et recula, mais le chien agrippa une jambe de son pantalon.

— Hé ! s'écria Jackie, pris de panique.

Ace regarda son frère.

— Mais fais quelque chose !

— Rudy !

Le chien lâcha prise. Il arrêta de japper mais il continua de grogner en fixant Jackie d'un regard mauvais. Lorsque celui-ci fit un pas en avant, il se remit à aboyer.

— Merde de merde ! s'exclama Jackie.

Ace retint Rudy par le collier.

— Je t'ai dit que j'avais changé mais tu ne veux pas me croire, cria Jackie.

John McCarthy était sorti du bureau et il les regardait de l'entrée de l'atelier.

— Ça suffit.

Les deux frères se tournèrent vers lui, chacun espérant que Le Saint s'adressait à l'autre.

— Ace, sors ce chien d'ici et ne le ramène pas.

— Mais papa... dit Ace et sa voix se brisa. Il se sentait trahi.

— Ce chien est dangereux.

— Ce n'est pas le chien qui est dangereux.

— Ace, ça suffit.

— Papa, de quel côté es-tu ? lança Ace d'une voix tremblante.

— Je ne suis du côté de personne, dit Le Saint mais il regarda Jackie et, peut-être parce que Jackie et Le Saint fréquentaient le même barbier et portaient le même uniforme, Ace sentit un frisson courir le long de sa colonne vertébrale.

Il sortit du garage, attacha la laisse de Rudy à la pompe à air et entra dans le bureau. Son père faisait les comptes et il ne leva pas les yeux lorsque Ace ferma la porte derrière lui.

— Peut-être que je ne devrais plus travailler ici.

Maintenant qu'il était seul avec son père, Ace espérait que Le Saint lui montrerait de quel côté il était. Un signe, un sourire, un hochement de tête aurait suffi.

— Comme tu veux mais tu devras te trouver un autre travail, répondit Le Saint les yeux baissés, comme si Ace était celui des deux frères qui n'avait pas le sens des responsabilités.

— Je pourrais travailler au supermarché, continua Ace en espérant de tout son cœur que son père lui dise qu'il n'en était pas question, que sa place était ici, à la station-service.

— Si c'est ce que tu veux...

— Ouais, c'est ce que veux, répondit Ace d'une voix tendue.

Il fut engagé au A&P. Il rapportait les chariots qu'on laissait dans le parking et il aidait les vieilles dames et les femmes enceintes à transporter leurs sacs de provisions jusqu'à leur voiture. Il travaillait le samedi et l'après-midi, après l'école. Au lieu de rentrer chez lui après son travail, il passait prendre Billy Silk pour jouer au base-ball et Nora insistait pour que lui et Billy dînent avant d'aller au terrain d'entraînement. Billy avait fait beaucoup de progrès ; il réussissait à frapper toutes les balles que lui envoyait Ace et elles s'élançaient très haut au-dessus de la clôture, celle qu'avait enfoncée la voiture de Jackie. Elle avait été réparée et il ne restait plus aucune trace de l'accident.

Plus tard, les deux garçons, en sueur et sentant le gazon mouillé, retournaient chez Nora en marchant côte à côte dans le noir. Le chien trottinait à leurs côtés. James avait déjà pris son bain et il dormait. Ace regardait la télévision en buvant de la limonade pendant que Billy finissait ses devoirs et allait se coucher. Nora avait accepté de garder Rudy chez elle pendant la journée et, quand Ace et Nora allaient dans la chambre, le chien les suivait. Il se couchait bien sagement dans un coin pendant qu'ils faisaient l'amour. Vers onze heures, Ace rentrait finalement chez lui. Jackie était couché mais sa mère était parfois dans la cuisine en train de plier des vêtements ou de boire une tasse de thé. Elle savait qu'il y avait eu un problème à propos de Rudy, et elle était reconnaissante envers Nora d'avoir accepté d'en prendre soin en plus d'accueillir Ace chez elle comme s'il faisait partie de la famille.

Ace avait laissé Rudy dans le jardin avant d'entrer dans la maison. Marie le regarda ouvrir le réfrigérateur pour y prendre une boisson gazeuse.

— Tu étais avec les enfants de Nora ?

— Oui, répondit tranquillement Ace.

Marie savait qu'il avait pris Billy en affection et elle aimait l'interroger sur les progrès de Billy au base-ball.

— Alors, est-il meilleur que Danny Shapiro ? demandait-elle et Ace souriait et lui répondait non, pas encore, personne dans le quartier n'était aussi bon frappeur que Danny. Lorsqu'elle avait gardé James pendant la journée, elle lui parlait de ses derniers exploits et, lorsque c'était vendredi soir, elle lui montrait les petits gâteaux qu'elle avait confectionnés spécialement pour Billy et pour James. Ace allait ensuite dans sa chambre. Il ouvrait la fenêtre et Rudy grimpait sur le rebord et sautait à l'intérieur. Il se couchait sur le tapis et regardait Ace se déshabiller puis se coucher. Parfois, il s'approchait du lit et touchait la main d'Ace avec son museau. Ace, qui avait envie de pleurer, lui caressait la tête et s'endormait, couché sur le côté, les genoux remontés sur sa poitrine.

Tous les dimanches, Jackie accompagnait sa mère à la messe. Il n'entrait jamais à l'église mais l'attendait, vêtu de son complet bleu, dans la voiture garée devant l'église Sainte-Catherine. La première fois qu'il vit Rosemary DeBenedict, elle était sortie quelques instants sur le parvis de l'église pour épingler un mouchoir blanc sur ses cheveux. Elle terminait ses études secondaires dans une école catholique, elle portait une jupe écossaise, des escarpins vernis et elle avait les cheveux raides et noirs. Tous les dimanches, elle accompagnait sa mère et ses deux jeunes sœurs à la messe et, dès que Jackie jeta les yeux sur elle, il sut qu'elle était la femme qu'il attendait. Il crut un instant qu'elle l'avait remarqué elle aussi mais il n'en n'était pas certain. Elle avait de grands yeux bleus, elle ne mettait pas de rouge à lèvres mais elle avait de petites perles aux oreilles et une chaîne en or autour du cou.

Après la messe, Marie rejoignit Jackie dans la voiture. Elle sentait les gardénias et l'encens. Elle enleva ses chaussures en soupirant et Jackie mit le moteur en marche, les yeux fixés sur Rosemary.

— J'ai mal aux genoux. Je vieillis, je crois bien, dit Marie en riant.

Elle se tourna vers Jackie. Il continuait de dévisager Rosemary et Marie songea qu'elle devait avoir bien vieilli pour avoir maintenant un fils en âge de tomber amoureux.

Le dimanche suivant, Jackie emprunta une cravate à son père et sortit de la voiture pour attendre Marie. Après la messe, son cœur bondit dans sa poitrine quand il vit Rosemary sortir de l'église, et il sourit comme un idiot lorsque Marie lui annonça que la jeune fille serait heureuse de s'asseoir à côté de lui pendant la messe, le dimanche suivant.

Il y avait longtemps que Jackie n'avait mis les pieds dans une église mais ce ne fut pas aussi pénible qu'il l'avait craint. Il ne pouvait s'empêcher de dévorer Rosemary des yeux, même lorsqu'elle le présenta à ses parents et à ses sœurs, après la messe. Quand il trouva le courage de lui demander de sortir avec lui, il avait complètement oublié le genre de garçon qu'il avait déjà été.

Il se mit aussitôt à économiser pour acheter une bague de fiançailles. En juin, Rosemary recevrait son diplôme d'études secondaires ; elle avait toujours pensé qu'elle continuerait de travailler à la boulangerie familiale mais elle n'avait pas vraiment réfléchi à ce qu'elle ferait plus tard. Bien sûr, il y aurait un mari et Jackie semblait l'homme tout indiqué. Ses parents organisèrent un dîner en l'honneur des jeunes gens ; les McCarthy apportèrent du vin et des biscuits aux amandes. Pendant toute la durée du repas, Rosemary évita le regard de Jackie mais, plus tard dans la soirée, elle se laissa embrasser et Jackie eut alors la certitude qu'elle accepterait de l'épouser.

Par un beau mardi après-midi ensoleillé, Marie accompagna son fils chez Goldman, le bijoutier de Hempstead. Jackie avait pris soin de demander à son père la permission de s'absenter pour quelques heures. Ils choisirent une bague, petite mais cerclée d'éclats de diamants, et Marie versa quelques larmes pendant que Jackie réglait la facture en payant comptant. Ensuite, elle le serra si fort dans ses bras qu'il en eut le souffle coupé. Ce même soir, il fit sa demande en mariage ; il mit un genou en terre et glissa la bague au doigt de la jeune fille. Elle sentait délicieusement bon, comme l'odeur sucrée des gâteaux qu'on trouvait dans la boulangerie de son père et, agenouillé, là, devant elle, il comprit qu'il passerait le reste de sa vie à essayer d'être à la hauteur des attentes de la jeune fille, mais qu'il n'y réussirait pas.

Le jour de ses vingt et un ans, les premières abeilles de la saison butinaient les hortensias en fleur. Six mois avaient passé depuis la mort de Cathy Corrigan. Six mois qui semblaient six années à Jackie McCarthy. Il faisait encore des cauchemars, mais tout le monde en faisait de temps en temps, non ? Et il avait encore peur des chiens. Son pouls s'accélérait à la vue du moindre petit caniche, mais après avoir été attaqué par un monstre comme le chien de son frère, n'importe qui aurait la même réaction. Quant à sa phobie du noir, eh bien, cela ne s'arrangeait pas, et il avait pris l'habitude de toujours avoir une lampe de poche sur lui. Il s'en servit d'ailleurs la veille de son anniversaire. Rosemary l'attendait à la boulangerie et elle lui avait confectionné un gâteau de fête décoré de cerises, de copeaux de chocolat et de pâte d'amande. Lorsqu'il se réveilla, le lendemain matin, il sentit l'odeur d'un autre gâteau, la spécialité de sa mère, un gâteau au chocolat et à la vanille, celui qu'elle faisait chaque année pour l'anniversaire de ses fils.

Ace ne voulait pas assister au repas de fête en l'honneur de Jackie mais sa mère insista tant qu'il finit par céder. Marie avait préparé des coquilles de pâte farcies, du pain à l'ail, et pour dessert, il y avait de la salade de fruits, avec des tranches de pamplemousses roses, et le fameux gâteau au chocolat et à la vanille. Toute la journée, Marie s'était sentie un peu déprimée, à cause de ce gâteau justement. Même si Billy Silk avait léché le bol ayant servi à la préparation du glaçage en déclarant que c'était le meilleur auquel il ait jamais goûté, elle savait bien que son gâteau ne serait jamais aussi bon que celui que Rosemary avait servi à Jackie la veille. Le temps passait si vite. Son fils aîné avait déjà vingt et un ans et quand elle essayait de se rappeler son visage d'enfant, c'était celui de James qui lui venait à l'esprit. Elle avait alors très envie de prendre le bébé dans ses bras pour sentir la chaleur de son petit corps encore plein de sommeil.

Marie servit les pâtes avec force cérémonie et elle en garda un peu dans un contenant Tupperware pour le déjeuner de James le lendemain. Elle en avait aussi préparé pour les Durgin parce que Robert adorait la cuisine italienne. Le Saint et Jackie souriaient. Lorsque son père ouvrit la bouteille de Chianti et commença à servir le vin, Ace le regarda faire, le cœur serré. Sa famille était tellement habituée à son absence que Le Saint ne s'était tout d'abord pas rendu compte qu'il manquait un verre. Il regarda sa femme et elle se leva d'un bond pour prendre un autre verre dans l'armoire.

Jackie surveillait son père à la dérobée, attendant le moment propice. La veille, alors qu'il balayait le plancher de l'atelier à la fin de la journée, Le Saint l'avait observé, debout dans l'encadrement de la porte.

— Ce plancher est tellement propre qu'on pourrait s'y installer pour manger, pas vrai ? avait dit Jackie.

Le Saint s'était approché et lui avait remis une enveloppe.

— Qu'est-ce que c'est ? avait demandé Jackie d'une voix inquiète mais Le Saint avait simplement hoché la tête et Jackie avait ouvert l'enveloppe. Il dut relire le document deux fois avant d'y croire vraiment. Son père faisait de lui son associé.

Le Saint lui fit signe et Jackie s'éclaircit la gorge.

— On a une bonne nouvelle, dit-il en tendant le document à Marie.

Ace regarda son assiette. S'il était chez Nora, il serait probablement en train de manger des saucisses et de boire un Coca-Cola avec beaucoup de glaçons et il observerait le mouvement de ses mains pendant qu'elle couperait la nourriture de James en petites bouchées.

— Doux Jésus, s'exclama Marie et elle mit ses bras autour de Jackie et le serra très fort.

Ace leva les yeux.

— C'est quoi, ce papier ?

— Papa et moi, on est maintenant associés, répondit Jackie.

Ace se tourna vers son père.

— Papa, qu'est-ce que ça veut dire tout ça, merde !

— Ace, ne parle pas sur ce ton-là à ton père, dit Marie.

— Et moi là-dedans ? Qu'est-ce que je deviens ? reprit Ace.

— Tu n'as jamais aimé travailler à la station-service. Jackie, lui, ça l'intéresse.

— Ah oui ? dit Ace et il repoussa sa chaise. Elle grinça bruyamment contre le linoléum. Et tu donnes tout à Jackie ? Tu lui pardonnes tout ce qu'il a fait ?

— Oui, répondit Le Saint.

— Eh bien, pas moi.

Ace se leva, prit son blouson, sortit et se dirigea vers le jardin de Nora pour y chercher Rudy. Les lilas qui poussaient le long de la clôture étaient en pleine floraison. Rudy s'approcha et frotta son museau sur la jambe du garçon mais Ace le repoussa gentiment. Il entendait le cliquetis de la vaisselle dans la cuisine, chez lui. Et il songea que c'était tout de même étrange d'entendre ce bruit familier au moment même où sa vie venait de basculer. Il aurait bientôt fini l'école et il avait toujours pensé qu'il travaillerait ensuite avec son père, à la station-service. S'il continuait à pousser des chariots dans le parking du supermarché encore longtemps, il serait obligé de faire ça toute sa vie. Il aurait aimé ne plus penser à rien, entrer chez Nora et lui faire l'amour, mais il faisait encore clair dehors. Joe Hennessy tondait sa pelouse, les enfants jouaient au ballon et il hésitait à la rejoindre avec le poids d'un avenir incertain sur les épaules.

Il resta un moment à contempler les lilas et à respirer le parfum si doux de leurs fleurs. Un peu plus loin, Billy Silk s'entraînait à frapper des balles. Ace aurait aimé avoir son âge pour se coucher dans l'herbe jusqu'à la nuit et surveiller l'arrivée des lucioles. Il se mit à marcher le long de la rue Hemlock. Rudy s'empara d'une des balles de tennis qui traînaient dans le jardin de Nora et s'élança derrière lui en courant. Il le dépassa, revint sur ses pas et, les yeux pleins d'espoir, il laissa tomber la balle aux pieds d'Ace.

— Non, mon chien, pas maintenant, et Ace ramassa la balle et la mit dans sa poche.

Il continua à marcher, accompagné par le parfum des lilas. Les lampadaires s'allumèrent même s'il ferait jour encore pendant quelques heures. Lorsque Rudy et Ace arrivèrent en face de la maison de Cathy Corrigan, ils s'arrêtèrent devant l'allée. M. Corrigan était dehors en train de vider son camion. Après l'avoir regardé faire pendant quelques minutes, Ace s'approcha et prit une des caisses. M. Corrigan lui jeta un coup d'œil et continua à vider son camion.

Ace venait de transporter une demi-douzaine de caisses dans le garage lorsque M. Corrigan lui dit : « Il vaut mieux ne pas les coucher sur le côté. » Ace les redressa et vit, dans un coin du garage, une coiffeuse blanche dont les bords étaient ornés d'un volant de tissu rose.

— Elle se maquillait toujours trop.

Ace n'avait pas entendu M. Corrigan s'approcher et il sursauta au son de sa voix.

— Surtout les yeux, précisa M. Corrigan.

Il prit une cigarette dans son paquet de Malboro et en offrit une à Ace. Il faisait frais dans le garage. Des caisses pleines de boissons gazeuses s'alignaient le long d'un des murs. De l'endroit où ils étaient, ils pouvaient voir Rudy, assis devant l'allée.

— Ce chien est vraiment bien dressé. Comment fais-tu ? Tu n'as qu'à lui dire de t'attendre et il t'obéit ?

Ace savait bien que Rudy ne s'approcherait de cette maison pour rien au monde.

— J'ai un code. Quand je veux qu'il m'attende, je fais comme ça. Regardez, dit Ace et il leva la main comme l'aurait fait un policier pour arrêter la circulation.

— Eh ben !

Ils venaient de finir leur cigarette lorsqu'ils entendirent un cri déchirant qui laissa M. Corrigan figé sur place. C'était le chien qui hurlait, la tête rejetée en arrière.

— Rudy ! cria Ace.

Le chien le regarda et se tut.

— Un vrai cri de mort, dit M. Corrigan en frissonnant.

Il écrasa sa cigarette sur le plancher du garage.

— Elle avait un trop grand cœur, continua-t-il. Je le vois bien maintenant.

Ace prit la plaque d'identité de Rudy dans la poche de son blouson de cuir et la donna au père de Cathy. M. Corrigan la retourna dans sa main et la remit à Ace.

— J'ai perdu mon emploi. Plus personne ne veut qu'on leur livre des boissons gazeuses à domicile, alors je déménage dans le Maryland. Je trouverai bien du travail là-bas.

— Et votre maison ?

Une légère odeur fleurie flottait dans l'air, comme si le volant de la coiffeuse avait été vaporisé de parfum.

— Je vends la maison toute meublée. J'ai dit à ma femme

que dans notre nouvelle maison, il n'y aurait que du neuf. Les nouveaux propriétaires se débarrasseront bien de tout ça, moi je ne peux pas, dit M. Corrigan en désignant d'un geste un tas de boîtes empilées derrière la coiffeuse.

Tout ce qui avait appartenu à Cathy avait été rangé dans ces boîtes et dans de gros sacs de plastique : ses jupes, ses robes, ses cahiers, ses souliers de course, ses chaussures à talons hauts.

C'était le jour du ramassage des ordures et, ce soir, après leur partie de ballon, les garçons de la rue Hemlock sortiraient les poubelles.

— Je pourrais m'en occuper, dit Ace.

— Je ne te demande rien, répondit M. Corrigan.

Ace hocha la tête mais leurs regards se croisèrent et tous deux comprirent qu'au contraire, le père de Cathy avait besoin qu'Ace lui rende ce service. Après le départ de M. Corrigan, Ace resta dans le garage pour fumer une dernière cigarette. Il faisait noir maintenant. On était à la fin du printemps, le ciel était violet et l'air humide et doux. Mme Corrigan n'aura pas à s'occuper des poubelles ce soir, songea Ace en sortant la coiffeuse et les boîtes du garage. Il les aligna soigneusement le long du trottoir. Rudy s'approcha et se coucha sur la bande de gazon qui séparait le trottoir du caniveau. Cathy gardait tout : ses animaux en peluche, ses poupées, ses vieux tubes de maquillage. Il y avait aussi des sacs pleins de vêtements et Ace avait l'impression de transporter des corps lorsqu'il les soulevait en les serrant contre lui. Lorsqu'il eut terminé, tout ce qui avait appartenu à Cathy était étalé sur le trottoir devant l'allée et jusqu'à un gros arbre qui délimitait la propriété des Corrigan. Ace s'assit, la tête entre les jambes, comme un homme qui venait de risquer la noyade et qui avait été propulsé à la surface malgré lui, uniquement parce que son corps était plus robuste qu'il ne l'avait imaginé. Il siffla et

Rudy vint s'asseoir à ses côtés. Il passa un bras autour de son cou et s'aperçut que son chien tremblait.

C'était l'heure où les jeunes enfants étaient déjà au lit, où les plus vieux venaient de prendre leur bain et suppliaient qu'on leur permette de regarder la télévision encore un peu. C'était l'heure où Cathy Corrigan préparait ses vêtements pour le lendemain. Parmi les cahiers, les bandes dessinées et les romans d'amour, Ace avait déniché un carnet dans lequel elle décrivait en détail ce qu'elle avait porté telle et telle journée, y compris les accessoires. Elle ne mettait jamais deux fois la même tenue pendant une même semaine. Elle consacrait une partie de ce qu'elle gagnait au supermarché à l'achat de boucles d'oreilles, et de chaussures surtout, et le reste, elle le remettait à sa mère. La plus grosse des boîtes contenait d'ailleurs des tas de chaussures bien cirées et les souliers de course égayés de lacets roses.

Ace resta assis sur le trottoir et se laissa bercer par le grondement de la circulation sur le Southern State. Il avait laissé son bras autour de Rudy et il sentit le grognement du chien avant même de l'entendre. Il leva les yeux et vit, au beau milieu de la rue, une paire de souliers ayant appartenu à Cathy Corrigan. S'il n'avait pas retenu Rudy par le collier, le chien se serait élancé, mais il le força à rester assis pendant que les souliers rouges à talons hauts, ornés d'une courroie et d'une petite boucle, se mettaient à avancer tout seuls. Rudy aurait facilement pu les rattraper et les prendre dans sa gueule mais Ace l'en empêcha. Les chaussures continuèrent le long de la rue Hemlock, passèrent devant la maison de Nora Silk et atteignirent le coin de la rue. Sur leur passage, l'asphalte devenait bleu argenté et elles laissaient des traces de poussière phosphorescente. Et puis, tout à coup, elles disparurent et les traces se volatilisèrent dans l'air doux du mois de mai.

Ace lâcha le collier de Rudy et le chien glapit doucement,

renversa la tête en arrière et poussa un hurlement sourd qui atteignit Ace en plein cœur. Le ciel était plein d'étoiles et, dans les maisons de la rue Hemlock, les lumières s'allumaient une à une. Ace resta assis dans le noir et lorsqu'il se dirigea enfin vers la maison de ses parents, il avait compris qu'il n'appartenait plus à cette rue, à cette ville. Sa vie était ailleurs.

Lorsque, en fin d'après-midi, Nora vint chercher James chez Marie McCarthy, il dormait encore et Marie l'invita à s'installer confortablement à la table de la cuisine pendant qu'elle lui préparait un Sanka. Une tarte aux bleuets cuisait doucement dans le four et son arôme rendait Nora somnolente. Elle mit deux comprimés de Saccharin dans son café.

— Ce n'est pas surprenant qu'il dorme si bien, dit Marie avec fierté. Il a monté et descendu l'escalier du sous-sol une cinquantaine de fois pendant que je faisais la lessive.

Marie sortit la tarte du four et la croûte était si dorée, si parfaite que Nora se leva pour la voir de plus près. Elle s'approcha de Marie et les deux femmes regardèrent la vapeur s'échapper de la tarte chaude.

— Comment faites-vous pour faire de si belles tartes ?

— Le secret, c'est la pâte.

Sa future belle-fille, Rosemary, réussissait tellement bien les pâtisseries que Marie était toute heureuse de voir que Nora admirait sa tarte aux bleuets.

— La plupart du temps, je rate complètement la pâte. Elle ne devient jamais dorée comme la vôtre. Elle reste blanche et on dirait de la colle, se plaignit Nora.

— Je parie que vous utilisez du beurre.

— Oui, du beurre et du sucre.

— Moi, j'utilise du Crisco, c'est ça le secret.

— Ah, Ah, fit Nora en regardant Marie. Les deux femmes s'adressèrent un sourire complice.

— Et n'oubliez pas de piquer la pâte sept fois avec une fourchette après avoir scellé les deux abaisses.

Nora mit un bras autour des épaules de Marie.

— Allez, allez, ce n'est qu'une recette de pâte à tarte, dit Marie.

— Vous savez bien que c'est plus que cela, dit Nora.

Non seulement Marie prenait-elle soin de ses deux enfants mais elle avait permis à Nora de se faire accepter par les autres mères de la rue. Ce n'était plus seulement Ellen Hennessy qui lui téléphonait maintenant mais Lynne Wineman, et d'autres aussi. Lynne avait été très impressionnée quand Nora avait fait disparaître une verrue sur le doigt de sa fille. Elle avait enroulé le bout d'une ficelle au doigt de la fillette et attaché l'autre bout à la poignée de la chasse d'eau. Elle avait actionné la chasse d'eau une première fois. Ensuite, elle avait jeté la ficelle dans la cuvette et tiré la chasse d'eau une deuxième fois. Elle avait fait exactement comme le faisait son grand-père Eli et, le lendemain, la verrue avait disparu et Lynne l'avait invitée à déjeuner.

Nora avait été élue présidente du comité responsable de l'aménagement du terrain de jeux après avoir promis de remplacer les équipements désuets par de nouveaux, plus adéquats. On l'avait applaudie lorsqu'elle avait suggéré de planter des tulipes autour de la cour asphaltée. Parfois, lorsqu'elle attendait Billy en face de l'école, à deux heures quarante-cinq précises, une pierre ricochait tout près d'elle, la faisant sursauter. Ce n'était qu'un caillou qui roulait sur le trottoir en pente. Nora n'était pas le genre de femme à qui les enfants se seraient permis de lancer des pierres.

De toutes ses voisines, c'était Marie McCarthy qu'elle préférait. Tandis qu'elle dégustait une part de tarte aux bleuets et qu'elle buvait du Sanka, elle se mit à penser au fait qu'elle couchait avec le fils de dix-sept ans de cette femme qu'elle aimait beaucoup, et, tout à coup, elle eut tellement chaud qu'elle dut s'éventer avec la main.

— Allons voir si James est réveillé, dit Marie et les deux femmes se dirigèrent sur la pointe des pieds vers le salon où Marie avait installé un lit d'enfant. Marie avait décrété que James n'était pas un nom fait pour un bébé et elle avait décidé de l'appeler Jimmy. L'enfant dormait encore, un vieux nounours de peluche aux yeux jaunes dans les bras.

— Il adore cet ourson, chuchota Marie.

— Ah ! son Googa, dit Nora.

Un peu plus tôt dans la journée, Marie avait mis Googa dans une taie d'oreiller pour pouvoir le mettre dans la machine à laver au cycle délicat. James était resté assis à côté de l'appareil, attendant patiemment que son nounours soit débarrassé des taches de confiture et de boue séchée. Marie avait cessé de juger Nora. Quelle importance si Googa était dégoûtant de saleté, si les souliers de course de Jimmy avaient des trous ? Quelle importance si elle acceptait ce vilain chien dans sa maison ? Nora aimait les chansons d'Elvis Presley, et alors ? Elle lui avait d'ailleurs avoué que depuis qu'il était entré dans l'armée, elle le trouvait beaucoup moins séduisant. Ce devait être à cause de son uniforme.

— Alors, avez-vous des nouvelles de Roger ? demandait parfois Marie.

— Non, aucune, répondait habituellement Nora mais il lui arrivait de recevoir une carte postale ou une enveloppe avec un billet de vingt dollars pour les garçons et elle disait alors à Marie que Roger donnait un spectacle dans un motel de Las Vegas. Nora aurait tant aimé lui avouer la vérité : ce n'était pas à Roger qu'elle pensait mais à Ace, et la vraie raison pour laquelle elle avait cessé d'écouter les disques d'Elvis, c'était que sa voix la bouleversait tellement qu'elle en oubliait de préparer le dîner. Les soirs où Ace ne pouvait pas venir chercher Rudy, Nora regardait le chien qui attendait près de la porte d'entrée et elle venait s'asseoir par terre à côté de lui. Elle le prenait par le cou, lui caressait les oreilles, le flattait entre les deux yeux. Elle savait qu'un jour Ace ne reviendrait pas, du moins pas pour elle.

Les soirs où ils osaient se voir, Ace lui faisait l'amour avec tant de fougue que Nora oubliait tout. Quand ils n'étaient pas au lit, Ace ne lui adressait pratiquement jamais la parole mais elle savait qu'il l'observait en s'imaginant qu'elle ne s'en apercevait pas. Elle savait aussi qu'il avait changé, qu'il n'était plus le même et que quelque chose avait dû se produire. Rudy s'en était aperçu lui aussi et lorsque Ace était chez Nora, il ne le lâchait pas d'une semelle. Mais Ace se sentait seul, même chez Nora, même avec Rudy. Billy était la seule personne avec qui il se sentait bien mais seulement quand ils allaient au terrain d'entraînement. Il avait convaincu Billy de tenter sa chance dans la Ligue mineure et, la semaine précédant les essais, Billy s'exerça tous les soirs jusqu'à dix heures. Il ne voulait pas que sa mère soit mise au courant ; il ne voulait pas la voir dans les gradins le jour des essais, en train de s'énerver et de faire claquer sa gomme à mâcher pendant que lui essaierait de se concentrer. Mais il tenait absolument à ce qu'Ace soit là.

— Tu n'as pas besoin de moi.

— Oui, j'ai besoin de toi. Je ne suis pas si bon que ça et puis si tu es là, peut-être que je ne serai pas trop mauvais.

— Billy, tu es un bon frappeur et tu le sais.

— Aussi bon que Danny Shapiro ?

Ace ne répondit pas tout de suite.

— Tu es meilleur que Danny Shapiro.

Ace et Billy se rendirent ensemble à Policeman's Field où

avaient lieu les essais. Billy eut la gorge serrée durant tout le trajet et il dut se répéter qu'il était meilleur que Danny Shapiro jusqu'à ce qu'il y croit vraiment. C'était une belle journée, chaude et lumineuse. Il y avait tellement de garçons qui se présentaient que les gradins étaient remplis à craquer de parents et d'amis. Billy s'arrêta à la barrière. Son pantalon était plein de trous et il avait oublié de se coiffer. Il saisit la main d'Ace.

— Allez, avance. Ils ne t'attendront pas pour commencer, tu sais.

Billy lâcha la main d'Ace, gêné tout à coup.

— Et si je laissais tomber ?

— Vas-y. Sois tranquille, je ne bouge pas d'ici.

Billy franchit la barrière, seul. Tout ce qu'il espérait, c'était qu'on ne le mette pas dans l'équipe de Pee-Wee, l'équipe des six et sept ans. Il aimerait mieux mourir que de se retrouver avec eux. Il s'assit sur le banc et remarqua que les autres garçons étaient plus jeunes que lui. Lorsque ce fut son tour, il regarda en direction de l'entrée. Ace McCarthy hocha la tête et Billy frappa la balle comme si Ace avait été le lanceur. La balle monta très haut dans les airs, hors champs, et elle passa au-dessus de la clôture qui séparait le terrain d'entraînement de l'autoroute.

— C'était très bien, mon gars, lui cria un des entraîneurs pendant que Billy regagnait le banc au pas de course.

Il était tellement heureux qu'il avait peur de ne pas pouvoir garder tout ce bonheur en dedans de lui. Si on l'avait touché à cet instant précis, il aurait éclaté comme un fruit trop mûr. Il ne vit pas Stevie Hennessy s'approcher et s'asseoir près de lui.

— C'était pas mal, dit Stevie.

— Ah oui ? répondit Billy. Et il s'écarta légèrement.

— Ça se peut qu'on soit dans la même équipe tous les deux, dit Stevie.

La poussière s'était levée au-dessus du terrain. Elle charriait des odeurs fortes et sucrées. Peut-être à cause du grondement de la circulation sur le Southern State, ou bien à cause des cris d'encouragement des autres garçons, Billy ne parvenait pas à entendre ce que Stevie pensait vraiment.

— Étant donné qu'on demeure tous les deux dans le même quartier, poursuivit Stevie.

— Ouais, on verra bien.

Impossible d'entendre quoi que ce soit. Tout ce que Billy percevait, c'étaient les cris de l'entraîneur et le vrombissement d'un moteur d'avion qui passait au-dessus du terrain.

— L'année dernière, j'étais avec les Wolverines, dit Stevie. On aurait eu besoin d'un bon frappeur comme toi.

Billy mit ses mains sur ses oreilles. Le bourdonnement incessant qui lui emplissait le crâne avait disparu. Disparu également le mal de tête qui l'affligeait toujours lorsqu'il entendait les pensées des autres. Il regarda en direction de la barrière. Ace s'éloignait lentement et son ombre, longue et mince, dessinait une corneille sur l'asphalte. Il pouvait partir maintenant. Billy ferait partie de l'équipe. Lorsqu'on l'appela, il courut si vite jusqu'à la table pour remplir sa fiche d'inscription que ses souliers de course ne laissèrent aucune trace dans la poussière.

10

Le Southern State

Le jour de la remise des diplômes, il faisait une chaleur suffocante et, dans les rues, la vapeur s'élevait au-dessus de l'asphalte brûlant. Certains diplômés, qui étaient debout depuis plus de deux heures sous un soleil de plomb, perdirent connaissance ; d'autres durent boire des litres d'eau glacée après la cérémonie ; d'autres enfin enlacèrent leurs camarades en versant des larmes chaudes et salées qui laissèrent de petites traces rouges sur leurs joues. C'est à Danny Shapiro que revint l'honneur de prononcer le discours d'adieu, ce qui ne surprit personne, et Ace McCarthy reçut son diplôme, ce qui en surprit plusieurs. Depuis la toute première remise des diplômes, six ans plus tôt, la tradition voulait que l'on célèbre cet événement par un dîner au Tito's Steakhouse ; Gloria Shapiro emmena donc Danny et Rickie au restaurant dans sa nouvelle Ford Falcon. Phil, qui était arrivé en retard à la cérémonie, n'était pas resté pour entendre le discours de Danny. Il ne voulait pas voir Gloria.

— Je lui tordrais le cou à ce salaud ! dit Gloria lorsqu'ils furent assis à la table.

— Maman, s'il te plaît, supplia Rickie.

Elle avait les yeux rouges et bouffis parce qu'elle venait de rompre avec Doug Linkhauser et qu'elle ne savait toujours pas pourquoi. On disait qu'il voulait la demander en mariage, qu'il avait commencé à regarder les bagues de fiançailles mais la dernière fois qu'il avait essayé de l'embrasser, elle avait paniqué. Le lendemain, elle avait refusé de lui parler au téléphone et elle lui avait finalement renvoyé son bracelet d'identité par la poste, ce qui, elle en convenait, n'était pas très élégant de sa part. Parfois la nuit, elle regardait la maison des McCarthy de la fenêtre de sa chambre et elle pensait à Ace en espérant de tout son cœur qu'il vienne la rejoindre. Et puis, une nuit qu'elle était accoudée à sa fenêtre et qu'elle envisageait sérieusement de le rejoindre elle-même, elle le vit traverser la pelouse. Il revenait de chez Nora Silk. Les premières lucioles de l'été s'étaient prises dans la chevelure rousse de Rickie et, pour s'en débarrasser, elle avait dû se brosser les cheveux avec tant de vigueur que son cuir chevelu lui avait fait mal toute la nuit.

Danny Shapiro était assis en face de sa mère et de sa sœur. Il portait une chemise blanche, une cravate de soie et un complet bleu. Des parents et des professeurs l'avaient félicité après son discours et il les avait poliment remerciés mais, en réalité, il ne se rappelait même plus ce dont il avait parlé. Ce devait être à propos d'espoir et de foi en l'avenir. Il regarda sa mère demander un autre gin à l'eau ; c'était donc lui qui conduirait après la soirée. Il avait obtenu une bourse d'études de Cornell mais il devrait quand même travailler au laboratoire pendant l'été pour gagner un peu d'argent. Il s'était déjà inscrit à deux cours de mathématiques avancées même si le sujet ne l'intéressait plus beaucoup. En fait, il n'y avait plus grand-chose qui l'intéressait, à part l'espoir de quitter cette banlieue pourrie pour vivre là où il y aurait des champs à perte de vue, là où, l'hiver, les congères seraient si hautes qu'il serait coupé du reste du monde.

— Je ne vois pas Ace, dit Rickie.

— Et pourquoi ce garçon serait-il ici, dis-moi ? On lui a sûrement décerné son diplôme parce qu'on voulait se débarrasser de lui, dit Gloria.

Danny regarda autour de lui.

— Je ne le vois pas. De toute façon, je suis sûr qu'il aurait refusé de venir ici.

Danny sourit et regarda sa sœur pendant que Gloria remuait les glaçons dans son verre. Quelle idiote, cette Rickie. Pourquoi l'avait-elle écouté quand il lui avait dit qu'Ace n'était pas un garçon pour elle ? Elle ne changerait pas. Il aurait voulu que quelqu'un la gifle pour qu'elle se réveille enfin.

— Tu t'ennuies de lui ? demanda Danny méchamment.

Rickie prit une rondelle d'oignon frite dans son assiette. Elle regarda attentivement son frère ; contrairement à ce qu'elle avait toujours pensé, ils n'étaient peut-être pas aussi différents l'un de l'autre. Il faisait très froid dans le restaurant, à cause de la climatisation, et Rickie avait le bout des doigts gelés.

— Pas autant que toi je parie, répondit-elle, ce qui était sûrement vrai, et elle regretta aussitôt ses paroles.

Malgré l'insistance de Marie, Ace refusa d'aller au restaurant. Après la cérémonie, toujours vêtu de son complet, il se rendit directement chez Nora et sonna à la porte d'entrée même si Lynne Wineman était dans son parterre en train de tailler la haie.

— Tu n'es pas censé être ici, dit Nora lorsqu'elle ouvrit la porte et qu'elle le vit sur le perron.

Et cela était si vrai — et cela avait été vrai depuis le début — qu'ils éclatèrent de rire.

Nora le conduisit à la cuisine. Il y avait un cadeau pour lui sur la table. Nora n'avait pas eu le temps de l'emballer. Ace prit la montre en or du grand-père Eli dans sa main.

— Je ne peux pas accepter ça, c'est en or.

— C'est du plaqué, répondit Nora en refermant les doigts d'Ace sur la montre.

Pendant des semaines, Nora s'était acharnée à lui tricoter un chandail pour finalement se rendre compte que ce n'était pas ce qu'elle voulait lui offrir. Elle avait déniché la vieille montre de son grand-père au fond de son coffret à bijoux. Elle indiquait l'heure avec dix minutes d'avance ; ce serait le cadeau idéal pour Ace.

Billy entra dans la cuisine.

— Tu es censé être au restaurant. Ta mère a fait les réservations la semaine dernière, dit-il en voyant Ace.

— Je sais mais je n'avais pas très faim.

Nora avait préparé des macaronis au fromage. Ace s'en servit deux fois et, au dessert, il mangea deux petits gâteaux avec de la glace.

— Tu te sens comment ? demanda Billy pendant que Nora desservait la table.

— Comme quelqu'un qui a trop mangé, répondit Ace en riant et Nora se tourna vers lui et lui fit la grimace.

— Je veux dire maintenant que tu es libre, précisa Billy. Tu ne seras plus jamais obligé d'aller à l'école !

James monta sur les genoux d'Ace et se mit à califourchon sur une de ses jambes.

— À vrai dire, je ne sais pas trop comment je me sens.

Nora s'assit à la table.

— Ta mère a fait un gâteau.

Ace regarda Nora d'un air furieux. Une veine qui courait le long de sa mâchoire saillait sous la peau.

— Et après ?

— C'est un gâteau au chocolat et à la vanille... Ace sourit malgré lui.

— Ah oui ?

— Je pense que tu devrais retourner chez toi. Ta mère s'est levée très tôt hier matin pour faire cuire ce gâteau même s'il faisait une chaleur épouvantable. Elle l'a caché dans l'armoire au-dessus du réfrigérateur pour te faire une surprise.

Ace posa James par terre et regarda Nora.

— Tu me mets à la porte ?

— Est-ce que c'est nécessaire ?

— Qu'en penses-tu ? demanda Ace en se tournant vers Billy.

Billy regarda sa mère et essaya d'entendre ce qu'elle pensait malgré le vacarme que faisait James en jouant avec les casseroles et les aboiements de Rudy dans le jardin. Impossible de capter quoi que ce soit. Sa mère était très calme ; elle tenait un verre de limonade à la main et regardait fixement Ace.

— Elle ne te mettra pas à la porte, dit Billy en espérant que ce soit vrai.

— Eh bien, tu te trompes, dit Nora à son fils.

Nora pensa à la laverie de son ancien quartier, aux lys orangés qui avaient dépéri sur le rebord de la fenêtre de l'appartement, à ses enfants lorsqu'ils dormaient et que le ciel se peuplait d'étoiles, et elle se rendit compte qu'elle n'entendait plus le grondement de l'autoroute ; le Southern State était devenu une rivière aux eaux bleues qui coulait doucement. Elle ferma les yeux. Ace se leva et se dirigea vers la porte, et le bruit de ses pas sur le plancher de la cuisine s'estompa peu à peu à ses oreilles.

Il faisait nuit maintenant mais la chaleur était toujours aussi accablante. Ace vit la voiture dès qu'il sortit de chez Nora ; il resta sur le perron en se demandant pourquoi elle était garée dans l'allée, chez lui. Son père était appuyé sur la calandre. Il fumait et, dans le noir, le bout rougeoyant de sa cigarette évoquait la lueur d'une luciole. C'était une Ford de couleur bleue avec des pneus à flancs blancs. Ace desserra sa cravate. Il avait mis la montre du grand-père de Nora dans sa poche et elle pesait aussi lourd qu'une grosse pierre. Il traversa la pelouse et l'herbe se colla aux semelles de ses souliers.

— Ta mère a fait un gâteau, dit Le Saint.

— Il paraît, oui.

Ace se dirigea vers le côté du conducteur et passa la main sur la carrosserie fraîchement repeinte.

— Transmission manuelle, dit Le Saint en continuant de fumer sa cigarette.

Ace hocha la tête et regarda à l'intérieur de la voiture.

— Huit cylindres. Moteur remis à neuf.

Appuyé ainsi sur la voiture, Le Saint paraissait plus petit, comme tassé sur lui-même, et on aurait pu voir ses muscles bouger sous la peau.

— Papa...

— Je sais, tu aurais préféré une Chevy mais crois-moi, une Ford consomme beaucoup moins d'essence.

Ace aurait aimé mettre ses bras autour de son père mais il s'approcha et s'appuya sur la calandre à côté de lui. Le père et le fils pouvaient voir les lumières à l'intérieur de la maison ; dans le salon, les globes de la lampe sur pied formaient trois lunes parfaitement rondes.

— J'ai toujours pensé que ce serait toi qui travaillerais avec moi. C'est ce que je voulais mais la vie en a décidé autrement, dit Le Saint.

Il respirait difficilement.

— Écoute papa, j'ai un peu d'argent de côté. J'aurais très bien pu me payer une voiture.

Le Saint jeta sa cigarette par terre et l'écrasa d'un geste rageur.

— C'est la seule chose que je peux t'offrir, dit-il d'une voix dure.

— D'accord, d'accord, dit Ace.

— Bordel de merde, s'exclama Le Saint en se tournant vers son fils et il le fixa d'un regard si intense qu'Ace recula d'un pas. Laisse-moi au moins te faire ce cadeau.

Ace enlaça son père et remarqua ce qu'il aurait dû remarquer depuis longtemps : Le Saint était plus petit que lui.

James se réveilla peu après minuit. Il ouvrit les yeux et resta immobile. Son ourson de peluche était couché à ses côtés. Il lui caressa la tête et passa sa main sur les yeux jaunes. Le chant des cigales entrait par la fenêtre ouverte et il voyait les étoiles briller dans le ciel. Il ferma les yeux et les étoiles disparurent. Il les rouvrit et les étoiles réapparurent ; elles semblaient accrochées à la toile noire suspendue au-dessus de sa maison.

James avait vingt mois et il adorait danser. Lorsque Nora écoutait ses disques d'Elvis Presley, il tapait des mains, soulevait un pied, puis un autre et, s'il se sentait audacieux, il soulevait les deux pieds à la fois. Il sautait comme un lapin et sa mère le prenait dans ses bras et l'embrassait dans le cou en lui disant qu'il était formidable. Il raffolait du Jell-O à la lime, des craquelins Graham et il adorait se cacher derrière une porte, surtout quand Nora l'appelait et qu'il pouvait la voir par l'interstice en train de le chercher, le regard inquiet. Chez Marie, sa gardienne, il s'amusait souvent à lancer des cartes par terre et à les ramasser soigneusement, une à une. Il aimait s'asseoir sur les genoux de Marie pendant qu'elle chantait de sa voix enrouée qui lui rappelait le coassement d'une grenouille. Il comprenait tout ce qu'on lui disait même quand Billy criait « Fous le camp d'ici », quand il avait mis la chambre de son frère à l'envers. Il comprenait lorsqu'on lui disait « Mon chou » et « Apporte-moi tes chaussures ». Il savait parler, mais à part « maman, Marie, chien, Twinkie, nez, allô, beurre, un, deux, trois », il n'arrivait pas à prononcer tous les mots qu'il savait ; lorsque cela lui arrivait, il tapait violemment du pied, se jetait par terre en serrant Googa très fort contre lui et cela le soulageait.

Il aimait bien regarder sa chambre à travers les barreaux de son lit. Lorsqu'il se réveillait de bonne heure, parfois il faisait encore nuit, il s'assurait d'abord que tout était à la bonne place : la lampe sur la commode, le coffre à jouets dans un coin et, au milieu du parquet, la carpette blanche et rouge dont il aimait mâchonner les franges en cachette.

Il faisait très noir dans la chambre et il savait que s'il appelait sa mère, elle refuserait de lui donner un biberon parce qu'il n'était plus un bébé. Elle ouvrirait la porte et dirait : « Chut ! Fais dodo ». Mais il avait envie de voir ce qui arriverait s'il frappait sa tête contre le montant du lit. Il frappa une fois, deux fois, toujours plus fort, et se mit à donner des coups de pied. Il entendit du bruit dans la maison. Des pas se rapprochèrent de sa chambre et il devina que c'était le chien au cliquetis de ses griffes sur le parquet du couloir.

Rudy s'arrêta quelques secondes derrière la porte. Il respirait bruyamment. James donna des coups de pied sur le montant du lit et le chien se décida à pousser la porte avec son museau. Son poil était noir, tacheté de blanc, et son museau sombre et luisant. James s'assit dans son lit en serrant Googa et sa doudou contre son cœur. Le chien s'approcha et l'enfant glissa une main entre les barreaux et toucha doucement le nez de l'animal. Rudy le laissa faire un moment, mit son museau entre les barreaux à son tour et repoussa la main de James. L'enfant prit sa doudou et s'en couvrit la tête. Rudy se dressa sur ses pattes arrière, se pencha par-dessus les barreaux, tira sur la couverture avec ses dents et la laissa tomber sur le matelas. Il s'assit ensuite tranquillement à côté du lit et laissa James caresser son gros museau noir.

— Nez, dit James.

Le chien et le bébé se regardèrent dans le noir. Le grondement du Southern State n'était plus qu'une rumeur lointaine. Rudy poussa doucement James avec son museau jusqu'à ce que l'enfant se recouche en serrant sa doudou contre lui, le regard toujours plongé dans celui de Rudy. Il sentait bon le lait chaud et le chien lui lécha le visage à travers les barreaux.

L'air frais de la nuit entrait par la fenêtre et avec lui l'odeur douce du gazon. Lorsque la rue Hemlock n'était qu'un champ de pommes de terre, les lapins s'y aventuraient à la tombée du jour et ils fouillaient le sol à la recherche de nourriture jusque tard dans la nuit. Il ne restait plus maintenant que des lapins en peluche cachés dans le fond des coffres à jouets mais Rudy trouvait parfois une pomme de terre encore enfouie dans le sol lorsqu'il creusait un trou assez profond dans le jardin de Nora.

Le chien resta à côté du lit jusqu'à ce que James s'endorme en suçant son pouce. Il se dirigea ensuite vers la carpette rouge et blanche dont il fit le tour jusqu'à ce qu'il trouve l'endroit exact où se coucher, le museau entre les pattes. Les yeux ouverts, il écouta la respiration des humains qui dormaient, et ce souffle lui parut si fragile qu'il en eut les larmes aux yeux. Il écouta le bruissement des papillons de nuit qui heurtaient la moustiquaire, le craquement des lattes du parquet et le claquement d'un store sur l'appui d'une fenêtre, quelque part dans la maison. Parfois, lorsque la pleine lune éclairait la rue d'une lumière argentée ou que la nuit était noire et qu'il aurait pu sortir furtivement de l'ombre et se glisser entre les voitures garées dans les allées, il ressentait un besoin irrésistible de se mettre à courir. Il aurait pu saisir un des lapins qui se cachaient entre les rangées de pommes de terre d'un seul coup de sa mâchoire puissante, et il n'en n'aurait fait qu'une bouchée. Il aurait pu dépasser n'importe quelle voiture roulant sur le Southern State et, si quelqu'un avait essayé de le retenir, il aurait pu briser un fémur en deux et les fragments d'os se seraient éparpillés dans les airs. Il aurait pu sauter et enfoncer la moustiquaire de cette fenêtre d'une poussée de sa grosse tête et aucune clôture au monde n'aurait pu l'empêcher de partir, mais la respiration des humains qui dormaient dans cette maison le retenaient là, sur cette carpette. Peu importait s'il courait aussi vite que l'éclair, s'il y avait encore des lapins qui tremblaient dans le noir, les oreilles aplaties par la peur. Quand il dormait, il restait prêt à bondir au moindre claquement des mains, au moindre sifflement. Et même dans ses rêves, lorsqu'il n'était qu'à une foulée d'une lune ronde, pleine et blanche, il était toujours prêt à répondre à l'appel des humains.

Couché auprès de Nora dans la chambre voisine, Ace ne dormait pas. Il savait qu'il ne pourrait jamais aimer une femme autant qu'il aimait Nora. Il caressa ses bras, ses seins et son ventre. La peau de ses hanches était marquée de vergetures, symboles d'un dévouement qu'Ace ne pouvait pas et ne pourrait jamais comprendre. Quand il lui avait demandé de partir avec lui, elle lui avait dit de se taire et de l'embrasser, qu'il n'y avait pas de temps à perdre. Et elle avait eu raison. Depuis qu'il avait la montre du grand-père Eli, il était surpris de voir comme le temps passait vite.

La veille, il avait vidé sa chambre ; ce qu'il emportait avec lui tenait dans une seule valise. Le Saint et Jackie avaient préféré rester à la station-service après la fermeture pour nettoyer les vitres du bureau et ils avaient partagé une pizza pour dîner. Il n'y avait pas eu de scène d'adieu, un choix qu'Ace comprenait et respectait. Marie avait pleuré en lui préparant deux sandwiches au rôti de bœuf et des biscuits pour la route. Il était entré dans la cuisine, sa valise à la main, et elle l'avait serré dans ses bras en cachant ses yeux rougis. Lorsqu'elle se décida enfin à le laisser partir, Ace mit sa valise dans le coffre de sa Ford, fit monter Rudy à ses côtés et conduisit jusqu'à un champ, tout près de Dead Man's Hill. Il voulait quitter la ville ce soir-là mais lorsqu'il vit la bretelle d'accès de l'autoroute, il gara sa voiture et revint à pied chez Nora. Elle n'avait pas verrouillé la porte et l'attendait dans la cuisine, un verre d'eau à la main, ce verre d'eau qu'il n'avait pas eu le temps de boire la première fois qu'il était entré chez elle.

L'aube se levait et, bientôt, il lui faudrait partir. Il avait enfin réussi à passer toute une nuit avec elle. Il avait pu la contempler pendant son sommeil, son visage encadré de cheveux noirs sur l'oreiller blanc. Il la regarda dormir encore un peu avant de se lever et de s'habiller. Il alla à la fenêtre, écarta le store vénitien et jeta un coup d'œil sur la maison de ses parents. Sa mère était probablement en train de faire du café pendant que son père se douchait et que Jackie ouvrait la porte de son placard pour y prendre un uniforme fraîchement repassé. La vie continuait, même sans lui. Ace prit une cigarette et s'assit sur le lit. Il n'oublierait pas Nora. Il penserait à elle chaque fois qu'il verrait un bracelet à breloques, qu'il déjeunerait, qu'il déshabillerait une autre femme, et lorsqu'il traverserait le désert, en route pour la Californie, il s'arrêterait pour contempler le coucher de soleil et crier son nom à tue-tête.

Nora se réveilla. Elle enlaça Ace par derrière, appuya sa joue sur son dos, lui prit sa cigarette et en aspira une bouffée avant de l'éteindre dans le cendrier sur sa table de chevet.

— Nora... commença Ace.

— Aujourd'hui, je vais planter des tournesols autour de la

terrasse. Je ferai la lessive et ensuite j'irai au supermarché pour acheter du pain.

Ace s'appuya contre elle jusqu'à ce qu'elle lâche prise.

— Du pain de blé entier, naturellement.

Au début de juin, une armée de grosses fourmis noires avait envahi la cuisine. Impossible de s'en débarrasser même en lavant les comptoirs avec un mélange d'ail et de marjolaine, comme le faisait son grand-père. Elles n'avaient peur de rien ; elles n'hésitaient pas à sauter dans le sucrier ni dans une tasse de café encore chaud. D'après Marie McCarthy, chaque année c'était la même chose et la seule façon de s'en débarrasser, c'était d'utiliser du poison à fourmi. Nora avait donc versé du poison dans de petits contenants d'aluminium qu'elle avait placés dans la cuisine, hors de portée des enfants naturellement, et les fourmis s'étaient mises aussitôt à rendre l'âme par centaines. Elle avait dû se précipiter pour les enlever des comptoirs avec une éponge et les ramasser avec un porte-poussière avant que James ne s'en mette plein la bouche. À la quincaillerie, on lui avait promis que tout serait fini en moins de douze heures et elle s'était attendu à ce que les fourmis meurent discrètement ; jamais elle n'aurait imaginé qu'elles mourraient ainsi, couchées sur le dos, leurs petites pattes battant l'air, et qu'elle en trouverait sur le plancher de sa cuisine par bataillons entiers. Elle se sentait comme une meurtrière. Les fourmis se doutaient bien qu'il se passait des choses terribles ; celles qui étaient encore vivantes s'agitaient dans tous les sens, délaissant le sucrier et même le biscuit tout gluant que James avait laissé sur sa chaise haute. Elles formaient une ligne noire et grouillante sur l'appui de la fenêtre, au-dessus de l'évier, et elles allaient et venaient sans arrêt. Nora avait pris un journal, en avait fait un rouleau et elle était sur le point de lever le bras pour en tuer le plus possible lorsqu'elle avait compris pourquoi les fourmis couraient ainsi. Celles que le poison n'avait pas encore affaiblies, et même celles qui étaient déjà atteintes, se dépêchaient de vider leur nid et de sauver le plus d'œufs possible. Des dizaines d'œufs minuscules, aux parois translucides, si fragiles qu'ils s'étaient désagrégés dès que Nora les avait touchés du doigt, s'alignaient le long du comptoir, à côté de l'évier.

Nora avait pleuré, debout devant l'évier, pendant que les fourmis continuaient leur opération de sauvetage. Elle pleurait toujours lorsqu'elle avait mis les œufs dans une assiette de carton qu'elle avait emportée dans le jardin. Elle avait mélangé les œufs à la terre, à l'endroit où elle voulait planter ses tournesols. Ensuite, elle s'était assise sur le petit muret de briques que M. Olivera avait soigneusement érigé autour de la terrasse. Ace pouvait partir maintenant. Elle se sentait capable d'accepter son départ.

Ace sortit de la chambre. Rudy l'attendait près de la porte d'entrée. Il lui mit sa laisse et ils sortirent de la maison, traversèrent les jardins, longèrent les clôtures et parce qu'ils marchaient aussi vite que les corneilles volaient, ils arrivèrent en vue de l'autoroute en un rien de temps. Ace libéra Rudy et ils s'élancèrent en direction de la Ford. Ils coururent jusqu'à ce qu'il n'y ait plus de clôtures grillagées, jusqu'à ce que l'air sente bon le trèfle et le lupin bleu, comme autrefois lorsque Dead Man's Hill était entouré de champs et que les roses sauvages, celles qui ne fleurissent que quelques jours par année, tapissaient la colline.

Le dernier dimanche du mois de juin, Nora et James sortirent dans le jardin avec un paquet de graines de tournesol et deux cuillères. C'était une journée splendide, chaude et lumineuse, et le ciel était parsemé de petits nuages blancs qui ressemblaient à des flocons de maïs soufflé. Après avoir déjeuné d'un sandwich au thon et d'un lait au chocolat, Nora installa James dans sa poussette pour qu'il dorme pendant le trajet. Elle s'arrêta un instant devant l'allée pour allumer une cigarette et elle vit Donna Durgin au volant d'une nouvelle voiture. Elle donnait de petits coups de klaxon et regardait en direction de son ancienne maison. Nora s'approcha et se pencha vers elle. Donna sursauta mais elle baissa la vitre après l'avoir reconnue.

— Je vois que vous portez du noir. Ça vous va à merveille, dit Nora.

Donna sourit et remit en place le serre-tête noir qui ornait ses cheveux. Elle portait un chandail de coton noir sur un pantalon étroit, noir également. Ses cheveux blonds, courts et bouclés, encadraient son joli visage.

— J'attends les enfants. Je les vois tous les dimanches après-midi et il sait que j'arrive toujours à treize heures précises.

— Il veut probablement vous punir d'être aussi séduisante.

Nora tendit le bras et appuya sur le klaxon plusieurs fois de suite.

— Je parie qu'il va sortir bientôt, dit-elle.

Robert Durgin ouvrit la porte-moustiquaire. Il était vêtu d'un T-shirt et d'un jean ; il cria à Donna que ce n'était pas nécessaire d'ameuter tout le quartier.

— Qu'est-ce que je vous disais, dit Nora.

Donna sortit de sa voiture et se pencha pour chatouiller James sous le menton.

— Imaginez-vous que je me suis perdue en venant. Je ne me souvenais plus du nom des rues, dit Donna.

Elle se redressa. Les deux femmes s'appuyèrent sur la voiture et regardèrent en direction de la maison.

— J'aurais aimé planter une roseraie tout autour du perron, dit Donna. J'aurais fait pousser des roses rouges.

— Des roses ! Quel emmerdement ! dit Nora en jetant sa cigarette par terre.

Donna se mit à rire.

— C'est vrai, quoi, poursuivit Nora. On passe son temps à les vaporiser, à mettre de l'engrais et puis il faut les couper avant l'hiver en priant que les enfants ne se blessent pas les doigts sur les épines. Moi, je préfère les tournesols. Venez faire un tour au mois d'août, vous verrez. Il y en aura plein autour de la terrasse et ils mesureront au moins deux mètres !

Les deux femmes sourirent à la pensée de toutes ces grosses fleurs jaunes tournées vers le soleil.

— Je finirai bien par avoir la garde des enfants, vous savez, dit Donna.

Les enfants de Donna apparurent enfin dans l'encadrement de la porte. Robert les retint encore un peu avec des conseils de dernière minute.

— On dirait qu'il sait tout, dit Donna. Il m'écrit de petites notes en me disant quoi faire pour leur dîner, comme si je ne les avais pas nourris durant toutes ces années.

— Vous devriez les déchirer quand les enfants ne regardent pas.

— C'est ce que je vais faire, répondit Donna en souriant avant de s'avancer à leur rencontre.

Nora observa la scène un moment et repartit en direction de Harvey's Turnpike. Elle connaissait maintenant le nom de chaque rue ; elle savait laquelle était sans issue et laquelle menait vers Harvey's Turnpike en faisant mille et un détours. Les hommes tondaient leur gazon et l'odeur de l'herbe fraîchement coupée lui donna envie de s'allonger sur une des pelouses qui bordaient le trottoir. James s'était endormi dans sa poussette, les mains posées sur les genoux et la tête penchée sur une épaule. Nora avança avec précaution pour ne pas le réveiller et quand elle arriva à Policeman's Field, elle lui protégea la tête avec un petit chapeau. Elle salua de la main Lynne Wineman, assise tout en haut des gradins, et d'autres femmes qu'elle connaissait.

Elle dirigea la poussette vers les gradins. Elle portait le même bermuda et les mêmes souliers de course qu'elle avait mis pour jardiner et ses cheveux, coiffés en queue de cheval, étaient retenus par un élastique. Elle s'assit dans la première rangée ; ce n'était pas le meilleur endroit pour regarder une partie de base-ball mais James pourrait continuer sa sieste. De l'autre côté du terrain, les Wolverines lui faisaient face, tous vêtus d'un uniforme bleu et sagement assis sur le banc des joueurs. Nora prit une cigarette et l'alluma.

— Joe ! cria-t-elle quand elle vit Hennessy en train de chercher une place.

Il avait un gros sac de maïs soufflé dans une main et de l'autre il guidait sa fille Suzanne dans la foule. Il se retourna, les sourcils froncés, mais il ne vit pas Nora tout de suite. Elle cria son nom encore une fois en tapotant la place libre à côté d'elle.

Joe plissa les yeux, essayant de voir qui l'appelait. Lorsqu'il vit Nora, il lui fit signe et réussit à convaincre Suzanne de rebrousser chemin.

— Elle veut absolument être assise en haut, dans les dernières rangées.

— C'est vrai qu'on voit mieux d'en haut, dit Nora à la fillette. Ellen est-elle avec vous ? demandat-elle à Hennessy.

— Non, elle a travaillé tard hier soir et elle a pris congé cet après-midi. C'est moi qui m'occupe des enfants le samedi et le dimanche.

— Vous devez être un père formidable, dit Nora en écrasant sa cigarette par terre.

Elle sourit à Hennessy.

— Oh non, je ne crois pas.

— Papa, dit Suzanne en le tirant par la main. Tu m'as promis.

— C'est vrai que je lui ai promis, dit Hennessy à l'intention de Nora.

— Elle ne veut rien manquer des exploits des Wolverines, je parie.

— Vous avez tout deviné, répondit Hennessy. Et vous, comment ça va ?

— Ça va, ça va.

Nora montra son bermuda de la main.

— Ne faites pas attention. J'ai plutôt l'air négligé mais c'est parce que j'ai fait du jardinage.

La peau de Nora était couleur de miel dans la lumière dorée de cet après-midi d'été.

— Ce n'est pas ce que je voulais dire, dit Hennessy.

James tourna la tête dans sa poussette et se mit à sucer son pouce avec ardeur, comme il le faisait toujours juste avant de se réveiller.

— Oui, je sais.

Nora et Hennessy se regardèrent en souriant. Hennessy prit Suzanne dans ses bras et la transporta en haut des gradins. Nora les observa quelques instants. James venait de se réveiller et il la regardait.

— Mon bébé, dit-elle en le soulevant de sa poussette pour l'asseoir sur ses genoux.

Les garçons de l'équipe adverse venaient de faire leur entrée sur le terrain. Nora se protégea les yeux du soleil et parvint à distinguer Billy assis sur le banc dans son uniforme bleu tout neuf. Elle sentait le poids de James encore lourd de sommeil sur ses cuisses. L'enfant se mit à genoux en se tournant vers elle et passa ses bras autour de son cou. Le ciel était d'un bleu lumineux et l'horizon bordé de rouge, promesse de lendemains ensoleillés. Nora souffla dans le cou en sueur de

James et lui donna un baiser. Elle s'adossa aux gradins et pointa un doigt pour qu'il lève la tête et voit la première balle s'élever au-dessus du terrain, très haut dans le ciel où une lune ronde, blanche et brillante venait d'apparaître en plein après-midi.